Retrato de José Donoso ©Luis Poirot.

COLECCIÓN BIBLIOTECA CHILENA

EL LUGAR SIN LÍMITES

JOSÉ DONOSO

EL LUGAR SIN LÍMITES
José Donoso

Edición crítica: María Laura Bocaz Leiva

Ediciones Universidad Alberto Hurtado
Alameda 1869 · Santiago de Chile
mgarciam@uahurtado.cl · 56-228897726
www.uahurtado.cl

Impreso en Santiago de Chile, por C y C impresores
Diciembre de 2019

Esta edición crítica fue sometida al sistema de referato ciego.

ISBN libro impreso: 978-956-357-227-8
ISBN libro digital: 978-956-357-228-5

© Herederos de José Donoso representados por Natalia Donoso a través de Agencia Balcells. Se agradecen las facilidades dadas por la sucesión.
© María Laura Bocaz Leiva, edición crítica y notas, y los artículos "José Donoso y *El lugar sin límites*: hitos de una travesía escritural" y "El lugar sin límites de José Donoso: avatares y periplo editorial de una 'nouvelle'".
© Severo Sarduy, representado por Agencia Balcells, "Escritura/Travestismo".
© Fernando Moreno, "La inversión como norma. A propósito de *El lugar sin límites*".
© Sharon Magnarelli, "*El lugar sin límites*: límites, centros, y discurso", traducción de Ángela San Martín.
© Andrea Ostrov, "Espacio y sexualidad en *El lugar sin límites* de José Donoso".
© Carl Fischer, "José Donoso y las masculinidades monstruosas de la reforma agraria chilena".
© Daniela Buksdorf Krumenaker y María Laura Bocaz Leiva, Cronología y Bibliografía.

Coordinadora Colección Literatura: Betina Keizman
Coordinador Colección Biblioteca chilena: Juan José Adriasola
Dirección editorial: Alejandra Stevenson Valdés
Editora ejecutiva: Beatriz García-Huidobro
Diseño interior y portada: Alejandra Norambuena

Imagen de portada: Retrato de José Donoso, fotografía de Luis Poirot. "Termas de Jahuel", 1930. Archivo Fotográfico Museo Histórico Nacional.

COLECCIÓN BIBLIOTECA CHILENA

EL LUGAR SIN LÍMITES

JOSÉ DONOSO

Edición crítica
María Laura Bocaz Leiva

uah/Ediciones
Universidad Alberto Hurtado

La colección *Biblioteca chilena* publica una serie de obras significativas para la tradición literaria chilena en nuevas ediciones realizadas por un conjunto de académicos especialistas en literatura. En cada volumen se fija el texto con criterios estables y rigurosos, se proporciona un amplio aparato de notas y se ofrece un conjunto de materiales complementarios que garantizan una recepción informada por parte del público.

El objetivo de *Biblioteca chilena* es fomentar la relectura, valoración y difusión de los autores fundamentales del canon nacional, abriendo de este modo nuevas formas de apropiarse culturalmente de un conjunto de obras literarias en las que se despliega una versión relevante de la identidad y paisaje simbólico que denominamos Chile.

Cada volumen contiene:
- Un estudio crítico, redactado especialmente para la edición por un connotado académico, que proporciona la valoración e interpretación globales del texto.
- La historia del texto y sus criterios editoriales.
- La obra.
- Un *dossier* con los artículos más relevantes que se hayan publicado acerca de ella.
- Un cuadro cronológico.
- Una completa bibliografía de y sobre el autor.

El propósito final de *Biblioteca chilena* es conectar a las instituciones académicas con la comunidad, para animar de este modo un diálogo de largo plazo y consecuencias fecundas al poner nuevamente en el tapete la tradición literaria de nuestro país.

Índice

INTRODUCCIÓN

José Donoso
y *El lugar sin límites*:
hitos de una travesía escritural

María Laura Bocaz Leiva

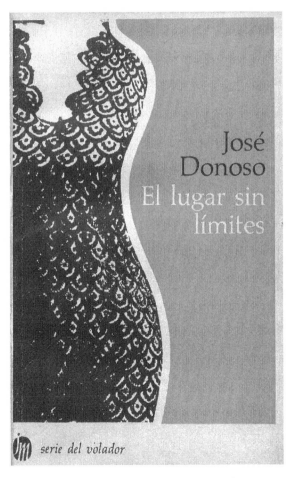

Primera edición de *El lugar sin límites* de la editorial Joaquín Mortiz,
en la prestigiosa "Serie del volador", 1966.

José Donoso y *El lugar sin límites*: hitos de una travesía escritural

María Laura Bocaz Leiva

Los inicios de un oficio[1]

José Donoso Yáñez (1924-1996) —*Pepe* para tantos amigos, familiares y fieles lectores— señaló en uno de los múltiples testimonios a los que hoy podemos recurrir para acercarnos a sus recuerdos sobre su obra y oficio de escritor, que su primera incursión en la escritura fue un drama escrito a los doce años (*Review* 14). A diferencia de ese guion teatral, a estas alturas mítico, que desde el recuerdo del propio autor parece augurar su trabajo con la compañía Ictus en la década del 80, sabemos con certeza que sus primeras publicaciones fueron dos cuentos escritos en inglés y publicados fuera de Chile.

"The Blue Woman" (1950) y "The Poisoned Pastries" (1951) aparecieron en la revista *MSS* que Donoso coeditó cuando era estudiante en la Universidad de Princeton entre 1949 y 1951. Robert V. Keeley, en una nota del número que titula *MSS reedited*, publicado en 1998 en honor a Donoso y al escritor Walter Clemons Jr., recuerda su trabajo codo a codo con su entonces

---

[1] Para un recuento exhaustivo de la vida y obra de Donoso, ver la cronología incluida en esta edición.

vecino en la residencia South Edwards Hall, de la Universidad de Princeton (traduzco):

> Me pidieron que me hiciera cargo de la revista MSS a partir del otoño de 1950, a pesar de ser un *outsider*, ya que un número considerable de escritores de *MSS* se estaban graduando y ninguno de los estudiantes de segundo y tercer año asociados a la revista estaba interesado en hacerse cargo de las tareas administrativas (…). Mi primera acción al tomar el cargo fue reclutar a José Donoso como mi mano derecha (…) el fuerte de su estrategia de venta era su persistencia, su habilidad para convencer a recelosos estudiantes de último año de que estarían cometiendo un grave error si lo rechazaban (…). Por sí solo José vendió más de 200 suscripciones, más que todos los otros miembros de la revista combinados. (…) tuvimos que decidir qué publicar en esa primera edición de noviembre de 1950. Teníamos pocas entregas en la mano, la mayoría de poesía, casi todas de regular calidad, a excepción de un par extremadamente vanguardistas y de sonetos bastante sui géneris (…). José y yo, sin duda sacando provecho de nuestro estatus de administradores, propusimos al grupo que publicáramos algunas de nuestras propias prosas (5-8).

Si bien estos dos relatos no fueron incluidos en diferentes volúmenes que reunieron sus cuentos entre mediados de los cincuenta y principios de los setenta, sí aparecieron en *Literary Review* (1950, 1951) y dos décadas más tarde, en la revista *Chasqui* (1972)[2].

La entrada de Donoso en el escenario de las letras nacionales a mediados de los 50 se vio determinada por tres hitos. Primero, la inclusión de su cuento "China" en la *Antología del nuevo cuento chileno* de Enrique Lafourcade, publicada en 1954. Este volumen reunía todos los cuentos que participaron en las "Jornadas del Cuento en Santiago" organizadas por el propio Lafourcade en 1953, dando origen a lo que se denominó la Generación del 50[3].

---

[2] *Veraneo y otros cuentos* (1955), *El charleston y otros cuentos* (1960), *Los mejores cuentos de José Donoso* (1966) y *Cuentos* (1971).

[3] Posteriormente, en 1959, Lafourcade edita *Cuentos de la generación del 50*, en esta oportunidad, Donoso participa con "La puerta cerrada".

Al año siguiente, la publicación de su primer volumen de relatos *Veraneo y otros cuentos* (1955), el que si bien le valió la obtención del Premio Municipal para cuentos en 1956 así como la aprobación del crítico Alone (*Historia personal del "boom"*, 34), fue rechazado en primera instancia por Zig-Zag, Nascimento y Pacífico, hasta que finalmente fue aceptado por Editorial Universitaria. Donoso recalca en diversos testimonios las dificultades asociadas a la publicación de este, su primer volumen de cuentos, y la preventa por medio de diez amigas de una centena de ejemplares. Cito *Historial personal*:

> Apareció mi libro sin pie de imprenta: mil ejemplares con una portada de Carmen Silva. Se repartieron los volúmenes suscritos y comenzó la campaña heroica para vender el resto de los ejemplares (…) el crítico Alone (Hernán Díaz Arrieta), cuya crónica literaria semanal en *El Mercurio* era entonces todopoderosa, me dio el espaldarazo oficial: se habló de mí y logré triunfalmente vender los mil ejemplares (34).

El tercer hito, y sin duda el más definitorio para su carrera como novelista, fue la publicación de *Coronación* en 1957. Esta vez en la prestigiosa Editorial Nascimento, con portada del pintor chileno Nemesio Antúnez. Si bien la novela gozó de éxito inmediato, a juzgar por *Historia personal del "boom"*, su publicación tampoco estuvo exenta de dificultades: "Cuando buscaba editor para *Coronación*, aun después de haber obtenido el Premio Municipal con mis cuentos y cuando ya algún escritor más joven que yo me reconocía en un bar, Zig-Zag no se atrevió a publicarla" (*Historia personal*, 35).

Además de ser su primera novela, *Coronación* inaugura su entrada al mercado de habla inglesa tras ser galardonada en 1962 con el Premio Ibero-Americano de Novela otorgado por la Fundación William Faulkner. El premio propiciaba tanto la traducción al inglés así como la publicación de la novela en Estados Unidos. Para ser nominadas por los tres jueces, quienes no podían ser mayores de 25 años, las novelas debían haber sido publicadas a partir de la Segunda Guerra Mundial, y no estar traducidas al inglés[4].

Un par de relatos más sucedieron a *Coronación*: "Pasos en la noche", dedicado a su entonces novia María Pilar Serrano, el que apareció en español, portugués e inglés en la revista *Américas* en 1959. *El charleston y otros cuentos* (1960) que combinaba el relato entonces inédito "El charleston" con otros que ya habían sido publicados: "Ana María" y "El hombrecito" publicados en 1956 por la Editorial Guardia Vieja en una edición limitada titulada *Dos cuentos*. "La puerta cerrada" de 1959 y "Paseo" que apareció en el número 261 de la revista *Sur* ese mismo año. Zig-Zag, por su parte, reunió en 1966 *Los mejores cuentos de José Donoso*. Si bien este último comprendía la mayoría de los relatos de Donoso, excluyó tanto "Pasos en la noche" como los cuentos publicados originalmente en inglés al inicio de su carrera.

Paralelamente, a partir de marzo de 1960, Donoso desarrolló su trabajo periodístico con la revista *Ercilla* (García-Huidobro, 18), transformando lo que debía ser una tradicional nota periodística en un periodismo literario:

> Quizás para Lenka Franulic, Donoso era un periodista demasiado literario, lo que lo convertía no sólo en un colaborador difícil de manejar sino en un no periodista. Lo que Franulic ignoraba es que Donoso anticipaba y desarrollaba casi en forma paralela un estilo que luego se constituirá en algo así como la gran renovación del periodismo del siglo XX. Se trata del llamado *Nuevo periodismo* que empieza a realizarse en Estados Unidos en los primeros años de los sesenta. Mientras Donoso en Chile ponía en aprietos a su editora, más o menos en la misma época Norman Mailer, Truman

---

[4] La Universidad de Virginia posee documentos y correspondencia relacionada con el proyecto Ibero-Americano de Novela de la Fundación William Faulkner, en su departamento de Colecciones Especiales, Albert and Shirley Small Special Collections (la misma biblioteca contiene valiosos manuscritos de Jorge Luis Borges). El proyecto se habría iniciado tras la visita de Faulkner a Venezuela a principios de 1961, el que habría generado en el escritor un fuerte interés por dar a conocer la literatura latinoamericana. Para una descripción del proyecto y la colección ver search.lib.virginia.edu/catalog/u1750531.

Capote y Tom Wolfe entre otros, deben haber hecho lo mismo con los suyos (García-Huidobro, 25)[5].

EL LUGAR SIN LÍMITES, ESTE DOMINGO Y EL OBSCENO PÁJARO DE LA NOCHE: LA TRÍADA DEL 60 Y EL BOOM

En un período de cinco años, Donoso publica tres novelas. Sus materiales de escritura custodiados en los archivos de las universidades de Iowa y Princeton[6], confirman los testimonios del escritor: las dos ficciones del 66 se escriben y publican en pleno *boom* y paralización creativa de su novela más ambiciosa en términos de experimentación formal, *El obsceno pájaro de la noche* (1970). En estas tres novelas, el lector donosiano es testigo de múltiples ecos que oscilan desde la reiteración de "redoma", de una caja de Masawattee que ya no guarda té en hojas, de cómplices matas de hortensias al fondo de un jardín, de paredes pretéritas empapeladas una y otra vez con papel de diario, hasta el mítico pasaje de los cuatro perros negros que la crítica ha atribuido al fragmento que según Donoso, un día desgajó de las múltiples versiones mecanografiadas del *Obsceno pájaro*, dando inicio al período de escritura de la que resultaría ser su primera novela publicada fuera de Chile[7].

José Promis Ojeda, en su apreciación global de la obra de Donoso, señala con exactitud en 1975 el hito que conforma la esperada y accidentada publicación de *El obsceno pájaro de la noche*: "Con esta novela se cierra y se cumple un ciclo, más allá del cual no existe otra posibilidad expresiva (…) la novela de Donoso es el

---

[5] Para un compendio del trabajo periodístico de José Donoso ver: Isis Quinteros, 1974; María del Carmen Cerezo, 1985; Cecilia García-Huidobro (1998 y 2004) y Patricia Rubio (2009).

[6] El material en la Universidad de Iowa cubre desde la década del 50 hasta 1966. Incluye principalmente cuarenta y siete cuadernos de trabajo y versiones mecanografiadas de diferentes obras, correspondencia personal, así como material escritural y cartas recibidas por su esposa, María Pilar Serrano. El archivo de la Universidad de Princeton contiene los cuadernos de trabajo a partir de 1966, correspondencia, versiones mecanografiadas y dos carpetas de fotografías.

[7] Dos de los autores incluidos en el dossier de esta edición —Sharon Magnarelli y Fernando Moreno— ahondaron en las indiscutibles coincidencias observables entre ambos pasajes.

broche que cierra una etapa, después de la cual sólo cabe cambiar de rumbo" (31)[8].

Efectivamente, dos años más tarde, Donoso no publica una novela sino su *Historia personal del "boom"*. Haciendo uso del "género 'historia personal'" acuñado por Alone en 1954 a partir de su *Historia personal de la literatura chilena* (34). En él, Donoso se propone hablar de lo que califica como un "fenómeno literario" de difícil definición. Dar su "testimonio personal" sobre las obras publicadas en los sesenta, compartiendo "cómo las sentí" y "las sigo sintiendo", "contar de qué manera vi sobrevenir los cambios desde el ángulo que a mí me tocó, y qué carácter tuvieron para mí esos cambios" (18). A pesar de y por su carácter de testimonio personal, este recuento se transformó en una de las principales referencias que abordan ese fascinante y controversial período de la historia literaria y cultural de América Latina. Así, a casi cinco décadas del período que asociamos con el *boom*, la *Historia personal* de Donoso constituye uno de los "insustituibles materiales básicos para el estudioso del movimiento de renovación de la literatura latinoamericana" (Joset, 101), codeándose sin tapujos con "El *boom* en perspectiva de Ángel Rama" (1979) y *El BOOM de la Literatura Latinoamericana* (1972), de Emir Rodríguez Monegal[9].

A simple vista pareciera que Donoso se unió tardíamente al *boom* si se tiene como referencia que *El obsceno pájaro de la noche* logra ser publicado en 1970 (tras sortear la censura franquista y los problemas de una Seix Barral irremediablemente escindida), y que *Historia personal* no aparece hasta 1972, cuando a juicio del propio

---

[8] Philip Swanson, uno de los principales estudiosos de la obra de Donoso, también divide la producción del escritor en dos fases: la primera abarca desde fines de los cincuenta hasta 1970 y se caracteriza por un rechazo-alejamiento del realismo a la innovación y experimentación formal asociada con el *boom*. La segunda se desarrolla a partir de 1970. En este segundo ciclo se observa un retorno a formas aparentemente más simples, mediante las cuales Donoso continúa atacando, mermando —pero mediante otros recursos— los presupuestos de una narrativa realista (*José Donoso: The "Boom" and Beyond*, 2-3).

[9] Para estudios sobre Donoso y el *boom* ver Verónica Cortínez "La parroquia y el universo" (1996), Jaques Joset "El imposible boom de José Donoso" (1982) y "La estrategia autobiográfica de José Donoso en *Historia personal del 'boom'*" (1986). María Laura Bocaz Leiva "La integración de José Donoso a la plataforma del boom" (2013).

Donoso ya se reclamaba la superación del cuestionado período por un nuevo ciclo. El estudio de su correspondencia personal, sin embargo, devela a un Donoso que fue tempranamente incorporado a la plataforma y maquinaria del *boom* sobre todo por dos de sus principales agentes: Emir Rodríguez Monegal y Carlos Fuentes. El crítico uruguayo se ocupa de gestionar la difusión de la obra del escritor chileno en los cursos que impartía a mediados de los 60, por ejemplo, en Harvard: "Tengo un alumno escribiendo un *paper* sobre tus narraciones. Ya oirás de él"; "Ya propuse a la gente del Departamento de Romance Languages and Literatures que te invite a venir aquí, a dar una conferencia… Todos están encantados con la idea de que vengas y quieren saber cuándo sería posible" (Bocaz, 1055). Una vez que *Mundo Nuevo* se concreta —revista que funda y dirige en París entre 1966 y 1968— se ocupa de gestionar la difusión de la obra del escritor chileno en esta y otras revistas. Tanto en *Mundo Nuevo* en 1967 como en la revista *Review* que coedita en 1973, se observa la dedicación de secciones completas a la narrativa de Donoso. El número de *Review* incluye la traducción al inglés de "Escritura/Travestismo" por Severo Sarduy, indiscutido punto de partida del debate crítico de *El lugar sin límites*, así como de la conocida entrevista conducida por el propio Rodríguez Monegal, "José Donoso: la novela como *happening*"[10].

Carlos Fuentes, por su parte, escritor a quien Donoso calificó de cuasi encarnación del *boom* en su *Historia personal* (68), también apoyó el trabajo de Donoso, haciendo referencias explícitas a su obra en las múltiples entrevistas que daba, escribiendo reseñas y críticas que favorecieran su obra; aprovechando sus contactos, la experiencia y posición de su agente literario Carl Brandt, así como su propio conocimiento y manejo del medio editorial internacional para que la obra de Donoso circulara y fuera traducida. La influencia de Fuentes apuntada por Joset en 1982 a partir de su lectura

---

[10] Solo dos textos centrados en *El lugar sin límites* preceden al de Sarduy, ambos de 1967: "El mundo de José Donoso" también por Rodríguez Monegal y "El infierno de la ambigüedad" de Alejandro Patemain que apareció en la revista *Temas*, en Uruguay.

crítica de *Historial personal*, se confirma con fuerza en el epistolario que une a ambos escritores: "Gracias a su ayuda y apoyo, la difusión de la narrativa de Donoso franquea los estrechos límites del pequeño mundo chileno, aún reducido… y alcanza un público continental" (98). Dos de las cartas más decidoras al respecto se encuentran entre el epistolario del escritor archivado en la Universidad de Iowa. En esta correspondencia de marzo de 1962, accedemos a las gestiones de Fuentes para que la primera novela de Donoso sea traducida:

> Querido Pepe:
> Ante todo al grano: mi agente en Nueva York ya está manejando "Coronación" y, aunque apenas está haciendo los rounds de lectura entre críticos bilingües, parece que se apunta cierta posibilidad de que Simon & Schuster se interese por la obra. Te tendré al tanto de lo que suceda, aunque ya sabes que en estos menesteres la paciencia es nuestra única coraza. Respecto de Francia, voy a tomarme un poco más de tiempo para asegurar la edición de Gallimard; los editores franceses solo funcionan a base de influencias personales, de manera que voy a esperar la visita de Juan Goytisolo a México en septiembre para encargarle personalmente la gestión (Bocaz, 1061).

En esta carta de octubre de 1964 se observa a un Carlos Fuentes decidido a hacer todo lo que esté a su alcance para que Donoso sea invitado a participar en el encuentro de intelectuales que se celebrará en Chichén Itzá:

> Mi amigo Robert Wool, director fundador de la revista "Show" de Nueva York y actualmente presidente de la fundación interamericana para las artes, está organizando el tercer simposio de intelectuales y artistas de los EE.UU. y América Latina… le he insistido a Wool (a quien creo que tú conoces) en que invite una representación realmente buena de novelistas latinoamericanos. Llegamos a la conclusión de que los imprescindibles serían Cortázar, Vargas Llosa y tú, junto con los pintores, cineastas, arquitectos, etc. que vendrán (José Donoso Papers, University of Iowa).

No obstante lo anterior, resulta crucial destacar que de la mano de ese desarrollo e internacionalización de su obra y figura, Donoso también se convirtió gradualmente en un engranaje de la maquinaria que propició la circulación y reconocimiento de una fracción de la literatura latinoamericana en la década del 60. A partir de la correspondencia del escritor rescato un ejemplo que me parece particularmente decidor: su participación por invitación a ser coeditor de la revista *Tri Quarterly* en 1968, la que en sus números 13 y 14 ofreció una edición especial dedicada a la literatura latinoamericana contemporánea. Esta incluía una variada selección de textos traducidos al inglés por varios de los traductores que protagonizaron la renovación de la cara de la literatura latinoamericana en lengua inglesa, tales como Gregory Rabassa, Lysander Kemp y Lorraine O'Grady Freeman, esta última, responsable de la traducción de *Este domingo*. Así, a casi sesenta años del estruendo del *boom*, Donoso figura como uno de sus protagonistas mediante el recuento que ofrece su singular testimonio del período, su gestión en la circulación de la literatura latinoamericana, y como uno de los máximos exponentes de la Nueva Novela publicada durante este período.

España y el retorno a Chile

Tras su estadía en la Universidad de Iowa entre 1966 y 1967, donde fue el primer escritor latinoamericano en participar como profesor visitante del prestigioso taller de escritores de esta universidad, los Donoso decidieron radicarse en España, país donde publicó cuatro libros hasta su retorno a Chile en 1981: el volumen *Tres novelitas burguesas* (1973) y las novelas *Casa de campo* (1978), *La misteriosa desaparición de la marquesita de Loria* (1980) y *El jardín de al lado* (1981).

Una vez en Chile, Donoso creó su mítico taller literario y colaboró con la compañía de teatro Ictus. Carlos Franz, uno de los tantos participantes en el taller, recuerda que los asistentes se reunían cada martes de seis a ocho de la tarde en el estudio del escritor, ubicado en la mansarda de la casa en Galvarino Gallardo, en compañía del "atril que sostenía el diccionario de uso del idioma de María Moliner" y de "las teclas de su máquina de escribir". En una breve nota periodística publicada en 1982 en la *Revista Providencia*, dedicada a los talleres literarios de la comuna, el encargado de la sección —Carlos Iturra— le preguntó a Donoso cómo se sentía de maestro "según la calificación de los miembros del taller". Su respuesta, creo, resume a cabalidad el ejercicio que dejó una huella indeleble en sus participantes y que tuvo un rol fundamental en la gestación de la llamada Nueva Narrativa Chilena: "Mi vida ha sido ciento por ciento de escritor, y creo que puedo mostrarles en qué consiste, más o menos serlo".

A la publicación de *Poemas de un novelista* en 1981, siguieron *Cuatro para Delfina* (1982) y *La desesperanza* (1986). Donoso hablaba con cariño y satisfacción de sus años de trabajo con el Ictus, el que incluyó la escritura en colaboración con la compañía de *Sueños de mala muerte* (1982), así como la adaptación teatral —en colaboración con Carlos Cerda— de su tercera novela *Este domingo*, estrenada el doce de abril de 1990.

LOS ÚLTIMOS AÑOS Y EL INTENTO POR RESCATAR LO PÓSTUMO

No fue sino hasta 1990 que Donoso recibió el Premio Nacional de literatura. Para entonces ya había sido honrado con múltiples reconocimientos sobre todo en España —Premio Pedro Oña (1969), Premio de la Crítica (1978), Comendador de la Orden de Alfonso X el Sabio (1987); Caballero de las Artes y las Letras por el Gobierno Francés (1986)—. En sus últimos seis años de vida siguió dedicándose incansablemente a la escritura, viajando, dando charlas, entrevistas y publicando sus tres últimas novelas: *Taratuta. Naturaleza muerta con Cachimba* (1990), *Donde van a morir los elefantes* (1995) y su fascinante *Conjeturas sobre la memoria de mi tribu* (1996).

Su sobrina Claudia Donoso, en una entrevista recuerda con admiración cómo hasta el final de su vida, José Donoso subía a la guardilla a escribir: "A mí me impresionaba mucho verlo subir una escalera que era bastante empinada… cuando ya estaba muy enfermo, y verlo subir con unas ganas de llegar allá arriba y ausentarse del mundo y ponerse a escribir y a inventar… si él no escribía, él no era nada".

Al año siguiente de su fallecimiento en Santiago de Chile, el 7 de diciembre de 1996, se publicaron *Nueve novelas breves* y *El mocho*. Diez años después, su hija Pilar Donoso publicó con el título de *Lagartija sin cola* (2007), un texto abandonado por Donoso y que formaba parte de la colección de Princeton, archivo donde Pilar trabajaba para la escritura de su proyecto *Correr el tupido velo* publicado finalmente por Alfaguara en el año 2009. La edición de la novela estuvo a cargo de Julio Ortega quien en su nota introductoria la presenta como "una edición recuperada de la novela", editada a partir de "una leve revisión del manuscrito" (7).

En una breve entrevista que Donoso dio en su segundo paso por la Universidad de Iowa en 1991, publicada en la revista de estudiantes del departamento de lenguas, *Torre de papel*, un entrevistador anónimo le preguntó a Donoso cuál es a su parecer el rol del escritor latinoamericano en su sociedad. Donoso categóricamente responde (traduzco): "Ser un buen escritor. Eso, creo yo, es lo más importante. Todo lo demás no tiene sentido" (47)[11].

---

[11] Donoso debe haber concedido esta entrevista durante su segunda estadía en Iowa para participar en el Programa Internacional de escritores —International Writing Program— experiencia a la que podemos acceder parcialmente en su *Historia personal del "boom"*. Para una transcripción de una entrevista que Donoso dio en el programa "Radio Workshop" durante su primera estadía en la Universidad de Iowa casi treinta años antes, en 1967, ver "I Have Escaped into the Intimacy of a Family: una entrevista inédita de José Donoso a fines de la década de los sesenta".

El lugar sin límites eje en la obra donosiana

El lugar sin límites ocupa un lugar determinante en el desarrollo de la obra de José Donoso. Jaime Concha la instaura como el núcleo de la "etapa mexicana", fase a la que considera crucial dentro de una obra que en una primera etapa se desarrolla entre dos polos claramente identificables "desde los primeros cuentos... hasta su vasta y tecnificada narración de 1970" (97); "desde el realismo costumbrista, parcial de *Coronación* hasta el lenguaje internacional" de *El obsceno pájaro de la noche*; "desde el provincialismo estrecho de las letras chilenas a su consagración en EE.UU." (95).

Dentro del contexto de la recepción de su obra, *El lugar sin límites* es sin duda una de las novelas que ha producido mayor interés por parte de la crítica. Rubí Carreño alumbra cómo fue recibida inicialmente por la crítica nacional: "Es notoria la ambigüedad con que fue recibida en Chile *El lugar sin límites*... Esta se observa tanto en las evaluaciones del éxito de su autor como en las de su estilo y temática. Y sobre todo, en el placer/desagrado que la obra produciría" (117). Efectivamente, poco a poco esta novela "desagradable" aunque "un hito importante" en "el proceso y contenido de la novela hispanoamericana de la tierra" —en palabras de José Promis Ojeda— alejada de la novela rosa que sirve "para llenar las horas de un plácido fin de semana" —según Raúl Silva Castro— capta inexorablemente, la atención de la crítica (Carreño, 118).

Ese acaparamiento de la atención crítica que resulta evidente a principios de los noventa (Magnarelli 67) no cesa en el siglo XXI. Como se puede ver en la apreciación que hace Jaime Concha de la novela en el 2001, gran parte de su seducción recae en la Manuela, "homosexual, travesti: desde la aparición de LSL ha polarizado, hasta monopolizado, la atención de la crítica" (101). El corpus que se inicia en 1967 y que tiene un momento de inyección crítica en 1968 con el texto de Severo Sarduy, presenta al menos tres ciclos de lecturas. El primero, liderado por las propuestas del escritor-crítico cubano (1968) y de Fernando Moreno (1975) a partir de la inversión como eje interpretativo. Un segundo, marcado por una perspectiva psicoanalítica (Hernán Vidal, 1972) o por la interpretación de elementos específicos en el mundo narrado, tales como el motivo de la máscara, el disfraz o la manifestación de lo carnavalesco en la novela (Hortensia Morell, 1982; Myrna Solotorevsky y Ricardo Gutiérrez Mouat, 1983). El tercero, aquel que surge en los 90 y que paulatinamente comienza a renovar en forma significativa las lecturas de esta novela a la luz de los estudios de género y sexualidades, ofreciendo nuevas zonas de interpretación y proponiendo análisis diametralmente diferentes de, por ejemplo, el (des)encuentro sexual de la Manuela y la Japonesa Grande la noche de la apuesta. Contrástese, por ejemplo, el "dejarse seducir" de la Manuela propuesto por Schulz en 1990 (233) con la lectura de violación de Sifuentes-Jáuregui siete años después (44). Del motivo tras la búsqueda obsesiva de Pancho Vega de la Manuela, "escapar al absurdo de su existencia" de Schulz (235) versus *"the desire for the drag queen"* de Sifuentes-Jáuregui (56-57). A través de este nuevo lente crítico el deseo homoerótico entra en escena, la Manuela es loca-lizada y las lecturas hechas en otros momentos críticos se problematizan. Para Berta López Morales, a pesar de su desenlace trágico, donde asumimos que la Manuela muere producto de la golpiza propiciada por Pancho y su cuñado Octavio, *"El lugar sin límites* es una de las primeras novelas que coloca el tema de 'la loca' en el lugar de los llamados placeres *'queers'* para la heterosexualidad, sin reidealizar la norma sexual hegemónica, que impugna por su violencia, intolerancia y dogmatismo" (94).

Así, en medio de ese espacio rural inmerso en la decadencia de un sistema latifundista que en su época de oro contaba con el burdel como espacio marginal de transgresión, "de comunión de todas las clases" (Vidal, 122), la Manuela se erige en personaje central, renovando con su irreverencia, deseo —y la temida atracción que despierta en la esfera homosocial masculina— las novelas del prostíbulo que Jaime Concha apunta, "corre ininterrumpidamente" en las letras nacionales, "desde Edwards Bello y Barrios por lo menos hasta Belmar, Rojas y mucho más" (101). Enriqueciendo a aquellas ficciones latinoamericanas que Rodrigo Cánovas subraya en los 60 y 70 tienen al burdel como *"axis mundi"*, "a cafiches y prostitutas como a sus héroes culturales más entrañables" (191). Sorprendiendo, también, por su anticipación:

> El texto de Donoso, tan temprano en su expresión de las cuestiones de *gender* (Amícola, 26).

> La novela (1966) es anterior al movimiento estudiantil de 1968, anterior también al famoso "motín de Stonewall"... y anterior a la *Historia de la sexualidad* de Michel Foucault. Esta es contemporánea a la película (1977), que, por su parte, es anterior a la posición crítica más apta para el análisis de la "perturbación genérica" decisiva del protagonista tal y como la encontramos en los escritos de Judith Butler. En su libro *Gender Trouble* (Routledge, 1990)... y su tesis de la construcción de los géneros y por ende de su carácter performativo (Ingenschay, 80).

Desde el punto de vista del proceso creador plasmado en los materiales de trabajo del escritor, *El lugar sin límites* constituye el receso productivo que le permitió retomar la escritura de *El obsceno pájaro de la noche*, estancada por una lucha cuerpo a cuerpo con numerosos borradores mecanografiados y diarios de trabajo. Las anotaciones en los cuadernos de trabajo sugieren que Donoso interrumpe definitivamente el proceso de composición de *El obsceno pájaro de la noche* para embarcarse en lo que hoy conocemos como *El lugar sin límites*, en diciembre de 1964. Esto es, a cinco años de las primeras anotaciones indiscutiblemente asociables al proyecto de "El último Azcoitía". Basta un par de notas en su diario el 17 de diciembre de 1964, para asomarnos a la inquietud que entonces experimentaba Donoso producto de la dificultad de la escritura de su gran novela: "LO QUE MÁS ANSÍO, es terminar el todo, para poder, por fin, rehacer una cosa de principio a fin, que hace tanto tiempo que no hago, y que me hace tanta falta hacerlo" (NB 32: 18 José Donoso Papers, Universidad de Iowa); "sueño con el momento en que el 1st draft esté terminado y poder agarrarlo todo, entero, todo este material, y darle la forma que yo quiera. Sueño.

Hace tantos años que no lo hago. Desde Santelices-1961. Lo que es terrible" (NB 32: 30-31, José Donoso Papers, Universidad de Iowa).

Más allá de agente desembotellante (*Historia personal del "boom"*, 114), sin embargo, los materiales de escritura de Donoso revelan que *El lugar sin límites* constituye el laboratorio escritural de *El obsceno pájaro*. Mediante su ejercicio creativo, Donoso ensaya e implementa técnicas de escritura en las que lleva hasta extremos no antes vistos en su narrativa, el empleo de la focalización y del punto de vista, la ambigüedad enunciativa y el empleo del discurso indirecto libre. La pluma se suelta, se arriesga en terreno menos pantanoso, y finalmente se logra la añorada ejecución de El último Azcoitía-Obsceno pájaro. Como apunta Philip Swanson en 1988, "*From here to* El obsceno pájaro *it is but a short step*" (66).

Por último, *El lugar sin límites* constituye la primera novela de Donoso en ser llevada al cine. La exitosa producción homónima, dirigida por el cineasta mexicano Arturo Ripstein, aparece once años después de la primera edición de la novela, en 1977[12]. El guion fue encargado a Manuel Puig por el propio Ripstein en 1976. El escritor argentino seducido por los "personajes esperpénticos, *larger than life*" de Donoso (Delgado, 25), habría aceptado el reto rechazado en un inicio. Sin embargo, temeroso de los avatares impuestos por la censura pide que se elimine su nombre como guionista. Josefina Delgado explica que "al cambiar el director del Banco Nacional Cinematográfico, la película corría el riesgo de ser censurada. Ahí fue cuando Puig pidió que quitaran su nombre. El autor, como el narrador en las novelas de Puig, desapareció literalmente" (25). José Amícola, por su parte, permite acercarnos a la raíz de las reservas de Puig sobre el efecto que en su texto tendría la censura:

---

[12] Entre los textos de Donoso que han sido llevados al cine por Silvio Caiozzi se encuentran *Historia de un roble solo* (1982), *La luna en el espejo* (1990), *Coronación* (2000) y *Cachimba* (2004).

> En rigor Puig se sintió molesto por lo que creyó podía implicar una pintura negativa de lo diferente sexual, dado que la situación que se vivía con la censura mexicana podía borrar una exhibición de homofobia que Puig quería se viese claramente en la película pensada para un público extenso… en 1990, quince años después del estreno del film, Puig explica en Madrid que había temido que la censura transformara la obra para su detrimento… "de liberadora la harían sexista y horrenda" (García Ramos, 1991: 91), y como no quería estar ligado a un "mensaje poco claro" (Ibíd.: 112) quitó preventivamente su nombre de los créditos (28).

A juzgar por el fragmento de un borrador tardío, encontrado en el escritorio de Puig donde ensaya la escena final del guion, el escritor barajó un final trágico para Pancho y Octavio quienes mueren devorados por los perros (Amícola, 29).

Es un honor contribuir mediante la edición crítica de esta novela que ocupa un lugar angular en la obra de José Donoso, al reconocimiento de uno de los grandes escritores de la literatura chilena y latinoamericana. Colocándola, mediante su inclusión en Colección Biblioteca Chilena, a más de medio siglo de su primera edición, a disposición de nuevas generaciones de lectores y marcos de interpretación.

Bibliografía

Alone. (1954). *Historia personal de la literatura chilena*. Zig-Zag.

Amícola, José. (2006). "*Hell Has no Limits*: de José Donoso a Manuel Puig". *Desde aceras opuestas: literatura-cultura gay y lesbiana en Latinoamérica*, pp. 21-36.

Bocaz Leiva, María Laura. (2013). "La integración de José Donoso a la plataforma del boom". *Revista Iberoamericana*, vol. LXXIX, núm. 244-245, pp. 1049-1068.

—. (2012). "I Have Escaped into the Intimacy of a Family: una entrevista inédita de José Donoso a fines de la década de los sesenta". *Anales de Literatura Chilena*, núm. 18, diciembre, pp. 173-181.

Cánovas, Rodrigo. (1999). "Alegorías hispanoamericanas (Notas sobre la configuración literaria del prostíbulo)". *Taller de Letras*, vol. 27, noviembre, pp. 191-197.

Carreño, Rubí. (2007). *Leche amarga: violencia y erotismo en la narrativa chilena del siglo XX (Bombal, Brunet, Donsoso, Eltit)*. Cuarto Propio.

Caiozzi, Silvio. (1982). *Historia de un roble solo*. Ictus.

—. (1990). *La luna en el espejo*. Andrea Films.

—. (2000). *Coronación*. Andrea Films.

—. (2004). *Cachimba*. Andrea Films.

Cerezo, María del Carmen. (1985). "Donoso y los artículos de Ercilla". *Literatura chilena: creación y crítica*, núm. 31, pp. 9-11.

Cortínez, Verónica. (1996). "La parroquia y el universo: *Historia personal del 'boom'* de José Donoso". *Revista chilena de literatura*, vol. 48, abril, pp. 13-22.

Delgado, Josefina. (2003). "La mirada sin cuerpo". *Cuadernos Hispanoamericanos*, núm. 634, abril, pp. 21-29.

Donoso, José. (1950). "The Blue Woman". *MSS*, Princeton University, vol. 3, núm. 1, noviembre, pp. 3-7.

—. (1972). "The Blue Woman". *Chasqui*, vol. 2, núm. 1, noviembre, pp. 62-66.

—. (1951). "The Poisoned Pastries". *MSS* Princeton University, vol. 3, núm. 3, mayo, pp. 3-8.

—. (1972). "The Poisoned Pastries". *Chasqui*, vol. 2, núm. 1, noviembre, pp. 67-72.

—. (1973). "Chronology". *Review*, vol. 73, otoño, pp. 12-19.

—. (1959). "Footsteps in the Night". *Americas*, vol. 11, núm. 2, febrero pp. 21-23.

—. (1959). "Pasos en la noche". *Americas*, vol. 11, núm. 2, febrero, pp. 21-23.

—. (1955). *Veraneo y otros cuentos*. Universitaria.

—. (1956). *Dos cuentos*. Guardia Vieja.

—. (1957). *Coronación*. Nascimento.

—. (1960). *El charleston y otros cuentos*. Nascimento.

—. (1966). *Los mejores cuentos de José Donoso*. Zig-Zag.

—. (1966). *El lugar sin límites*. Joaquín Mortiz.

—. (1966). *Este domingo*. Zig-Zag.

—. (1970). *El obsceno pájaro de la noche*. Seix Barral.

—. (1971). *Cuentos*. Seix Barral.

—. (1972). *Historia personal del "boom"*. Anagrama.

—. (1973). *Tres novelitas burguesas*. Seix Barral.

—. (1978). *Casa de campo*. Seix Barral.

—. (1980). *La misteriosa desaparición de la marquesita de Loria*. Seix Barral.

31

—. (1981). *Poemas de un novelista*. Ganymedes.

—. (1981). *El jardín de al lado*. Seix Barral.

—. (1982). *Cuatro para Delfina*. Seix Barral.

—. Notebook 32. *José Donoso Papers*. Department of Rare Books and Special Collections, University of Iowa.

Donoso, José e Ictus. (1985). *Sueños de mala muerte*. Editorial Universitaria.

Donoso, José y William Henkin, editores. (1969). *The Tri Quarterly Anthology of Contemporary Latin American Literature*. Northwestern University Press.

Donoso, Pilar. (2009). *Correr el tupido velo*. Alfaguara.

Fuentes, Carlos. Carta a José Donoso. Department of Rare Books and Special Collections, University of Iowa.

García-Huidobro, Cecilia. (1998). *Artículos de incierta necesidad*. Alfaguara.

—. (2004). *El escribidor intruso*. Ediciones Universidad Diego Portales.

Gutiérrez Mouat, Ricardo. (1983). *José Donoso: impostura e impostación. La modelización lúdica y carnavalesca de una producción literaria*. Hispamérica.

Ingenschay, Dieter. (2012). "Visualizaciones del deseo homosexual en *El lugar sin límites* de Arturo Ripstein". *Secuencias*, vol. 34, pp. 73-87.

Joset, Jacques. (1982). "El imposible boom de José Donoso". *Revista Iberoamericana*, vol. 48, núm. 118-119, pp. 91-101.

—. (1986). "La estrategia autobiográfica de José Donoso en *Historia personal del 'boom'*". *Crítica semiológica de textos literarios hispánicos*, pp. 641-648.

Keeley, Robert V., editor. (1998). *MSS: Revisited*. Five and Ten Press.

Lafourcade, Enrique. (1954). *Antología del nuevo cuento chileno*. Zig-Zag.

—. (1959). *Cuentos de la generación del 50*. Editorial Nuevo Extremo.

López Morales, Berta. (2011). "La construcción de 'la loca' en dos novelas chilenas: *El lugar sin límites* de José Donoso y *Tengo miedo torero* de Pedro Lemebel". *Acta Literaria*, vol. 42, pp. 79-102.

Magnarelli, Sharon. (1993). "*Hell Has no Limits*: Limits, Centers, and Discourse". *Understanding José Donoso*, University of South Carolina, pp. 68-92.

Morell, Hortensia. (1982). "The Carnival, the Ghost Double and San Alejo's Legend in José Donoso's *El lugar sin límites*". *The Creative Process in the Works of José Donoso*, editado por Guillermo Castillo-Feliú, Winthrop College, pp. 111-117.

Moreno Turner, Fernando. (1975). "La inversión como norma: a propósito de *El lugar sin límites*". *Cuadernos hispanoamericanos: revista mensual de cultura hispánica*, vol. 295, pp. 19-42.

Ortega, Julio, editor. (2007). *Lagartija sin cola*. Alfaguara.

Patemain, Alejandro. (1967). "El infierno de la ambigüedad". *Temas: revista de cultura*, vol. 12, mayo-junio, pp. 44-48.

Promis Ojeda, José. (1975). "La desintegración del orden en la novela de José Donoso". *Donoso la destrucción de un mundo*, editado por Antonio Cornejo Polar, Fernando García Cambeiro, pp. 13-42.

Quinteros, Isis. (1974). "Artículos publicados por José Donoso". *Chasqui*, vol. 3, núm. 2, febrero, pp. 45-52.

Rama, Ángel. (1979). "El boom en perspectiva". *Escritura: Revista de teoría y crítica literarias*, vol. 48, núm. 7, pp. 3-45.

Rodríguez Monegal, Emir. (1972). *El BOOM de la Literatura Latinoamericana*. Tiempo Nuevo.

—. (1967). "El mundo de José Donoso". *Mundo Nuevo*, núm. 12, pp. 77-85.

Rubio, Patricia. (2009). *Diarios, ensayos, crónicas: la cocina de la escritura*. RIL editores.

Sarduy, Severo. (1968). "Escritura/travestismo". *Mundo Nuevo*, núm. 20, febrero, pp. 72-74.

Schulz, Bernhardt Roland. (1990). "La Manuela: personaje homosexual y sometimiento". *Discurso: Revista de Estudios Iberoamericanos*, vol. 7, pp. 225-240.

Sifuentes-Jáuregui, Ben. (1997). "Gender without Limits: Transvestism and Subjectivity in *El lugar sin límites*". *Sex and Sexuality in Latin America*, editado por Daniel Balderston y Donna J. Guy, New York University Press, pp. 44-61.

Solotorevsky, Myrna. (1983). *José Donoso: incursiones en su producción novelesca*. Ediciones Universidad de Valparaíso.

Swanson, Philip. (1988). *The "Boom" and Beyond*. Francis Cairns.

Vidal, Hernán. (1972). "*El lugar sin límites*: sátira, mito e historia". *José Donoso: Surrealismo y rebelión de los instintos*, Ediciones Aubí, pp.113-177.

William Faulkner Foundation Collection. (1918-1959). Accession #6074 to 6074-d, Special Collections, University of Virginia Library, Charlottesville, Va.

Historia del texto y criterios editoriales

María Laura Bocaz Leiva

HISTORIA DEL TEXTO
Y CRITERIOS EDITORIALES

María Laura Bocaz Leiva

HISTORIA DEL TEXTO
EL LUGAR SIN LÍMITES DE JOSÉ DONOSO:
AVATARES Y PERIPLO EDITORIAL DE UNA *"NOUVELLE"*

La primera edición de *El lugar sin límites* fue impresa el 15 de noviembre de 1966 en la editorial Joaquín Mortiz y comprendió una tirada de 4.200 ejemplares. Si bien Mortiz tenía para entonces diferentes colecciones, *ELSL* salió dentro de la prestigiosa "Serie del volador", añadida al catálogo de esta editorial en 1963. La casa mexicana solo produjo una edición más de la novela en 1971, la que el cotejo evidencia como una reimpresión, ya que además de no presentar variantes en relación a la edición príncipe, reitera las erratas. Por ejemplo, el punto y coma en vez de interrogación en el famoso epígrafe de Marlowe que habría dado origen al título que finalmente llevó la novela: "Dime, ¿dónde queda el lugar que los hombres llaman infierno". En una carta del 9 de diciembre de 1966, Díez-Canedo comenta a Donoso su satisfacción ante la edición príncipe de la novela: "Por correo aéreo separado te mando el primer ejemplar de *El lugar sin límites*. A ver si te gusta. Si no fuera por la desdichada errata de la primera línea de la solapa, yo hubiera quedado plenamente satisfecho; creo que la portada de Vicente Rojo es una de las mejores de la serie" (José Donoso Papers, University of Iowa). El cotejo de la novela deja en evidencia que además del "miserable caserío" al que hace referencia Díez-Canedo en esta carta, la edición presenta un par de erratas más, como por ejemplo, "dabía" por "debía"; "rio" por "rió", en el primer capítulo.

Si bien la edición príncipe data de noviembre de 1966, varios artículos críticos citan 1965 como el año de publicación de *ELSL*. Atribuyo el origen de este error al *copyright* de las ediciones españolas en Sedmay y Bruguera, ambas publicadas en 1977. La correspondencia comercial de Donoso permite acceder al contrato que la primera envía a Donoso a través de la agencia literaria Carmen Balcells, el 25 de enero de 1977. Como se puede observar en la sexta cláusula del contrato que recibe Donoso para su revisión y firma, Sedmay requirió que los ejemplares impresos en esta editorial salieran con el año 1965: "SEXTO: El copyright que deberá figurar en la edición del EDITOR es la siguiente: "© José Donoso 1965" (José Donoso Papers, Princeton University). La cláusula en relación al copyright que exhibe el contrato con Seix Barral, trece años más tarde, con fecha 20 de febrero de 1979 por el contrario, especifica que el año que debe acompañar al nombre del autor es el de la primera edición en lengua española: "El símbolo © —o 'copyright'— deberá figurar asimismo, necesariamente, a nombre del AUTOR y con el año de publicación, de la edición original en lengua española, en todos los ejemplares de la Obra" (José Donoso Papers, Princeton University).

Premeditadamente o por accidente, lo cierto es que con la inscripción de 1965 en el copyright de los ejemplares de Sedmay y Bruguera, se ha enturbiado tanto el año de publicación de la primera edición en la célebre editorial mexicana como la primera edición de la novela en otra editorial española. Aprovecho esta instancia para clarificar que la primera edición de *ELSL* es de 1966[1].

---

[1] Para una completa revisión del origen, antecedentes y exitosas estrategias de mercado de Joaquín Mortiz ver "Creating Cultural Prestige: Editorial Joaquín Mortiz" de Danny J. Anderson.

1975 o la entrada de la novela a un mercado editorial con límites

Una carta de Carmen Balcells dirigida a Donoso el 29 de mayo de 1971 permite ver la lucha infructuosa de la novela por burlar las barreras que imponía la censura española imposibilitando su publicación fuera de México: "Hace un par de días hablé con Díez-Canedo para autorizarle una nueva edición de EL LUGAR SIN LÍMITES porque aquí nunca se publicará y entretanto se pierden ventas" (José Donoso Papers, Princeton University). En efecto, si se lee la información que provee la página legal de la impresión de 1971 en Mortiz a la luz de esta carta, se concluye que la novela fue reimpresa en México un mes después de este intercambio epistolar.

La imposibilidad de sacar *ELSL* en España resulta particularmente interesante si se toma en consideración que para 1971 ya ha transcurrido una década del período conocido como "apertura" y cinco años de la nueva "Ley de imprenta" de 1966 (Herrero-Olaizola, xi), la que ponía a disposición de los editores españoles diferentes recursos que permitían agilizar la publicación de un texto literario, tales como la "consulta voluntaria", "depósito" y el "silencio administrativo" (Herrero-Olaizola, 9-11)[2]. De este modo, si bien el período conocido como "Apertura" se inicia en 1960, y la nueva ley de censura data de 1966, *ELSL* no logra salir en España hasta nueve años después, en 1975.

El fragmento del expediente revisado por Alejandro Herrero-Olaizola (2007) permite asomarnos al motivo tras la censura que

---

[2] La consulta voluntaria ofrecía la posibilidad de entregar el manuscrito terminado o las pruebas de galera para que fueran revisadas por los censores (9). El depósito en cambio, permitía obtener permiso de circulación tras entregar tan solo seis copias del libro impreso al Ministerio. Esta opción sin embargo conllevaba el riesgo considerable de que tanto los libros impresos como los moldes utilizados para su producción recibieran la orden de ser secuestrados. (10). La suspensión del lanzamiento y recolección de ejemplares del *El obsceno pájaro de la noche*, dejando las jaulas de pájaro en las que se exhibirían ejemplares de la esperada novela de Donoso, dramáticamente vacías, hablan del secuestro *in situ*. Por último, el silencio administrativo era una fórmula legal que permitía a los censores favorecer la publicación de un texto con el que discrepaban pero preferían no bloquear (Herrero-Olaizola, 11).

impidió su importación: "Por su carácter inmoral, ya que el argumento se desarrolla… en un ambiente de prostitución, sin que figure una sola frase en que se repruebe, en que se desapruebe, la conducta inmoral de los protagonistas (Expediente, I-326-67)" (188). De hecho, la información editorial de la primera edición permite inferir que esta no logró ser impresa hasta cinco días antes del fallecimiento de Francisco Franco, ocurrido el 20 de noviembre de 1975, coincidiendo entonces con el término de la dictadura, la ruptura definitiva entre Donoso y su prestigioso agente en Estados Unidos con quien trabajaba desde 1965, Carl Brandt, y el inicio de la representación total de Carmen Balcells[3].

Si bien en la correspondencia personal del escritor se puede identificar huellas del conflicto comercial entre Donoso y Brandt desde 1972, a partir de una discordia en torno a la edición en francés de *ELSL* (Kerr, 81), no es hasta junio de 1975 que Donoso finalmente comunica a Brandt el querer traspasarle todos sus negocios a Carmen Balcells (Kerr, 90), con quien Donoso venía trabajando desde 1970. Ambos firman un acuerdo donde se estipulaba que Balcells representaría a Donoso ante el mundo editorial hispanohablante con la publicación de *El obsceno pájaro de la noche* y los textos que lo anteceden. Cito las palabras de Balcells en la carta-acuerdo: "Queda entendido que me confías la gestión de los derechos de tu Nuevo libro 'EL OBSCENO PÁJARO DE LA NOCHE', así como de toda la de tu obra precedente, para los países de lengua española" (Kerr, 93).

---

[3] Una huella del régimen de Franco en la materialidad del archivo queda inscrita en las esquelas de la agencia utilizadas durante este período, las que tienen como dirección "Av. Generalísimo Franco 580". En esquelas posteriores a la dictadura se lee: "Diagonal 580" (José Donoso Papers, Princeton University).

La entrada de *El lugar sin límites* al "órgano más influyente en la internacionalización de la novela latinoamericana"

La primera edición de *ELSL* en Seix Barral aparece en 1979. Esto es, a cuatro años de la primera edición publicada en España. El cotejo horizontal de la novela en la década del 80 revela que se trata de sucesivas reimpresiones de la edición príncipe en Mortiz puesto que ninguna presenta variantes y todas repiten las erratas de la edición mexicana[4]. A la luz del estudio de la correspondencia de Donoso, criterios estrictamente prácticos y comerciales aclaran el porqué de la tardanza. Una de las tantas notas firmada por Magdalena Oliver de la agencia literaria Carmen Balcells, dirigida a Donoso el 14 de febrero de 1979, ofrece pormenores de la publicación de la novela en esta casa editorial. A diferencia de lo que se podría esperar, Seix Barral no estaba particularmente interesada en sacar la novela. Los motivos aludidos en la carta son las bajas ventas de *Coronación* —publicada por Seix-Barral en 1968— y el hecho de que la editorial Bruguera tuviera en ese momento en circulación sus propios ejemplares de la novela:

> Querido Pepe,
> Seix Barral hace una oferta de Pts.70.000 —de anticipo sobre royalties habituales, para una edición de 4.000 ejemplares que venderían a Pts.200—. Es decir, que no pagan más que lo que cubre estrictamente la edición.
> La oferta es baja pero se basa en las ventas más bien bajas de *Coronación*, para el que no han recuperado el anticipo, y también tienen en cuenta la edición de Bruguera que circula con un precio

---

[4] Worldcat enumera dentro de las ediciones de esta casa editorial una de 1977. El catálogo disponible en línea de la Biblioteca Nacional de Suecia enlistaba un ejemplar. Gracias a Mika Zimmermann de la Biblioteca del Instituto de Estudios Latinoamericanos, de Stockholm University Library, pude consultar la información de publicación del ejemplar y corroborar que se trata de un error. La copia de *ELSL* que posee esta biblioteca si bien fue publicada en 1977 es de Sedmay. Esta información en conjunto con los años que enumera la edición de Seix Barral de 1985 permite corroborar la inexistencia de una edición de Seix Barral en 1977 y asegurar que la primera edición en esta editorial es de 1979.

inferior, lo que no facilitará la venta de EL LUGAR (José Donoso Papers, University of Princeton).

Tomando esto en consideración, Oliver le ofrece una alternativa a Donoso. Recurrir a Ángel Jasanada para publicar la novela con otra editorial que por el contrario, sacaría una edición en un par de semanas:

> Jasanada se compromete en cambio a publicar el libro en dos, o máximo tres, semanas, lo que indudablemente apoyará su venta. Espero tu comentario. Un cordial abrazo,
> Magdalena Oliver (José Donoso Papers, University of Princeton).

La copia del contrato que Donoso recibe para su revisión y firma seis días después de este intercambio, sin embargo, deja constancia de que a pesar de la débil oferta que Seix Barral está dispuesta a hacer por *ELSL*, Donoso opta no solo por sacar la novela con la editorial barcelonesa, que a estas altura ya no está liderada por Carlos Barral, sino por otorgarle exclusividad de derechos de impresión en lengua española por cinco años. El cotejo de la primera edición con Seix Barral y sus sucesivas reimpresiones en la década del ochenta, deja en evidencia que de México salen negativos a Barcelona para su impresión en marzo. En otras palabras, a poco más o menos de un mes del intercambio con Oliver, *ELSL* es impreso en el taller ubicado en Avenida J. Antonio, usando los negativos empleados por Mortiz en su única edición y reimpresión de la novela.

1990 y el retorno de *El lugar sin límites* al campo editorial latinoamericano

En 1990 la prestigiosa Biblioteca Ayacucho, fundada en 1974 por Ángel Rama y José Ramón Medina reúne en un volumen *El lugar sin límites* y *El obsceno pájaro de la noche*, acompañando ambas novela de un prólogo, cronología y bibliografía a cargo de Hugo

Achugar. Alfaguara, por su parte, inaugura sus ediciones de la novela en 1995, en su sede mexicana, con una tirada de 2.000 ejemplares "más sobrantes para reposición". La edición estuvo a cargo de Marisol Schulz, Sandra Hussein y Elsa Botello. Desde entonces el texto se ha reeditado múltiples veces. El cotejo demuestra lo que todo proyecto de edición crítica tiene como principio: cada vez que un texto es impreso para su comercialización, es intervenido, alejándose más o menos de ese estado textual que el escritor escogió como final. La última reedición del texto en Alfaguara es de 2015 y forma parte de la Serie Narrativa Hispánica. Agradecemos a los herederos de José Donoso y la agencia literaria Carmen Balcells por permitir y facilitar la reedición de esta novela en Colección Biblioteca Chilena.

Bibliografía

Academia chilena de la lengua. (2010). *Diccionario de uso del español de Chile*. MN Editorial.

Anderson, Danny J. (1996). "Creating Cultural Prestige: Editorial Joaquín Mortiz". *Latin American Research Review* vol. 31, núm. 2, pp. 3-41.

Donoso, José. (1966). *El lugar sin límites*. Joaquín Mortiz.

—. (1971). *El lugar sin límites*. Joaquín Mortiz.

—. (1975). *El lugar sin límites*. Euros.

—. (1977). *El lugar sin límites*. Bruguera.

—. (1977). *El lugar sin límites*. Sedmay.

—. (1979). *El lugar sin límites*. Seix Barral.

—. (1981). *El lugar sin límites*. Seix Barral.

—. (1985). *El lugar sin límites*. Seix Barral.

—. (1987). *El lugar sin límites*. Seix Barral.

—. (1990). *El lugar sin límites*. *El obsceno pájaro de la noche*. Ayacucho.

—. (1995). *El lugar sin límites*. Alfaguara.

Herrero-Olaizola, Alejandro. (2007). *The Censorship Files*. State University of New York Press.

Kerr, Lucille. (2003). "Writing Donoso Behind the Scenes". *Journal of Interdisciplinary Literary Studies*, vol. 9, núm. 1-2, pp. 81-100.

Patemain, Alejandro. (1967). "El infierno de la ambigüedad". *Temas: revista de cultura*, vol. 12, mayo-junio, pp. 44-48.

Rodríguez Monegal, Emir. (1967). "El mundo de José Donoso". *Mundo Nuevo*, núm. 12, junio, pp. 77-85.

Sarduy, Severo. (1968). "Escritura/travestismo". *Mundo Nuevo*, núm. 20, febrero, pp. 72-74.

Sifuentes-Jáuregui, Ben. (1997). "Gender without Limits: Transvestism and Subjectivity in *El lugar sin límites*". *Sex and Sexuality in Latin America*, editado por Daniel Balderston y Donna J. Guy, New York University Press, pp. 44-61.

Correspondencia personal de José Donoso

Díez-Canedo, Joquín. Carta a José Donoso. 9 de diciembre 1966. TS. *José Donoso Papers* (MSC0340); Manuscripts Division, Department of Rare Books and Special Collections, University of Iowa Library.

Agencia literaria Carmen Balcells. Contrato con Editorial Sedmay. 25 enero 1977. TS. *José Donoso Papers* (C0099); Manuscripts Division, Department of Rare Books and Special Collections, Princeton University Library.

Agencia literaria Carmen Balcells. Contrato con Editorial Seix Barral. 20 de febrero 1979. TS. *José Donoso Papers* (C0099); Manuscripts Division, Department of Rare Books and Special Collections, Princeton University Library.

Balcells, Carmen. Carta a José Donoso. 29 de mayo 1971. *José Donoso Papers* (C0099); Manuscripts Division, Department of Rare Books and Special Collections, Princeton University Library.

Oliver, Magdalena. Carta a José Donoso. 14 de febrero 1979. *José Donoso Papers* (C0099); Manuscripts Division, Department of Rare Books and Special Collections, Princeton University Library.

El texto base

El texto base utilizado para el establecimiento del texto es la primera edición de la novela en Alfaguara, publicada en 1995. El cotejo de once ejemplares de la novela en orden cronológico permitió concluir que esta —la última de las ediciones publicada en vida del autor— era confiable, ya que corregía casi la totalidad de las erratas presentes en la edición príncipe y exponía una reducida cantidad de variantes, la mayoría de las cuales eran de índole mecánico, tales como el empleo de cursivas y signos de puntuación.

Las ediciones cotejadas para el establecimiento del texto fueron las siguientes:

1966: México, Mortiz.
1971: México, Mortiz.
1975: Barcelona, Euros.
1977: Madrid, Bruguera. Madrid, Sedmay.
1979: Barcelona, Seix Barral.
1981: Barcelona, Seix Barral.
1985: Barcelona, Seix Barral.
1987: Barcelona, Seix Barral.
1990: Caracas, Ayacucho.
1995: México D.F., Alfaguara.

El registro de las variantes

Debido a la ausencia de un fichero informático que permitiera corroborar si los cambios identificados mediante el cotejo fueron introducidos por Donoso o por los editores, hemos anotado la totalidad de las variantes identificadas entre la edición príncipe y la de 1995, transparentando las decisiones tomadas durante la fijación del texto cuyo objetivo ha sido ofrecer al lector el texto más fiel posible a la escritura de Donoso.

Así, las variantes anotadas son de índole ortográfico (acentos, comas, puntos suspensivos, seguido y aparte) editoriales (uso de cursiva o comillas, indentado) y léxicas, tales como "despacio" por "despacito", "tuvieron" por "tuvieran", "allí" por "allá". Cuando ha resultado relevante para la elección del vocablo a utilizar durante la fijación del texto, se ha recurrido a los mecanoescritos de la novela. Por ejemplo, tomando en consideración que la supresión de "mis manos" en el penúltimo capítulo de la edición de Alfaguara —"hasta que me mire con esos ojos de redoma aterrados y hundiendo en sus vísceras babosas y calientes para jugar con ellas, dejarla allí tendida, inofensiva, muerta: una cosa"— no se observa tanto en la edición príncipe como en ninguna de las versiones mecanografiadas sobrevivientes de la novela, se optó por mantener el enunciado original: "hasta que me mire con esos ojos de redoma aterrados y hundiendo mis manos en sus vísceras babosas y calientes para jugar con ellas, dejarla allí tendida, inofensiva, muerta: una cosa".

LA ANOTACIÓN

Las notas incluidas en esta edición tienen como finalidad ofrecer al lector información de diversa índole que facilite su comprensión del texto establecido, tras el cotejo riguroso de múltiples ediciones de la novela desde su edición príncipe (1966) hasta la última presuntamente revisada en vida por el autor (1995). La naturaleza de las notas incluidas es variada: las más numerosas definen expresiones idiomáticas y léxico propios del español de Chile, en su mayoría a partir del *Diccionario de uso del español de Chile* de la Academia Chilena de la Lengua. También se aclaran formas verbales propias del español chileno, específicamente, del voseo verbal. Del mismo modo, se ofrecen notas que informan sobre ciudades de la Región del Maule, de productos propios de la producción vitivinícola, del desarrollo ferroviario en Chile, de la cocina criolla, de su flora y fauna. También de elementos constitutivos del mundo narrado, tales como canciones populares y marcas comerciales.

En el ámbito relacionado con la producción, edición, circulación y recepción del texto, se incluyen notas que explicitan la edición escogida para establecer el texto en un fragmento donde se observan diferencias entre la edición príncipe y la primera edición en Alfaguara de 1995. Notas que informan de las erratas en las ediciones utilizadas para el establecimiento del texto de esta edición. Anotaciones que informan al lector de alteraciones significativas en otras ediciones que no corresponden a variantes de autor, sino a intromisiones editoriales y notas que en momentos puntuales hacen referencia a cómo ha sido leído un elemento en particular por la crítica. Por último, notas que llaman la atención del lector sobre coincidencias relevantes con otros textos de Donoso y notas que rescatan información relevante de los materiales de archivo del escritor para la fijación del texto, los que en su totalidad comprenden tres versiones mecanografiadas y dos cuadernos de trabajo.

Dentro de las diversas fuentes utilizadas para la elaboración de las notas, cabe destacar: Del Pozo, José. *Historia del vino chileno, desde la época colonial hasta hoy*. Lom, 2014. Lacoste, Pablo, Amalia Castro *et al*. *Patrimonio y desarrollo territorial. Productos típicos alimentarios y artesanales de la Región de O'Higgins*, 2017. Llorca-Jaña, Manuel y Diego Barría (editores), *Empresas y empresarios en la Historia de Chile, 1810-1930*. Editorial Universitaria, 2017. Mejía, Eduardo. "Volar alto", *La Gaceta del Fondo de Cultura Económica* 413, 2005. Plath, Oreste. *Folklore chileno: aspectos populares infantiles*. Prensa Universidad de Chile, 1946. *Geografía del mito y de la leyenda chilenos*. Nascimento, 1973. Academia chilena de la lengua, *Diccionario de uso del español de Chile*; Torrejón, Alfredo. "Fórmulas de tratamiento de segunda persona singular en el español de Chile". Hispania 74.4, 1991, pp. 1068-1076. Román, Manuel Antonio. *Diccionario de chilenismos y de otras voces y locuciones viciosas*. Imprenta de San José, *1901-1918*. Spencer Espinosa, Christian. "El maricón del piano: presencia de músicos homosexuales en burdeles cuequeros de Santiago de Chile y Valparaíso". *Actas del X Congreso de la Rama Latinoamericana de la IASPM*, 1-22 de abril, 2012: *Enfoques interdisciplinarios sobre músicas populares en Latinoamérica:*

retrospectivas, perspectivas, críticas y propuestas. Editado por Herom Vargas *et al*. IASPM-AL y CIAMEN, 2013, pp. 627-638. Centro de recursos digitales *Memoria chilena*. Por último, las ediciones de *Este domingo* y de *El obsceno pájaro de la noche* citadas son las de Alfaguara 2000 y 1997, respectivamente.

Nota sobre el *dossier*

El *dossier* que ofrece este volumen ha sido seleccionado a partir de una exhaustiva revisión de los trabajos críticos centrados en la novela *El lugar sin límites*. El diálogo crítico se inaugura tempranamente en 1967 con el artículo de Emir Rodríguez Monegal "El mundo de José Donoso" publicado originalmente en el número 12 de la revista *Mundo Nuevo*, en junio de 1967, y el de Alejandro Patemain "El infierno de la ambigüedad" publicado en Uruguay, a través de la revista *Temas*. Por motivos de fuerza mayor, no ha sido posible incluir el texto de relevancia histórica *"Gender without Limits: Transvestism and Subjectivity in El lugar sin límites"*, de Ben Sifuentes-Jáuregui. Este texto fue publicado originalmente en *Sex and Sexuality in Latin America*, editado por Daniel Balderston y Donna J. Guy en 1997, disponible en su traducción al español en *Sexo y sexualidades en América Latina*, Paidós 1998.

Agradecimientos

Este trabajo no habría sido posible sin el apoyo, aliento y ayuda de tantos. Agradezco especialmente a Natalia Donoso por apoyar desde un principio este proyecto. A Juan José Adriasola, director de Colección Biblioteca Chilena de Ediciones Universidad Alberto Hurtado, por confiarme este proyecto y por su constante apoyo. A Hugo Bello y al comité editorial de Colección Biblioteca Chilena por su ayuda y asesoría. A Alejandra Stevenson y Beatriz García-Huidobro, de Ediciones Universidad Alberto Hurtado por su invaluable asistencia. A Carina Pons de la agencia literaria Carmen

Balcells. A mi institución, la Universidad de Mary Washington, que me otorgó en diferentes oportunidades fondos que facilitaron la escritura e investigación asociada a este proyecto. En particular a Betsy Lewis, por su modelo y apoyo incondicional a mi trabajo de investigación. A la señora Karen Laino por su apoyo al Departamento de Lenguas y Literaturas Modernas de la Universidad de Mary Washington, el que permitió financiar mi trabajo de investigación en la Universidad de Princeton en junio del 2017. A Carla Bailey, supervisora del Departamento de Préstamos Interbibliotecarios de Simpson Library, por su asesoría y ayuda para conseguir las múltiples ediciones de la novela cotejadas, así como el material necesario para la revisión de la crítica de la novela y la anotación del texto. A mis queridas colegas Ana Chichester y Allyson Poska. A la señora Jennifer Buist, secretaria del Departamento de Lenguas y Literaturas Modernas de la Universidad de Mary Washington. A los colegas que desde diferentes partes del mundo contribuyeron en este proyecto: Fernando Moreno, Sharon Magnarelli, Andrea Ostrov, Carl Fischer, Ángela San Martín Vásquez y Gonzalo Campos. Muy especialmente a Daniela Buksdorf Krumenaker, mi mano derecha, sin cuyo entusiasmo, pasión y trabajo diligente no habría sido posible llevar a cabo esta edición. A Eliana Ortega, Daniel Balderston y Marcy Schwartz. A Lucille Kerr y Roberto González Echeverría. Mika Zimmermann de la Biblioteca del Instituto de Estudios Latinoamericanos de Stockholm University Library. A Lindsey Moen en el Departamento de Special Collections and University Archives de la Universidad de Iowa y a Brianna Cregle en el departamento de Rare Books and Special Collections en la Universidad de Princeton. Al señor Eduardo Mejía. A Sarah Carini de Università Cattolica del Sacro Cuore. A Anna Casas Aguilar de The University of British Columbia. A Antonella Estévez, Diego del Pozo Segure y Pablo Lacoste. A Claudia Cabello-Hutt y Felipe Troncoso por la amistad de una vida y su invaluable lectura crítica. Finalmente, a mis padres Reinel y María Cristina, por su lectura atenta, apoyo y compañía. A mi esposo, Gonzalo, incansable y amado compañero de ruta. A nuestras hijas, Amanda y Valentina. A Teresa Dintrans.

EL LUGAR SIN LÍMITES[1]

[1] Otros títulos que llevó la novela en diferentes estados textuales son "La Manuela" (NB 31: 71 University of Iowa); "La apuesta" ("First Draft", Princeton Universty) y "Ríe el eterno Lacayo" ("First Draft", "Second Draft" Princeton University; Tss. University of Iowa).

PARA
RITA Y CARLOS FUENTES[2]

---

[2] En la primera edición de Alfaguara la dedicatoria no aparece en cursiva, y ocupa una sola línea: "*Para Rita y Carlos Fuentes*". Hemos mantenido la tipografía y disposición textual de la edición príncipe.

El lugar sin límites

José Donoso

Estación de ferrocarril hacia 1925, sur de Chile.
Archivo fotográfico del Museo Histórico Nacional.

Fausto: Primero te interrogaré acerca del infierno.
Dime, ¿dónde queda el lugar que los hombres llaman
infierno?[3]
Mefistófeles: Debajo del cielo.
Fausto: Sí, pero, ¿en qué lugar?
Mefistófeles: En las entrañas de estos elementos.
Donde somos torturados y permanecemos siempre.
El infierno no tiene límites, ni queda circunscrito
a un solo lugar, porque el infierno
es aquí donde estamos
y aquí donde es el infierno tenemos que permanecer...

Marlowe, *Doctor Fausto*[4]

I

La Manuela despegó con dificultad sus ojos lagañosos, se estiró apenas y volcándose hacia el lado opuesto de donde dormía la Japonesita, alargó la mano para tomar el reloj. Cinco para las diez.

---

[3] Tanto en las dos ediciones de Mortiz (1966 y 1971), como en la primera edición de Alfaguara (1995) se observa un punto y coma en vez de signo de interrogación. Tanto el uso de cursivas como la disposición de los versos difiere en ambas ediciones. Hemos mantenido la disposición de Mortiz y reemplazado el punto y coma con un signo de interrogación.

[4] El epígrafe tomado de la obra de Marlowe es escogido tardíamente dentro del proceso de escritura. La segunda copia mecanografiada, con fecha de término "Enero de 1965", no presenta el epígrafe de Marlowe sino uno de T. S. Eliot: "*I have seen the moment of my greatness flicker/ And I have seen the eternal Footman hold my coat and snicker,/ And in short, I was afraid*", seguido por un verso de la famosa canción de Cole Poter: "*Even goldfish in the privacy of bowls/ do it...*" (Second Draft, José Donoso Papers, Princeton University).

Misa de once[5]. Las lagañas latigudas volvieron a sellar sus párpados en cuanto puso el reloj sobre el cajón junto a la cama. Por lo menos media hora antes que su hija le pidiera el desayuno. Frotó la lengua contra su encía despoblada: como aserrín caliente y la respiración de huevo podrido. Por tomar tanto chacolí[6] para apurar a los hombres y cerrar temprano. Dio un respingo —¡claro!— abrió los ojos y se sentó en la cama: Pancho Vega andaba en el pueblo. Se cubrió los hombros con el chal rosado revuelto a los pies del lado donde dormía su hija. Sí. Anoche le vinieron con ese cuento. Que tuviera cuidado porque su camión andaba por ahí, su camión ñato[7], colorado, con doble llanta en las ruedas traseras. Al principio la Manuela no creyó nada porque sabía que gracias a Dios Pancho Vega tenía otra querencia ahora, por el rumbo de Pelarco, donde estaba haciendo unos fletes[8] de orujo muy buenos. Pero al poco rato, cuando había casi olvidado lo que le dijeron del camión, oyó[9] la bocina en la otra calle frente al correo. Casi cinco minutos seguidos estaría tocando, ronca e insistente, como para volver loca a cualquiera. Así le daba por tocar cuando estaba borracho. El idiota

---

[5] Respetando la edición de Mortiz no hemos indentado el párrafo inicial de cada capítulo. Hortensia Morell en el segundo capítulo de su libro *Composición expresionista en "El lugar sin límites de José Donoso"* (1986) interpreta la ausencia de sangría como un recurso: "los párrafos iniciales de cada uno de los capítulos no se indentan comunicándose la sensación de que nunca se inician, de que sólo son gestos en el ciclo narrativo incontenible con que *El lugar* representa el drama de la pasión de la Manuela, jornada de infinita repetición" (77).

[6] *Cacholí*, vino típico chileno, blanco, tinto y rosado, de baja graduación alcohólica, elaborado en el siglo XIX y parte del XX. Pablo Lacoste, Amalia Castro *et al.* en *Patrimonio y desarrollo territorial. Productos típicos alimentarios y artesanales de la Región de O'Higgins* si bien señalan su conexión con la tradición vasca-española (248), subrayan su carácter patrimonial: "producto típico patrimonial, con más de dos siglos de historia… se trata de un producto campesino, ampliamente documentado en el país desde antes de la independencia" (253). En el siglo XIX se convirtió en el vino más popular de Chile al constituir un tercio de la producción nacional (253). No obstante, su producción decayó notoriamente entre 1950 y 1975, producto de la apertura comercial a los mercados mundiales (245). Se caracteriza por ser un vino joven, sin envejecimiento en barrica ni guarda en botella (Lacoste *et al.*, 2015).

[7] *Ñato*, adjetivo utilizado generalmente para describir una nariz corta y achatada, en este contexto sin embargo, es utilizado para caracterizar la parte delantera del camión de Pancho Vega.

[8] *Fletes*, traslado de objetos de tamaño mediano, en este caso de hollejo de uva, a distancias relativamente grandes, por un monto convenido de dinero.

[9] En Mortiz el verbo "oyó" queda entre comas: "cuando había casi olvidado lo que le dijeron del camión, oyó, la bocina en la otra calle" (9). Hemos optado por la eliminación de la coma observable en la edición de Alfaguara de 1995.

creía que era chistoso. Entonces la Manuela le fue a decir a su hija que mejor cerraran temprano, para qué exponerse, tenía miedo que pasara lo de la otra vez. La Japonesita advirtió a las chiquillas que se arreglaran pronto con los clientes o que los despacharan: que se acordaran del año pasado, cuando Pancho Vega anduvo en el pueblo para la vendimia y se presentó en su casa con una pandilla de amigotes prepotentes y llenos de vino —capaz que hasta hubiera corrido sangre si en eso no llega don Alejandro Cruz que los obligó a portarse en forma comedida y como se aburrieron, se fueron. Pero decían que después Pancho Vega andaba furioso por ahí jurando:

—A las dos me las voy a montar bien montadas, a la Japonesita y al maricón[10] del papá…

La Manuela se levantó de la cama y comenzó a ponerse los pantalones. Pancho podía estar en el pueblo todavía… Sus manos duras, pesadas, como de piedra, como de fierro, sí, las recordaba. El año pasado al muy animal se le puso entre ceja y ceja que bailara español. Que había oído decir que cuando la fiesta se animaba con el chacolí de la temporada, y cuando los parroquianos eran gente de confianza, la Manuela se ponía un vestido colorado con lunares blancos, muy bonito, y bailaba español. ¡Cómo no! ¡Macho bruto! ¡A él van a estar bailándole, mírenlo nomás![11] Eso lo hago yo para los caballeros, para los amigos, no para los rotos[12] hediondos a patas como ustedes ni para peones alzados que se creen una gran cosa porque andan con la paga de la semana en el bolsillo… y sus pobres mujeres deslomándose[13] con el lavado en el rancho para que los chiquillos no se mueran de hambre mientras los lindos piden vino y ponche y hasta fuerte[14]… no. Y como había tomado de más, les

---

[10] *Maricón*, este vocablo se reitera como sustantivo y adjetivo injurioso, estigmatizador para referirse despectivamente tanto a la Manuela como a Pancho Vega por parte de su cuñado Octavio: "Ya pues compadre, no sea maricón usted también…", p. 166.

[11] *Nomás*, marcador discursivo empleado para dar mayor énfasis a una afirmación.

[12] *Roto*, despectivo, referido a persona maleducada, grosera. Dependiendo del contexto, empleado para clasificar a un individuo como perteneciente a una clase social baja.

[13] *Deslomándose*, haciendo un esfuerzo físico y mental grande.

[14] *Fuerte*, aguardiente producida a partir de borras y orujos. La práctica de producir aguardiente a partir de estos elementos se consolidó en la Zona Central de Chile en el siglo XVIII y se mantuvo con fuerza en el siglo XIX (Lacoste *et al.*, 2015).

dijo eso, exactamente. Entonces Pancho y sus amigos se enojaron. Empezaron por trancar el negocio y romper una cantidad de botellas y platos y desparramar los panes y los fiambres y el vino por el suelo. Después, mientras uno le retorcía el brazo, los otros le sacaron la ropa y poniéndole su famoso vestido de española a la fuerza se lo rajaron entero. Habían comenzado a molestar a la Japonesita cuando llegó don Alejo, como por milagro, como si lo hubieran invocado. Tan bueno él. Si hasta cara de Tatita Dios[15] tenía, con sus ojos como de loza azulina y sus bigotes y cejas de nieve.

Se arrodilló para sacar sus zapatos de debajo del catre y sé sentó en la orilla para ponérselos. Había dormido mal. No sólo el chacolí, que hinchaba tanto. Es que quién sabe por qué los perros de don Alejo se pasaron la noche aullando en la viña… Iba a pasarse el día bostezando y sin fuerza para nada, con dolores en las piernas y en la espalda. Se amarró los cordones lentamente, con rosas dobles… al arrodillarse, allá en el fondo, debajo del catre, estaba su maleta. De cartón, con la pintura pelada y blanquizca en los bordes, amarrada con un cordel: contenía todas sus cosas. Y su vestido. Es decir, lo que esos brutos dejaron de su vestido tan lindo. Hoy, junto con despegar los ojos, no, mentira, anoche, quién sabe por qué y en cuanto le dijeron que Pancho Vega andaba en el pueblo, le entró la tentación de sacar su vestido otra vez. Hacía un año que no lo tocaba. ¡Qué insomnio, ni chacolí agriado, ni perros, ni dolor en las costillas! Sin hacer ruido para que su hija no se enojara, se inclinó de nuevo, sacó la maleta y la abrió. Un estropajo. Mejor ni tocarlo. Pero lo tocó. Alzó el corpiño[16]… no, parece que no está tan estropeado, el escote, el sobaco… componerlo. Pasar la tarde de hoy domingo cosiendo al lado de la cocina para no entumirme. Jugar con los faldones y la cola, probármelo para que las chiquillas me digan de dónde tengo que entrarlo porque el año pasado enflaquecí tres

---

[15] *Tatita Dios*, el empleo del sustantivo "Tata" utilizado en situaciones espontáneas, coloquiales con una actitud afectuosa o de aprecio para referirse a un abuelo, permite relacionar el rostro del personaje con representaciones amigables de Dios Padre.

[16] *Corpiño*, parte del vestido que cubre el torso.

kilos. Pero no tengo hilo. Arrancando un jironcito del extremo de la cola se lo metió en el bolsillo. En cuanto le sirviera el desayuno a su hija iba a alcanzar donde la Ludovinia para ver si entre sus cachivaches[17] encontraba un poco de hilo colorado, del mismo tono. O parecido. En un pueblo como la Estación El Olivo no se podía ser exigente. Volvió a guardar la maleta debajo del catre. Sí, donde la Ludo, pero antes de salir debía[18] cerciorarse de que Pancho se había ido, si es que era verdad que anoche estuvo. Porque bien podía ser que hubiera oído esos bocinazos en sueños como a veces durante el año le sucedía oír su bozarrón o sentir sus manos abusadoras, o que sólo hubiera imaginado los bocinazos de anoche recordando los del año pasado. Quién sabe. Tiritando se puso la camisa. Se arrebozó en el chal rosado, se acomodó sus dientes postizos y salió al patio con el vestido colgado al brazo. Alzando su pequeña cara arrugada como una pasa, sus fosas nasales negras y pelosas de yegua vieja se dilataron al sentir en el aire de la mañana nublada el aroma que deja la vendimia recién concluida.

Semidesnuda, llevando una hoja de periódico en la mano, la Lucy salió como una sonámbula de su pieza.

—¡Lucy!

Va apurada: tan traicioneros los vinos nuevos[19]. Se encerró en el retrete que cabalga a la acequia del fondo del patio, junto al gallinero. Pero no, no voy a mandar a la Lucy. A la Clotilde sí.

—¡Oye, Cloty!

… con su cara de imbécil y sus brazos flacuchentos hundidos en el jaboncillo de la artesa entre el reflejo de las hojas del parrón[20].

—Mira, Cloty…

—Buenos días.

—¿Dónde anda la Nelly?

---

[17] *Cachivaches*, objetos sin valor e innecesarios.
[18] En Mortiz errata: "dabía" (12).
[19] *Vino nuevo*, vino joven, de menos de un año, que aún no ha concluido su fermentación alcohólica.
[20] *Parrón*, mata de uva sostenida por un armazón.

—En la calle, jugando con los chiquillos de aquí del lado. Tan buena con ella que es la señora, sabiendo lo que una es y todo...

Puta triste, puta de mal agüero. Se lo dijo a la Japonesita cuando asiló a la Clotilde hacía poco más de un mes. Y tan vieja. Quién iba a querer pasar para adentro con ella. Aunque en la noche, embrutecidos por el vino y con la piel hambrienta de otra piel, de cualquier piel con tal que fuera caliente y que se pudiera morder y apretar y lamer, los hombres no se daban cuenta ni con qué se acostaban, perro, vieja, cualquier cosa. La Clotilde trabajaba como una mula, sin protestar ni siquiera cuando la mandaban a arrastrar las javas[21] de Cocacola de un lado para otro. Anoche le fue mal. Tenía entusiasmo el huaso[22] gordo, pero cuando la Japonesita anunció que iba a cerrar, en vez de irse a la pieza con la Cloty dijo que iba a salir a la calle a vomitar y no volvió. Por suerte que ya había pagado el consumo.

—Quiero mandarla. ¿No ves que si Pancho anda por ahí yo[23] no voy a poder ir a misa? Dile a la Nelly que se asome en toditas las calles y que me venga a avisar si ve el camión. Ella sabe, ese colorado. ¿Cómo me voy a quedar sin misa?

La Clotilde se secó las manos en su delantal.

—Ya voy.

—¿Hiciste fuego en la cocina?

—Todavía no.

—Entonces convídame[24] unas brasitas para hacerle el desayuno a la niña.

---

[21] *Java* o *jaba*, vocablo de origen taíno que designa a un cajón dividido en varios compartimentos para transportar botellas, en este caso, de Coca-Cola. En Chile esta compañía comenzó a operar en 1943 y a partir de 1946, Embotelladora Andina obtuvo la licencia para producir y distribuir productos de Coca-Cola en el país (Manuel Llora-Jaña y Diego Barría Traverso, 255).

[22] *Huaso*, vocablo de origen quechua. Campesino, persona que vive en el campo y ha sido formada de acuerdo con la cultura típica de las zonas rurales del centro-sur de Chile.

[23] Las tres editoriales españolas donde se publica la novela antes de su aparición en Seix Barral en 1979 (Euros, 1975; Bruguera y Sedmay, 1977) eliminan el pronombre presente en la edición príncipe: "¿No ves que si Pancho anda por ahí no voy a poder ir a misa?" (Euros, 16; Bruguera, 10; Sedmay, 15).

[24] *Convídame*, petición a alguien para disfrutar de parte de algo que se tiene. En este contexto, compartir las brasas que quedaron en la cocina del fuego del día anterior.

Al agacharse sobre el brasero de la Clotilde para tomar carbones con una lata de conservas achatada, a la Manuela le crujió el espinazo. Va a llover. Ya no estoy para estas cosas. Hasta miedo al aire de la mañana le tenía ahora, miedo a la mañana sobre todo cuando le tenía miedo a tantas cosas y tosía, al agror en la boca del estómago y a los calambres en las encías, en la mañana temprano cuando todo es tan distinto a la noche abrigada por el fulgor del carburo y del vino y de los ojos despiertos, y las conversaciones de amigos y desconocidos en las mesas, y la plata que va cayendo peso a peso, en el bolsillo de su hija, que ya debía estar bien lleno. Abrió la puerta del salón, puso los carbones sobre las cenizas del brasero y encima colocó la tetera. Cortó un pan por la mitad, lo enmantequilló y mientras preparaba el platillo, a cuchara y a taza, canturreó[25] muy despacito[26]:

… tú la dejaste ir
vereda tropical…
Hazla voooolver
Aaaaaaaaaaaaaaaa[27] mí…

---

[25] Últimos versos del bolero "Vereda tropical" compuesto por el mexicano Gonzalo Curiel (1904-1958) e inmortalizado por voces como la cubana Olga Guillot (1922-2010) y la estadounidense Eydie Gormé (1928-2013). En el fragmento cantado en voz baja por la Manuela tras recordar su último encuentro con Pancho Vega, destaca la pérdida de la amada y su consecuente nostalgia por la pasión perdida. Resulta interesante la coincidencia del mar en el paisaje evocado en este bolero y las palmeras, mar turquesa del *wurlitzer* añorado por la Japonesita en el cuarto capítulo: "ella iba a comprar el Wurlitzer mañana mismo, mañana lunes, el que tuviera más colores, ése con un paisaje de mar turquesa y palmeras".

[26] El empleo de "despacio" en la primera edición de Alfaguara constituye una de las escasas variantes léxicas que se incorporan a la novela en 1995. Hemos mantenido el "despacito" de la edición príncipe.

[27] El número de vocales "a" en las diferentes ediciones de la novela varía. La edición príncipe, por ejemplo, presenta dos adicionales con respecto a Alfaguara 1995. En esta edición hemos respetado el número de vocales presentes en la edición príncipe. La multiplicación de vocales para representar alargamiento es un recurso que también se observa en *El obsceno pájaro de la noche*. Cfr. la narración de misiá Inesita a las huérfanas asiladas en la Casa de Ejercicios Espirituales sobre cómo Inés logra sostener los muros durante el terremoto con sus brazos: "toda esta Casa se estaba sacudiendo que parecía que ya se iba a caer… y entooooooonces, las monjitas la vieron a ella en el medio del patio, hincada, con los brazos extendidos en cruz" (448). También, en la celebración del gol hecho por los niños que juegan fútbol en la calle, en el capítulo inaugural de la novela: "córrele fuerte, Lucho, pásala ahora, chútala, ya, gol, goooool, agudo chillido de la Mirella que celebra el goooooooooool de sus amigos y aplaude y les hace señas" (28).

Vieja estaría pero se iba a morir cantando y con las plumas puestas. En su maleta, debajo del catre, además de su vestido de española tenía unas plumas lloronas bastante apolilladas. La Ludo se las regaló hacía años para consolarla porque un hombre no le hizo caso... cuál hombre sería, ya no me acuerdo (uno de los tantos que cuando joven me hicieron sufrir). Si la fiesta se componía, y la rogaban un poquito, no le costaba nada ponerse las plumas aunque pareciera un espantapájaros y nada tuvieran[28] que ver con su número de baile español. Para que la gente se riera, nada más, y la risa me envuelve y me acaricia y los aplausos y las felicitaciones y las luces, venga a tomar con nosotros mijita[29], lo que quiera, lo que quiera para que nos baile otra vez. ¡Qué tanto miedo al tal Pancho Vega! Estos hombrones de cejas gruesas y voces ásperas eran todos iguales: apenas oscurece comienzan a manosear. Y dejan todo impregnado con olor de aceite de maquinarias y a galpón y a cigarrillos baratos y a sudor... y los conchos[30] de vino avinagrándose en el fondo de los vasos en las siete mesas sucias en la madrugada, mesas rengas, rayadas, todo claro, todo nítido ahora en la mañana y todas las mañanas. Y al lado de la silla donde estuvo sentado el gordo de la Clotilde, quedó un barrial porque el muy bruto no dejó de escupir en toda la noche —muela picada, dijo.

La tetera hirvió. Hoy mismo le iba a hablar a la Japonesita. Ya no estaba para andar preparándole el desayuno al alba después de trabajar toda la noche, con las ventoleras que entraban al salón por las ranuras de la calamina mal atornillada, donde las tejas se corrieron con el terremoto. A la Clotilde le iba tan mal en el salón que podían dejarla para sirviente. Y a la Nelly para los recados, y cuando creciera... Sí, que la Clotilde les llevara el desayuno a la cama. Qué otro trabajo quería a su edad. Además no era floja como las demás

---

[28] Variante léxica. En Mortiz se utiliza el modo indicativo "tuvieron" (15). El empleo de "tuvieran" en la primera edición de Alfaguara constituye una de las escasas variantes léxicas que se incorporan a la novela en 1995. Hemos mantenido el empleo del subjuntivo presente en Alfaguara 1995.

[29] *Mijita*, vocativo empleado como halago con evidente carga sexual en este contexto, derivado de "mi hijita".

[30] *Concho*, de origen quechua o aimara. Sedimento, resto, especialmente de un líquido.

putas. La Lucy regresó a su pieza. Allí se echaría en su cama con las patas embarradas como una perra y se pasaría toda la tarde entre las sábanas inmundas, comiendo pan, durmiendo, engordando. Claro que por eso tenía tan buena clientela. Por lo gorda. A veces un caballero de lo más caballero hacía el viaje desde Duao para pasar la noche con ella. Decía que le gustaba oír el susurro de los muslos de la Lucy frotándose, blancos y blandos al bailar. Que a eso venía. No como la Japonesita que aunque quisiera ser puta la pobre, no le resultaría por lo flaca. Pero como patrona era de lo mejor. Eso no podía negarse. Tan ordenada y ahorrativa. Y todos los lunes en la mañana se iba a Talca en el tren[31] a depositar las ganancias en el banco. Quién sabe cuánto tenía guardado. Nunca quiso decirle, aunque esa plata era tan suya como de la Japonesita. Y quién sabe qué iba a hacer con ella porque de gozarla no la gozaba. Jamás se compraba un vestido. ¡Qué! ¡Vestido! Ni siquiera quería comprar otra cama para dormir cada una en la suya. Anoche por ejemplo. No durmió nada. Tal vez por los perros de don Alejandro ladrando en la viña. ¿O soñaría? Y los bocinazos. En todo caso, a su edad, dormir con una mujer de dieciocho años en la misma cama no era agradable.

Puso el platillo del pan encima de la taza humeante, y salió. La Clotilde, lava que te lava, le gritó que la Nelly ya había ido a ver. La Manuela no le respondió ni le dio las gracias, sino que acercándose para ver si estaba lavando ropa de las otras putas, alzó sus cejas

---

[31] La creación de un sistema ferroviario en la segunda mitad del siglo XIX revolucionó el traslado de carga y pasajeros desde los lugares que no disponían de puertos. El primer ferrocarril unió Caldera con Copiapó, el segundo a Santiago con Valparaíso y posteriormente se construyó el ferrocarril al sur que llegó a Talca en 1815. Los ramales o líneas férreas secundarias que se desprenden desde la líneas central, buscaban comunicar los valles del interior con la zona costera del país. En la zona del Maule, sectores agrícolas, industriales y comerciales empujaron la construcción de un ramal que uniera Talca y Constitución, abogando por un traslado más fácil y seguro de sus productos y por una conexión mayor con el puerto de Constitución. En 1888, durante el gobierno de José Manuel Balmaceda comenzaron las labores para llevar a cabo el proyecto. En mayo de 1890 comenzaron las obras y en 1892 se inauguró el primer tramo de 33 kilómetros que contó con seis estaciones desde la Estación de Talca hasta la de Constitución. El último tramo del ramal se inauguró el 19 de diciembre de 1915, llegando a la Estación terminal Constitución. Actualmente el ramal Talca-Constitución es el único tren de trocha angosta existente en el país y fue declarado Monumento Histórico Nacional, el 25 de mayo del 2007.

delgadas como hilos, y mirándola con los ojos fruncidos de fingida pasión, entonó:
Veredaaaaaaaa
tropicaaaaaaaaaaa—aal[32].

---

[32] En Mortiz el número de vocales "a" empleado es mayor: ocho en "vereda" y 13 en "tropical" (17). Las últimas dos "a" de "tropical" se encuentran separadas por guion: "tropicaaaaaaaaaaaa-aal" (17). En la primera edición de la novela en Alfaguara se suprime el guion y se reduce el número de vocales "a": siete en vereda y diez en tropical (18). En esta edición hemos mantenido el número de vocales "a" y el guion observable tanto en la edición príncipe como en los borradores mecanografiados de la novela.

II

La casa se estaba sumiendo. Un día se dieron cuenta de que la tierra de la vereda ya no estaba al mismo nivel que el piso del salón sino que más alto, y la contuvieron con una tabla de canto sostenida por dos cuñas. Pero no dio resultado. Con los años, quién sabe cómo y casi imperceptiblemente, la acera siguió subiendo de nivel mientras el piso del salón, tal vez de tanto rociarlo y apisonarlo para que sirviera para el baile, siguió bajando. La tabla que pusieron jamás formó grada regular. Los tacos de los huasos que entraban dando trastabillones molían la tierra dejando un hueco sucio limitado por la tabla que se iba gastando, una hendidura que acumulaba fósforos quemados, envoltorios de menta, trocitos de hojas, astillas, hilachas, botones. Alrededor de las cuñas a veces brotaba pasto.

La Manuela se encuclilló en la puerta para arrancar unas briznas. No tenía apuro. Faltaba media hora para la misa. Media hora inofensiva, despojada de toda tensión por las noticias de la Nelly: ni un camión, ni un auto en todo el pueblo. Claro, fue sueño. No recordaba siquiera quién le vino a contar el cuento. Y los perros. No tenían por qué andar sueltos en la viña en este tiempo, cuando ya no quedaba ni un racimo que robarse. Bueno. Cinco minutos hasta la casa de la Ludovinia, un cuarto de hora para buscar el hilo, y cinco minutos para cualquier cosa, para tomar un matecito o para pararse a comadrear con cualquiera en una esquina. Y después, su misa.

Por si acaso miró calle arriba hacia la alameda que cerraba el pueblo por ese lado, tres cuadras más allá. Nadie. Ni un alma. Claro. Domingo. Hasta los chiquillos, que siempre armaban una gritadera del demonio jugando a la pelota en la calzada, estarían esperando junto a la puerta de la capilla para pedir limosna si llegaba algún auto de rico. Los álamos se agitaron. Si el viento arreciaba, el pueblo entero quedaría invadido por las hojas amarillas durante una semana por lo menos y las mujeres se pasarían el día barriéndolas de todas partes, de los caminos, los corredores, las puertas y hasta debajo de las camas, para juntarlas en montones y quemarlas... el humo azul prendiéndose en un claro cariado, arrastrándose como un gato pegado a los muros de adobe, enrollándose en los muñones de paredes derruidas y cubiertas de pasto, y la zarzamora devorándolas y devorando las habitaciones de las casas abandonadas y las veredas, el humo azul en los ojos que pican y lagrimean con el último calor de la calle. En el bolsillo de su chaqueta la mano de la Manuela apretó el jirón del vestido como quien soba un talismán para urgirlo a obrar su magia.

Sólo una cuadra para llegar a la estación donde terminaba el pueblo por ese lado y a la casa de la Ludo a la vuelta de la esquina, siempre bien abrigada con un brasero encendido desde temprano. Se apuró para dejar atrás las casas de ese rumbo, que eran las peores. Quedaban pocas habitadas porque hacía mucho tiempo que todos los toneleros[33] trasladaron sus negocios a Talca[34]: ahora, con los caminos buenos, se llegaba en un abrir y cerrar de ojos desde los fundos. No es que del otro lado del pueblo, del lado de la capilla y del correo, fueran mejores las casas ni más abundantes los pobladores, pero en fin, era el centro. Claro que en épocas mejores el centro fue esto, la estación. Ahora no era más que un potrero cruzado por la línea, un semáforo inválido, un andén de concreto resquebrajado, y tumbada entre los hinojos debajo del par de eucaliptos estrafalarios, una máquina trilladora antediluviana entre cuyos fierros anaranjados por el orín jugaban los niños como con un saurio domesticado. Más allá, detrás del galpón de madera encanecida, más zarzas y un canal separaban el pueblo de las viñas

---

[33] La tonelería fue una industria que se desarrolló en torno al vino. Muchas viñas importaban toneles de Francia o compraban los materiales en el exterior, como por ejemplo, en Bosnia-Herzegovina, para luego fabricarlos en Chile. Los centros de tonelería en Chile se fueron paulatinamente multiplicando (Del Pozo, *Historia del vino chileno, desde la época colonial hasta hoy*, nota 61).

[34] Fundada inicialmente en 1692 por el gobernador Tomás Marín de Poveda y desocupada por sus habitantes tras el alzamiento indígena de 1717, fue refundada con el nombre de San Agustín de Talca, por el gobernador Antonio Manso de Velasco, el 12 de mayo de 1742 en torno a un convento agustino. En 1840 el auge triguero y más tarde la vinicultura favorecieron su desarrollo, estimulando el aumento de la población, el mejoramiento de la infraestructura y la ampliación de servicios urbanos, convirtiéndola además en la cabecera administrativa y el núcleo poblado más importante de la región.

de don Alejandro. La Manuela se detuvo en la esquina para contemplarlas un instante. Viñas y viñas y más viñas por todos lados hasta donde alcanzaba la vista, hasta la cordillera. Tal vez no fueran todas de don Alejandro. Si no eran suyas eran de sus parientes, hermanos y cuñados, primos a lo sumo. Todos Cruz. El varillaje de las viñas convergía hasta las casas del fundo El Olivo[35], rodeadas de un parque no muy grande pero parque al fin, y por la aglomeración de herrerías, lecherías, tonelerías, galpones y bodegas de don Alejo. La Manuela suspiró. Tanta plata. Y tanto poder: don Alejo, cuando heredó hace más de medio siglo, hizo construir la Estación El Olivo para que el tren se detuviera allí mismo y se llevara sus productos. Y tan bueno don Alejo. ¿Qué sería de la gente de la Estación sin él? Andaban diciendo por ahí que ahora sí que era cierto que el caballero iba a conseguir que pusieran luz eléctrica en el pueblo. Tan alegre y nada de fijado[36], siendo senador y todo. No como otros, que se les ocurría que por tener la voz ronca y pelo en el pecho tenían derecho a insultarla a una. ¿Y cómo don Alejandro, que era tan hombre? Es verdad que en el verano, cuando venía a misa al pueblo con Misia Blanca y por casualidad se cruzaban en la calle, el caballero se hacía el leso. Aunque a veces, si Misia Blanca iba distraída le echaba su guiñadita de ojo[37].

La Ludo le sirvió mate y sopaipillas[38]. La Manuela se acomodó en una silla junto al brasero y comenzó a escarbar dentro de las cajas llenas de pedazos de cinta y botones y sedas y lanas y hebillas. La Ludovinia ya no podía ver el contenido porque estaba muy

---

[35] Sin duda resulta interesante la periferia de El Olivo en relación al centro viñatero del país, cuyo límite es Talca. Entre esta ciudad de la Séptima Región y Aconcagua se encuentran las principales viñas del país, aquellas "que desde hace más de un siglo controlan la mayor parte del mercado interno y las que iniciaron las exportaciones" (Pozo, 8).

[36] La superposición de "nada de" junto al adjetivo "fijado" anula el rasgo atribuido a un individuo "fijado", es decir, aquel que "tiende a prestar atención a los detalles o a aspectos que otros pasarían por alto".

[37] La primera edición de Alfaguara presenta tres erratas en este párrafo. "Pueblo" y "Aunque" aparecen separados por un espacio: "pue blo", "Aun que". También se observa un espacio extra entre "ojo" y el punto final: "ojo ." (21).

[38] *Sopaipilla*, masa plana, de forma generalmente circular, frita y elaborada con harina, manteca y dependiendo de la zona, con zapallo molido.

corta de vista. Casi ciega. ¡Tanto que la aconsejó la Manuela que no fuera tonta y que se comprara otros anteojos! Pero ella nunca quiso. Cuando murió Acevedo, en el momento antes que soldaran el ataúd, la Ludo casi se volvió loca y quiso echar adentro algo suyo que acompañara su marido por toda la eternidad. No se le ocurrió nada mejor que echar sus anteojos. Claro. Ella fue sirvienta de Misia[39] Blanca cuando la Moniquita se murió de tifus: la señora, desesperada, se cortó la trenza rubia que le llegaba hasta las corvas y la echó dentro del ataúd. A Misia Blanca le creció de nuevo todo el pelo. Por imitarla, la tonta de la Ludo se quedó sin ver. Por Acevedo, decía, que era tan celoso. Para no mirar nunca otro hombre. Cuando vivo, él no la dejaba tener ni amigos ni amigas. Sólo la Manuela. Y cuando lo embromaban recordándole que fuera como fuera la Japonesita era hija de la Manuela, el tonelero se reía sin creer. Pero la Japonesita creció y nadie pudo dudar: flaca, negra, dientuda, con las mechas tiesas[40] igualitas a las de la Manuela.

Con los años la Ludo se había puesto muy olvidadiza y repetidora. Ayer le contó que cuando Misia Blanca la vino a ver le trajo un recado de don Alejo diciéndole que le quería comprar la casa, qué[41] raro no y otra vez dice don Alejo se interesa por esta propiedad pero yo no entiendo para qué y yo no me quiero ir, me quiero morir aquí. Ah, no, era como para ahogarse. Ya no era divertido chismear con ella. Ni siquiera se acordaba de qué cosas tenía guardadas en la multitud de cajas, paquetes, atados, rollos que escondía en sus cajones o debajo del catre o en los rincones, cubriéndose de polvo detrás del peinador, metidos entre el ropero y el muro. Y para qué decir la gente, se le borraba toda, toda menos la de la familia de

---

[39] *Misia o misiá*, en el habla rural, "señora". Se suele usar antes de un nombre propio.

[40] *Mechas tiesas*, expresión característica de situaciones informales o coloquiales utilizada para describir al pelo liso, grueso y poco dócil.

[41] En edición príncipe: "que raro no"(22). El uso de tildes por parte de Donoso en sus materiales de escritura es irregular. Muchas veces era un asunto al que atendía durante la relectura y reescritura, especialmente en las versiones mecanografiadas de sus textos. En este caso tanto en la edición príncipe y mecanoescrito más tardío (Tss University of Iowa: 16) no se observa acento: "le quería comprar la casas, que raro no". Hemos optado por el interrogativo/exclamativo indirecto "qué" presente en Alfaguara 1995 (22).

don Alejo, y les sabía los nombres hasta a sus bisnietos. Ahora no se podía acordar quién era Pancho.

—Cómo no te vas a acordar. Te he hablado tanto de él.

—Tú te lo llevas hablándome de hombres.

—Ese hombrazo grandote y bigotudo que venía tanto al pueblo el año pasado en el camión colorado, te dije. Era del fundo[42] El Olivo pero se fue y se casó. Después estuvo viniendo. Ése con las cejas renegridas y cogote de toro que yo, antes, cuando él era más chiquillo, lo encontraba tan simpático, hasta que esa vez vino a la casa con unos amigos borrachos y se puso tan pesado. Cuando me hicieron tiras mi vestido de española.

Inútil. Para la Ludo, Pancho Vega no existía. La Manuela tuvo el impulso de pararse, tirar el mate[43] y las cajas con hilos al suelo y volver a su casa. Vieja bruta. Ya no le queda más que un terrón blando adentro de la cabeza. ¿Para qué hablar con la Ludo si no se acordaba quién era Pancho Vega? Escarbó en la caja para encontrar su hilo y poder irse. La Ludo se quedó muda mientras la Manuela escarbaba. Luego comenzó a hablar.

—Le debe plata a don Alejo.

La Manuela la miró.

—¿Quién?

—Ése que tú dices.

—¿Pancho Vega?

—Ése.

La Manuela enrolló el hilo colorado en su dedo meñique.

—¿Cómo sabes?

— ¿Encontraste? No te lo lleves todo.

—Bueno. ¿Cómo sabes?

---

[42] *Fundo*, propiedad agrícola y ganadera de gran extensión.
[43] El consumo de esta infusión en el círculo de los sirvientes se reitera en *El obsceno pájaro de la noche*, nótese su presencia en la habitación de la Peta Ponce: "Yo acudía con frecuencia a pasar el rato aquí en la pieza de la Peta Ponce. Me sentaba con ella junto a este brasero en que calentaba el agua para el mate y tostaba los terrones de azúcar sobre las brasas hasta que el humo dulzón llenaba la penumbra. Hervía el agua en la tetera. La vertía en la calabaza donde, además de la yerba mate, había agregado una ramita de hinojo, esperaba un instante, agitaba la boquilla y chupaba para probar" (223).

—Me dijo Misia Blanca el otro día cuando vino a verme. Es hijo del finado Vega que era tonelero jefe de don Alejo cuando yo estaba con ellos. No me acuerdo del chiquillo. Dice Misia Blanca que éste, cómo se llama, quiso independizarse de los Cruz y cuando don Alejo supo que andaba detrás de comprarse un camión, a pesar de que el chiquillo hacía tiempo que no estaba en el fundo y que el finado Vega era muerto y que la Berta también era muerta, lo hizo llamar, al chiquillo éste, y le prestó plata así nomás, sin documento, para que pagara el pie de su camión…

—¿Así es que se compró el camión con plata de don Alejo?

— Y no le paga.

—¿Nada?

—No sé.

—Perdido anda desde hace un año.

—Por eso.

—¡Sinvergüenza!

Sinvergüenza. Sinvergüenza. Si venía con abusos, podía decírselo: Sinvergüenza, estafaste a don Alejo que es como un padre contigo. Entonces, diciéndoselo, no sentiría miedo. O por lo menos, menos miedo. Era como si esa palabra le fuera a servir para romper una costra dura y amenazante de Pancho, dejándolo duro siempre y siempre amenazante, pero de otra manera. Era una lástima que todos esos bocinazos fueran sólo sueño… ¿Para qué iba a remendar entonces su vestido colorado? Se desenrolló el hilo del dedo. ¿Qué iba a hacer hoy toda la tarde? Lluvia, sus huesos lo sabían. ¿Venir donde la Ludo? ¿Para qué? Si volvía a hablarle de Pancho Vega seguro que le contestaría:

—Ya estás vieja para andar pensando en hombres y para salir de farra[44] por ahí. Quédate tranquila en tu casa, mujer, y abrígate bien las patas, mira que a la edad de nosotros lo único que una puede hacer es esperar que la pelada[45] se la venga a llevar.

---

[44] *Farra*, ir a fiestas u otro tipo de eventos de esparcimiento.
[45] *Pelada*, personificación de la muerte. Manuel Antonio Román, en el cuarto tomo de su *Diccionario de chilenismos y de otras voces y locuciones viciosas* de 1916, explica el vocablo a partir de la representación de la muerte mediante un esqueleto con cráneo calvo: "por cuanto se la representa

Pero la pelada era mujer como ella y como la Ludo, y entre mujeres una siempre se las puede arreglar. Con algunas mujeres por lo menos, como la Ludo, que siempre la habían tratado así, sin ambigüedades, como debía ser. La Japonesita, en cambio, era pura ambigüedad. De repente, en invierno sobre todo, cuando le daba tanto frío a la pobre y no dejaba de tiritar desde la vendimia hasta la poda[46], empezaba a decir que le gustaría casarse. Y tener hijos. ¡Hijos! Pero si con sus dieciocho años bien cumplidos ni la regla le llegaba todavía. Era un fenómeno. Y después decía que no. Que no quería que la anduvieran mandoneando[47]. Que ya que era dueña de casa de putas mejor sería que ella también fuera puta. Pero la tocaba un hombre y salía corriendo. Claro que con esa cara no iba a llegar a mucho. Tantas veces que le había rogado que se hiciera la permanente. La Ludo decía que mejor que se casara, porque trabajadora eso sí que era la Japonesita. Que se casara con un hombre bien macho que le alborotara las glándulas y la enamorara. Pero Pancho era tan bruto y tan borracho que no podía enamorar a nadie. O los nietos de don Alejandro. En el verano, a veces, se aburrían en las casas del fundo sin tener nada que hacer y venían a tomarse unas copas: espinilludos, de anteojos, callados, pero eran muy jovencitos y estaban preocupados con los exámenes y se iban sin tomar mucho y sin meterse con nadie. Si la Japonesita quedara embarazada de uno de ellos… no, claro que no casarse, pero en fin, el niño… Por qué no. Era un destino.

No le aprendía a ella, se dijo la Manuela caminando hacia la capilla, el hilo colorado enrollado otra vez en el dedo meñique. El vestido lo iba a tomar aquí, en la cintura, y acá, en el trasero. Y si viviera en una ciudad grande, de esas donde dicen que hay carnaval y todas las locas salen a la calle a bailar vestidas con sus lujos y lo pasan regio y nadie dice nada, ella saldría vestida de manola.

---

en forma de esqueleto y con la cabeza pelada, o sea, la simple calavera".

[46] Resulta interesante la medición del tiempo mediante los ciclos de la producción de la uva: la Japonesita sufre de frío desde el inicio de la cosecha de la uva (mediados, fines de la primavera) hasta la poda de las vides (otoño-invierno).

[47] *Mandonear*, mandar, someter a alguien a la propia voluntad en forma abusiva e irrespetuosa.

Pero aquí los hombres son tontos, como Pancho y sus amigos. Ignorantes. Alguien le contó que Pancho andaba con cuchillo. Pero no era cierto. Cuando Pancho quiso pegarle el año pasado tuvo la presencia de ánimo para palpar al bruto por todos lados: andaba sin nada. Idiota.[48] Tanto hablar contra las pobres locas[49] y nada que les hacemos... y cuando me sujetó con los otros hombres me dio sus buenos agarrones, bien intencionados, no va a darse cuenta una con lo diabla y lo vieja que es. Y tan enojado porque una es loca, qué sé yo lo que dijo que iba a hacerme. A ver nomás, sinvergüenza, estafador. Me dan unas ganas de ponerme el vestido delante de él para ver lo que hace. Ahora, si estuviera aquí en el pueblo, por ejemplo. Salir a la calle con el vestido puesto y flores detrás de la oreja y pintada como mona, y que en la calle me digan adiós Manuela, por Dios que va elegante mijita[50], quiere que la acompañe... Triunfando, una. Y entonces Pancho, furioso, me encuentra en una esquina y me dice me das asco, anda a sacarte eso que eres una vergüenza para el pueblo. Y justo cuando me va a pegar con esas manazas que tiene, yo me desmayo... en los brazos de don Alejo, que va pasando. Y don Alejo le dice que me deje, que no se meta conmigo, que yo soy gente más decente que él que al fin y al cabo no es más que hijo de un inquilino mientras que yo soy la gran Manuela, conocida en toda la provincia, y echa a Pancho para siempre del pueblo. Entonces don Alejo me sube al auto y me lleva al fundo y me tiende en la cama de Misia Blanca, que es toda de raso rosado dice la Ludovinia, preciosa, y van a buscar el mejor

---

[48] En la primera edición de Alfaguara "Idiota" inicia un nuevo párrafo:
"andaba sin nada.
Idiota. Tanto hablar contra las pobres locas" (26). Hemos mantenido el punto seguido de la edición príncipe: "andaba sin nada. Idiota. Tanto hablar contra las pobres locas" (26).

[49] El *Diccionario de uso del español de Chile* define la voz "loca" como "hombre homosexual de comportamiento extravagante y notoriamente afeminado". El hecho de que el vocablo sea utilizado aquí por la Manuela para referirse a sí misma, constituye un acto nominativo que implica la apropiación y por tanto resignificación de una voz usada comúnmente en forma peyorativa. Para una genealogía y usos del término en el contexto de los estudio de géneros y sexualidad, ver González, Melissa. "La loca". *TSQ: Transgender Studies Quarterly*, vol. 1, núm. 1-2, 2014, pp. 125.

[50] En este contexto, "mijita" es dicho como piropo, formando parte del cumplido que la Manuela se imagina que le dirían en la calle si la vieran vestida y maquillada como la Gran Manola.

médico de Talca mientras Misia Blanca me pone compresas y me hace oler sales y me toma en brazos y me dice mira Manuela, quiero que seamos amigas, quédate aquí en mi casa hasta que te sanes y no te preocupes, yo te cedo mi pieza y pide lo que quieras, no te preocupes, no te preocupes, porque Alejo, vas a ver, va a echar a toda la gente mala del pueblo.

—Manuela.

Una bocacalle. Los pies metidos en el barro de una poza en la calzada. Unos bigotes blancos, una manta de vicuña, unos ojos azulinos como bajo el ala del sombrero, y detrás, los cuatro perros negros alineados. La Manuela retrocedió.

—Por Dios, don Alejo, cómo sale a la calle con esos brutos. Agárrelos. Me voy, me voy. Agárrelos.

—No te van a hacer nada si no lo mando. Tranquilo, Moro…

—Preso debían mandarlo por andar con ellos.

La Manuela se iba retirando a la otra vereda.

—¿A dónde vas? Estabas con las patas en el agua.

—Apuesto que me resfrío. A misa iba, a cumplir con los mandamientos. No soy ninguna hereje como usted, don Alejo. Mire la cara de muerto que tiene, apuesto que anduvo de farra, a su edad, no digo yo…

—Y tú, irás a pedir perdón por tus pecados, grandísima…

—¡Pecados! Ojalá. Ganas no me faltan pero mire cómo estoy de flaca. Santita: Virgen y Mártir…

—¿Qué no dicen que tienes embrujado a Pancho Vega?

—¿Quién dice?

—Él[51] dice. Cuidadito.

Los perros se agitaron detrás de don Alejo.

—Otelo, Moro, abajo…

---

[51] En las ediciones del primer ciclo español —Euros (1975), Bruguera (1977) y Sedmay (1977)— se observa la ausencia de tilde en las mayúsculas. Esto constituye una huella del retraso en el que se encontraba la industria editorial española en relación con las mexicanas a mediados de los 70, las que casi una década antes, ya estaban en condiciones de tildar mayúsculas (Mejía, 6).

El agua sopeándole los calcetines, el pantalón frío pegado a sus canillas. Hacía años que no se sentía tan averiada. Al subir por el talud hacia la otra vereda le dio una patada a un chancho para que se quitara, pero al resbalarse tuvo que afirmarse en su lomo. Desde la otra vereda le preguntó a don Alejo:

—¿Cuidadito con quién?

—Con Pancho. Dicen que no habla más que de ti.

—Pero si ya no viene para acá para El Olivo. ¿No dicen que le debe plata a usted?

Don Alejo se rió[52].

—Todo lo sabes, vieja chismosa. ¿Sabes también que fui al médico ayer en Talca? ¿Y sabes lo que me dijo?

—¿Al médico, don Alejo? Pero si está tan bien…

—Me acabas de decir que tengo mala cara. Mala cara vas a tener tú también en cuanto te alcance Pancho.

—Pero si no está.

—Sí. Sí está.

Los bocinazos, entonces, anoche. No, no iba a misa. No estaba para aguantar impertinencias en la calle. Hacía demasiado frío. Dios la perdonaría esta vez. Se iba a resfriar. A su edad, mejor acostarse. Sí. Acostarse. Olvidarse del vestido de española. Acostarse si la Japonesita no le decía que hiciera algo, qué sé yo, algún trabajo de esos que a veces le gritaba que hiciera. El año pasado Pancho Vega le retorció el brazo y casi se lo quebró. Ahora[53] le dolía. No quería tener nada que ver con Pancho Vega. Nada.

—No te vayas, mujer…

—Claro. No va a ser a usted al que le va a pegar.

—Espera.

---

[52] En Mortiz errata: "rio" (28).

[53] En primera la primera edición de Alfaguara punto y aparte con sangría:
"Pancho Vega le retorció el brazo y casi se lo quebró.
Ahora le dolía." (28)
En esta edición hemos respetado el punto y seguido de Mortiz (28).

—Ya pues don Alejo, diga lo que quiere. ¿No ve que estoy apurada? Tengo las patas empapadas. Si me muero usted me paga el funeral porque usted tiene la culpa. De primera, ah…

Don Alejo, seguido de sus perros, iba andando frente a la Manuela por la otra acera y hablándole. La última seña de la misa de once. Tuvo que gritar para que la Manuela le oyera porque pasó el break[54] de los Guerrero lleno de chiquillos cantando:

Que llueva,
que llueva.
La vieja está en la cueva
los pajaritos cantan…[55]

—Ya pues don Alejo. ¿Qué quiere?

—Ah, sí. Dile a la Japonesita que tengo urgencia de hablar con ella. Voy a pasar esta tarde. Y contigo también quiero hablar.

La Manuela se paró antes de doblar la esquina.

—¿Va a venir en auto?

—No sé. ¿Por qué?

—Para que estacione delante de la puerta de la casa. Así Pancho ve que usted está con nosotros y no se atreve a entrar.

—Si no vengo en auto, dejo a los perros afuera. Pancho les tiene miedo.

—Claro, si es un cobarde.

---

[54] En la primera edición de Alfaguara cursiva: *break* (29). Este vocablo es empleado tres veces en la novela. Su aparición en el tercer capítulo confirma que no se trata de un automóvil de tipo familiar o con gran espacio en la parte trasera destinado a la carga, sino de un carruaje abierto, de cuatro ruedas tirado por caballos, con un asiento alto en la parte delantera y bancas en la parte posterior.

[55] Oreste Plath en *Folklore chileno. Aspectos populares infantiles* (1946) inicia la sección dedicada a "Burlas y dicharachos" empleados por los niños para pedir lluvia, con una variante de este texto donde se lee "La Virgen de la cueva" (38) en vez del "la vieja de la cueva" empleada por Donoso. En *El obsceno pájaro de la noche* también se incorpora dos canciones de cuna durante el juego de la guagua de la Iris (136) así como un canto popular a la Virgen María, "venid y vamos todas/ con flores a porfía" coreado por las ancianas mientras abandonan la Casa de Ejercicios Espirituales en autobuses, en el penúltimo fragmento de la novela (553).

III

La señorita Lila miró a Pancho Vega por la ventanilla, pero pese a las cosas que él le estaba diciendo no bajó la vista porque lo conocía desde hacía tanto tiempo que ya no la escandalizaba. Además, me da gusto volver a ver a este tarambana.

—Pero si eres como marinero en tierra pues Pancho, ahora con la cuestión de tu camión y tus fletes: una mujer en cada puerto. La Emita no te verá ni el polvo, pobre. Qué castigo estar casada contigo.

—Ella no se queja.

Entonces sí que la señorita Lila se puso colorada.

—¿Y tú, Lilita?

Trató de tomarle la mano a través de la ventanilla.

—Déjate, tonto…

La señorita Lila hizo un gesto señalando a Octavio que fumaba en la puerta, mirando la calle. Pancho se dio vuelta para buscar el objeto del temor de Lila y al ver sólo a su cuñado alzó los hombros. El interior del galpón en cuyo extremo funcionaba el correo estaba vacío, salvo por don Céspedes sentado en uno de los fardos de trébol formando escala al otro extremo. El anciano se apeó de su fardo y se puso a mirar la calle apoyado en la jamba, al otro lado de Octavio. Al frente, unas cuantas personas rondaban el otro galpón, el que servía de capilla los domingos y de lugar de reunión del Partido durante la semana. Era más chico que el galpón del correo y también pertenecía a don Alejo, pero nunca llegaron a permutar sus funciones: el espacio de la capilla actual era suficiente para los feligreses, sobre todo después de la vendimia, cuando ya no quedaban ni afuerinos ni las familias de los dueños de fundos. Pancho se dio vuelta y encendió un cigarrillo.

—¿Llegó el cura de San Alfonso?

Don Céspedes agitó la cabeza en signo de negación.

—Deben haber tenido una pana[56].

Octavio palmoteó la espalda del viejo.

—Tan viejo y tan inocente usted don Céspedes, por Dios. El cura debe haber tenido sueño esta mañana y se quedó pegado en las sábanas. Dicen que bailó toda la noche en la casa de la Pecho de Palo allá en Talca…

La señorita Lila asomó la cabeza.

—¡Herejes! Se van a condenar.

Pancho se rió[57] mientras don Céspedes sacaba su mano de debajo de la manta para santiguarse. Octavio se fue a sentar en los fardos. Don Céspedes miró al cielo.

—Va a llover.

Siguió a Octavio y encaramándose más alto que él en las gradas de los fardos, dejó colgando sus pies encogidos, oscuros, deformados por las cicatrices y la mugre, metidos en sus ojotas[58] embarradas.

En la ventanilla seguía el coloquio.

—¿Tú, no estuviste en la cama de la Japonesita anoche?

—¿Yo? Yo no. Hace tiempo que no voy. No me dan boleto[59].

—Es que tú también, con lo revoltoso…

—Lo malo es que estoy enamorado.

Ella dijo que claro, que la Japonesita era chiquilla buena y todo, pero fea, y no se vestía a la moda, parecía de casa de huérfanos con esos pantalones bombachos hasta el tobillo que se ponía debajo de los delantales. Claro que era harto raro que ella se dedicara a ese negocio, siendo que todos sabían que era chiquilla buena. Sí, sí, herencia de la mamá, pero podía vender. Cuando chica la Japonesa Grande la mandaba a la escuela, cuando había escuela en El Olivo y funcionaba aquí mismo, en este galpón, antes que lo comprara

---

[56] *Pana*, vocablo de origen francés, *panne*. Desperfecto mecánico que dificulta el funcionamiento de un vehículo o máquina.
[57] Errata en edición príncipe "rio" (31).
[58] *Ojota*, voz de origen quechua. Calzado abierto hecho de cuero de vaca o caucho, que se afirma al pie por medio de correas, usado principalmente por los trabajadores del campo chileno.
[59] *No dar boleto*, locución verbal propia de situaciones informales o coloquiales para decir que no se pone atención.

don Alejo. A pesar de que todas las chiquillas eran buenas con ella, me cuenta mi hermana menor, y la profesora también, la Japonesita se arrancaba, se iba a esconder por allá por la estación, dicen, hasta que terminaran las clases y la Japonesa Grande no se diera cuenta de que no iba a la escuela, y nunca salía a la calle a jugar ni nada y no saludaba a nadie… Ahora, toda la gente decente le tiene pena a la Japonesita, tan rara la pobre. La señorita Lila, por lo pronto, buscaba la vista de la Japonesita para saludarla lo más amable que podía cada vez que la encontraba en la calle. ¿Por qué no, no es cierto?

—Sí, pero yo no estoy enamorado de ella…

La señorita Lila lo miró turbada.

—¿De quién, entonces?

—De la Manuela, pues…

Todos se rieron, hasta ella.

—Hombres cochinos, degenerados. Vergüenza debía darles…

—Es que es tan preciosa…

La pareja comenzó a cuchichear otra vez a través de los barrotes de bronce. Don Céspedes volvió a bajar las gradas de pasto y se apostó en la puerta mirando el cielo.

—Aquí viene el agua, mi madre…

La gente que esperaba cerca de la puerta de la capilla se cobijó bajo el alero, pegados al muro y con las manos en los bolsillos, detrás de la cortina de agua que caía de las tejas. El caballo del break[60] de los Guerrero quedó empapado en un segundo, y los Valenzuela, que venían llegando, se refugiaron en el Ford para esperar que comenzara la misa. Don Alejo entró corriendo al correo, seguido de sus cuatro perros negros. Se sacudió el agua de la manta y del sombrero. Los perros también se sacudieron, y Octavio se trepó a los fardos para no quedar empapado. Después se alborotaron en el galpón, que parecía quedarles chico.

—Buenos días, don Céspedes…

---

[60] A partir de la primera edición de Alfaguara se observa empleo de cursiva en este vocablo (33). Se refiere a un carruaje abierto, de cuatro ruedas tirado por caballos, con un asiento alto en la parte delantera y bancas en la parte posterior. Hemos respetado la edición príncipe.

—Buenos días, patrón.

Luego miró a Octavio pero no lo saludó. Vio a Pancho de espaldas, que junto a la ventanilla suspendió su plática pero no se dio vuelta.

—Felices los ojos, Pancho…

Como Pancho se quedó igual, don Alejandro azuzó a sus perros, que se levantaron del suelo.

—Otelo, Sultán…

Pancho se dio vuelta. Subió las manos como si esperara un pistoletazo. Don Alejo llamó a sus perros antes que atacaran.

—Moro, acá…

—Las bromitas suyas, don Alejo…

—Contesta siquiera, si te saludan.

—Esas bromas no se pueden hacer.

Octavio los miró desde la cima de los fardos, cerca del envigado que sostenía la calamina del techo. Don Alejo se iba acercando a Pancho a través de la bodega, rodeado de los perros que brincaban. En todo ese espacio parduzco, donde hasta la cal del muro era de color tierroso, lo único vivo era el azulino de los ojos de don Alejo y las lenguas babosas, coloradas de los perros.

—¿Y las bromas tuyas? ¿Te parecen poca cosa, roto malagradecido[61]? ¿Creís[62] que no sé por qué viniste? Yo te conseguí los fletes de orujo, pero yo mismo llamé a Augusto hace días diciéndole que te los cortara.

—Vamos a hablar a otro lado, mejor…

—¿Por qué? ¿No quieres que la gente sepa que eres un sinvergüenza y un malagradecido? Está lloviendo y no quiero mojarme

---

[61] "Roto" en combinación con "malagradecido" en este contexto señala despectivamente tanto la ubicación de Pancho dentro de la clase social baja, como su ingratitud ante el préstamo hecho por Cruz.

[62] *Creís*, forma voseante de *creer*. El voseo chileno coexiste con el tuteo y el ustedeo, pero denota un grado mayor de familiaridad o intimidad entre los interlocutores. Si la relación no es de familiaridad o intimidad, puede ser usado como una manera despectiva de tratar al interlocutor, especialmente cuando la relación de poder es asimétrica. Las formas verbales regulares en tiempo presente son -ái, -ís, -ís, para las vocales temáticas -ar, -er, -ir, respectivamente. A través de la novela se ve la combinación del pronombre *tú* con la forma verbal voseante, lo que es común en el español chileno.

más, mira que el médico me dijo que me cuidara. Usted don Céspedes, hágame el favor de ir a la carnicería, aquí al lado, y le dice a Melchor que me mande unas buenas charchas para que estos perros se queden tranquilos. ¿Y éste, quién es?

Octavio bajó los fardos con un par de brincos. Mientras sacudía su terno oscuro y se ajustaba la corbata corrida en el cuello abierto de la camisa, carraspeó antes de contestar. Pero contestó Pancho.

—Es Octavio, mi cuñado.

—¿El de la estación de servicio?

—Sí señor. Para servirle. Somos compadres con el Pancho, así que delante de mí puede hablar nomás...

La inquietud de los cuatro perros negros de colas suntuosas, de fauces anhelantes, llenaba el galpón. Los ojos de loza de don Alejo sostuvieron la mirada negra de Pancho, obligándola a permanecer fija bajo las pestañas sombrías. Él leía en esos ojos como en un libro: Pancho no quería que Octavio supiera de la deuda. El viento agitó las listas de cartas sobrantes pegadas al muro.

—¿Así es que solitos no te importa que te diga que eres un sinvergüenza y un malagradecido? Entonces, además eres un cobarde de porquería.

—Déjese pues, don Alejo.

—Tu padre a quien Dios guarde en su Gloria no me hubiera aguantado que yo le hablara así. Era un hombre de veras. ¡El hijito que le fue a salir! Nada más que por memoria de tu padre te presté la plata. Y nada más que por eso no te mando preso. ¿Oíste bien?

—Yo no firmé ningún documento.

Fue tal la furia de don Alejo que hasta los perros la sintieron y se pusieron de pie gruñéndole a Pancho con los dientes descubiertos.

—¿Cómo te atreves?

—Aquí le traigo las cinco cuotas atrasadas.

—¿Y crees que con eso me dejas contento? ¿Crees que no sé a qué viniste? Mira que yo veo debajo del alquitrán y a ti te conozco como si te hubiera parido. Claro, te cortaron los fletes. Por eso vienes con la cola entre las piernas a pagarme, para que yo consiga que

te los vuelvan a dar. Dame esa plata, roto malagradecido, dámela
te digo…

—No soy mal agradecido.

—¿Qué eres entonces? ¿Ladrón?

—Ya pues don Alejo, córtela, ya está bueno…

—Pásame la plata.

Pancho le entregó el fajo de billetes, calientes porque los tenía
apretados en la mano en el fondo del pantalón, y don Alejo los contó lentamente. Después se los metió debajo de la manta. El Negus
le lamía la punta del zapato.

—Está bien. Te faltan seis cuotas para terminar de pagarme,
y que sean puntuales, entiendes. Y mira, está bueno que lo sepas
aunque cualquiera que fuera menos tonto que tú ya lo sabría: tengo
muchos hilos en mi mano. Cuidado. No porque no te hice firmar
el papel voy a dejar que me hagas eso; si te di libertad fue para ver
cómo reaccionabas, aunque con lo que te conozco, ya debía saber
y para que te aporrees solo. Ya sabes. Para otra vez dime que no
puedes pagarme por un tiempo y que te espere, entonces, de buen
modo, veremos lo que puedo hacer…

—Es que no tenía tiempo…

—Mentira.

—Es que no había venido por estos lados, pues, don Alejo.

—Otra mentira. ¿Cuándo se te va a quitar esa maldita costumbre? Me dijeron que te habían visto en la gasolinera de tu cuñado
varias veces en el camino longitudinal. ¿Qué te costaba recorrer los
dos kilómetros hasta aquí o hasta el fundo? ¿Qué ya no conoces el
camino hasta las casas donde naciste, animal?

No, no quería tener nada que ver con esas casas ni con este
pueblo de mierda. Le dolía entregarle su plata a don Alejo. Era
reconocer el vínculo, amarrarse otra vez, todo eso que logró olvidar
un poco, como quien silba para olvidar el terror en la oscuridad,
durante los cinco meses que tuvo fuerza para no pagarle, para resis-
tir y guardar ese dinero para soñarlo en otras cosas como si tuviera
derecho a hacerlo. Es platita para la casa que la Ema quiere comprar
en ese barrio nuevo de Talca, ése con las casas todas iguales, pero

pintadas de colores distintos así es que no se ven iguales, y cuando a la Ema se le ocurre algo no hay quien resista. Por suerte que ahora, en esta época de tanto flete, Pancho pasa poco en la casa[63], a veces prefiere estacionar el camión en el camino y dormir ahí. Por lo mismo, decía ella, por lo mismo que casi no te veo y qué sé yo qué harás por ahí, por lo mismo yo y la niña tenemos que tener alguna compensación... y cuando caiga en cama con úlcera[64], un fuego que me quema aquí, un animal que hoza y me muerde y sorbe y chupa, aquí, aquí adentro y no me deja dormir ni hablar ni moverme ni tomar ni comer, apenas respirar, a veces con todo esto duro y acalambrado, con miedo a que el animal me dé un mordisco y reviente, entonces ella me cuida y yo la miro porque sin ella me moriría y ella sabe y por eso lo cuida como a un niño que gime arrepentido, pero que sabe que va a volver a hacerlo todo igual, por eso es que Pancho necesita esa casa. A veces da una vuelta por ese barrio en el camión y va viendo cómo desaparecen los carteles que dicen "Se Vende". Ya no quedan casas rosadas, sólo azules y amarillas, y la Ema quería una rosada. A don Alejo no le importan unos cuantos miles de pesos.

—¿Y por qué no llama a don Augusto para que me vuelva a dar esos fletes tan buenos?

—¿Qué te costaba cumplir conmigo, si eran tan buenos?

Pancho no contestó. La lluvia se iba juntando en las pozas de la calzada: imposible cruzar. Llegó el cura y la gente entró en la capilla. Pancho no contestó porque no quería contestar. No tenía

---

[63] Intromisión editorial en las ediciones del primer ciclo español (Euros, 1975; Bruguera, 1977 y Sedmay, 1977) donde se observa "para" (E: 42; B: 46; S: 47) en vez de "pasa" de la edición príncipe (37).

[64] La úlcera, el dolor de estómago que paraliza, también tiene una presencia central en *El obsceno pájaro de la noche*, no obstante en esa novela se relaciona con la imposibilidad de la escritura. Nótese la coincidencia de los motivos "mordisco" y "animal" en la descripción de la úlcera que inmoviliza a Pancho y a Humberto Peñaloza en este pasaje del Capítulo 16: "Ahora, lo que sí puedo hacer es algo por remediar mi dolor de estómago. Esta puñalada en el vientre. Al lado izquierdo. No, puñalada no, mordisco permanente, dientes aguzados que no sueltan, anzuelo que me engancha, sí, esos colmillos sanguinarios que conozco, sé muy bien de quién son, no van a soltar hasta arrancarme ese trocito mínimo que con su dolor me centra" (273). Como se puede ver en el cuarto capítulo, la Japonesa Grande también se quejaba "de la hoguera en el estómago".

que darle cuentas a nadie, menos a este futre⁶⁵ que creía que porque había nacido en su fundo… Hijo, decían, de don Alejo. Pero lo decían de todos, de la señorita Lila y de la Japonesita y de qué sé yo quién más, tanto peón de ojo azul por estos lados, pero yo no. Meto la mano al fuego por mi vieja, y los ojos, los tengo negros y las cejas, a veces me creen turco⁶⁶. Yo no le debo nada. Había trabajado de chico como tractorista y después, aprendió a manejar el auto, a escondidas, robándoselo a don Alejo con los nietos del caballero que eran de su misma edad… Nada más. Lo único que le debía era que aprendió a manejar. Le faltaban varias cuotas para saldar su deuda. Hasta entonces, callado. Que la Ema esperara. Tal vez en otro barrio, y después todo lo que quisiera, la libertad, él solo, sin tener que rendirle cuentas a nadie… y me pierdo para siempre de este pueblo de mierda. Pero el viejo fue a decir delante de Octavio que me atrasé en los pagos. Para que después se le salga y los creídos de los hermanos de la Ema, los otros, no Octavio que es mi compadre, los otros anden diciendo cosas de uno por ahí.

—¿Quiubo?⁶⁷ ¿Por qué?

Regresó don Céspedes con las charchas. Los perros, alborotados, gimieron, lamiéndole los pies, las manos, saltándole hasta casi botarlo.

—Tíreles una charcha, don Céspedes…

La piltrafa sanguinolenta voló y los perros saltaron tras ella y después los cuatro juntos cayeron hechos un nudo al suelo, disputándose el trozo de carne caliente aún, casi viva. Lo desgarraron, revolcándolo por la tierra y ladrándole, babosos los hocicos colorados y los paladares granujientos, los ojos amarillos fulgurando en sus rostros estrechos. Los hombres se apegaron a los muros. Devorada la charcha los perros volvieron a danzar alrededor de don Alejo, no de don Céspedes que fue quien los alimentó, como si supieran que

---

⁶⁵ *Futre*, vocablo de origen francés. Generalmente utilizado para referirse a un hombre joven de clase alta y de apariencia cuidada. En este contexto, sin embargo, Pancho lo aplica despectivamente en relación a don Alejo.
⁶⁶ *Turco*, sustantivo empleado para referirse a un individuo de origen árabe.
⁶⁷ *Quiubo*, fórmula utilizada para saludar, proviene de "¿qué hubo?"

el caballero de manta es el dueño de la carne que comen y de las viñas que guardan. Él los acaricia —sus cuatro perros negros como la sombra de los lobos tienen los colmillos sanguinarios, las pesadas patas feroces de la raza más pura[68].

—No. Hasta que me pagues todas las cuotas que faltan. No tengo ninguna confianza en ti. Estoy viejo y me voy a morir y no quiero dejar asuntos sueltos por ahí…

—Pero cómo quiere, pues, don Alejo…

El suelo era un barrial ensangrentado. Los perros lo husmeaban, resoplando en busca de algún resto que lamer. Pancho Vega apretó los dientes. Miró a Octavio que le guiñó un ojo, no se agite compadre, espérese, que vamos a arreglar este asunto entre nosotros. Pero era duro este gallo jubilado. Oyeron las campanillas de la iglesia.

—¿No vas a ir a misa, Pancho?

No contestó.

—Cuando eras chico, para las misiones, ayudabas. A la pobre Blanca le gustaba tanto verte, tan piadoso, tan lindo que eras. Y esas confesiones tan largas, nos moríamos de la risa… ¿Y usted don Céspedes?

—Cómo no, patrón…

—¿Ves? ¿Cómo don Céspedes va a misa?

Pancho miró a Octavio, que le dijo que no con la cabeza.

—Don Céspedes es inquilino suyo.

Y tragó para poder agregar:

—Yo no.

—Pero tú me debes plata y él no.

Era cierto. Mejor no acordarse ahora. Mejor ir a misa sin alegar. ¿Qué me cuesta? Cuando estoy en la casa el domingo, la Ema viste a la Normita con el abrigo celeste con piel blanca y me dice que

---

[68] Basándose en las incuestionables coincidencias entre este fragmento y el episodio de los cuatro perros negros de don Jerónimo de Azcoitía en *El obsceno pájaro de la noche*, Fernando Moreno (189-217), Sharon Magnarelli (221-255) y Jaime Concha (20) proponen este fragmento como el episodio que Donoso en su *Historia personal del "boom"* (114-115) dice haber "desgajado" de "una de las tantas versiones mecanografiadas" de su novela publicada en 1970 por Seix Barral.

vaya con ellas a la misa de once y media que es la mejor y yo voy porque no me importa nada y me gusta saludar a la gente del barrio, a veces me gusta y hasta tengo ganas, otras no, pero voy siempre, nosotros tan elegantes. Voy con don Alejo que me mira desde la puerta exigiéndomelo. Pero Pancho no puede dejar de decirle:

—No. No voy.

Octavio sonrió satisfecho por fin. Salieron los perros negros. Pero antes de salir, don Alejo se dio vuelta.

—Ah. Se me olvidaba decirte. Me contaron que andas hablando de la Manuela por ahí, que se la tienes jurada o qué sé yo qué. Que no sepa yo que te has ido a meter donde la Japonesita a molestar a esa gente, que es gente buena. Ya sabes.

Salió seguido de sus perros, que cruzaron la calzada salpicando en el barro y esperaron bajo el alero, detrás de la cortina de lluvia. Don Céspedes, sombrero en mano, mantuvo la puerta de la capilla abierta: entraron los perros al son de las campanillas y detrás, don Alejo.

IV

La Japonesita no adivinó inmediatamente por qué don Alejandro tenía tanta urgencia de hablar con ella. Al principio, cuando la Manuela le dio el mensaje, se sorprendió, porque el Senador siempre caía a visitarla sin avisar, como quien llega a su propia casa. Pronto, sin embargo, se dio cuenta de que tanto protocolo no podía significar más que una cosa: que por fin iba a participarle los resultados definitivos de sus gestiones para la electrificación del pueblo. Hacía tiempo que estaba empeñado en que lo hicieran. Pero la respuesta a la solicitud se iba retrasando de año en año, quién sabe cuántos ya, y siempre resultaba necesario aplazar el momento oportuno para acercarse a las autoridades provinciales. El Intendente se hallaba siempre de viaje o estamos haciendo gastos demasiado importantes en otra región por el momento o el secretario de la Intendencia pertenece al partido enemigo y es preferible esperar.

Pero el lunes anterior, al cruzar la Plaza de Armas de Talca en dirección al Banco, la Japonesita se encontró con don Alejandro dirigiéndose a la Intendencia. Se pararon en la esquina. Él le compró un paquete de maní caliente, de regalo, dijo, pero mientras conversaban se lo comió casi todo él, moliendo las cáscaras que al caer iban quedando prendidas en los pelos de su manta de vicuña allí donde la alzaba un poco su panza. Dijo que ahora sí: todo estaba listo. En media hora más tenía entrevista con el Intendente para echarle en cara su abandono de la Estación El Olivo. La Japonesita se quedó vagando por la plaza en espera de la salida de don Alejo con los resultados de la famosa entrevista. Luego, como tuvo otras cosas que hacer y llegó la hora del tren, ya no lo vio. Durante toda la semana estuvo averiguando si el caballero había vuelto al fundo, pero esa semana no le tocó ir ni de pasada, ni una sola vez. Se conformó con quedarse pensando, esperando.

Pero hoy sí. Por fin. La Japonesita permaneció en la cocina después del almuerzo, cuando cada puta se fue a refugiar[69] en su covacha y la Manuela acompañó a la Lucy a su pieza. En vez de avivar con otro leño el rescoldo que quedaba en el vientre de la cocina se fue acercando más y más al fuego que palidecía, arrebozándose más y más y más con su chal: tengo los huesos azules de frío. Ya oscurecía. El agua no amainaba, cubriendo poco a poco los trozos de ladrillo que la Cloty puso para cruzar el patio. Al otro lado, frente a la puerta de la cocina, la Lucy tenía abierta la puerta de su pieza y la vio encender una vela. La Japonesita, de vez en cuando, levantaba la cabeza para echar una mirada y ver de qué se reían tanto con la Manuela. Las últimas carcajadas, las más estridentes de toda la tarde, fueron porque la Manuela, con la boca llena de horquillas para el peinado moderno que le estaba haciendo a la Lucy, se tentó de la risa y las horquillas salieron disparadas y las dos, la Lucy y la Manuela, anduvieron un buen rato de rodillas, buscándolas por el suelo.

Quedaba un poco de luz afuera. Pero desganada, sin fuerza para vencer a las tinieblas de la cocina. La Japonesita extendió una mano para tocar una hornalla: algo de calor. Con la electricidad todo esto iba a cambiar. Esta intemperie. El agua invadía la cocina a través de las chilcas[70] formando un barro que se pegaba a todo. Tal vez entonces la agresividad del frío que se adueñaba de su cuerpo con los primeros vientos, encogiéndolo y agarrotándolo, no resultara tan imbatible. Tal vez no fuera creciendo esta humedad de mayo a junio, de junio a julio, hasta que en agosto ya le parecía que el verdín la cubría entera, su cuerpo, su cara, su ropa, su comida, todo. El pueblo entero reviviría con la electricidad para ser otra vez lo que fue en tiempos de la juventud de su madre. El lunes anterior, mientras esperaba a don Alejo, se metió en una tienda que vendía

---

[69] Intromisión editorial en la edición de Bruguera donde se observa "refugiarse" (54) en vez de "refugiar" de la edición príncipe (42).

[70] *Chilca*, vocablo de origen quechua. Arbusto que crece en lugares húmedos, con flores rojas o blancas, cuyos pétalos acampanados cuelgan hacia abajo.

Wurlitzers[71]. Muchas veces se había parado en la vitrina para mirarlas separada de su color y de su música por su propio reflejo en el vidrio de la vitrina. Nunca había entrado. Esta vez sí. Un dependiente con las pestañas desteñidas y las orejas traslúcidas la atendió, dándole demostraciones, obsequiándole folletos, asegurándole una amplia garantía. La Japonesita se dio cuenta de que lo hacía sin creer que ella era capaz de comprar uno de esos aparatos soberbios. Pero podía. En cuanto electrificaran el pueblo iba a comprar un Wurlitzer. Inmediatamente. No, antes. Porque si don Alejo le traía esta tarde la noticia de que el permiso para la electrificación estaba dado o que se llegó a firmar algún acuerdo o documento, ella iba a comprar el Wurlitzer mañana mismo, mañana lunes, el que tuviera más colores, ése con un paisaje de mar turquesa y palmeras, el aparato más grande de todos. Mañana lunes hablaría con el muchacho de las pestañas desteñidas para pedirle que se la mandara. Entonces, el primer día que funcionara la electricidad en el pueblo, funcionaría en su casa el Wurlitzer.

A la Manuela mejor no decirle nada. Bastaría insinuarle el proyecto para que enloqueciera, dándolo[72] por hecho, hablando, exigiendo, sin dejarla en paz, hasta que terminaría por decidirse a no comprar nada. En el cuarto de enfrente se estaba desvistiendo para probarse el vestido colorado a la luz de la vela. A su edad no le tenía miedo al frío. Igual a mi madre, que en paz descanse. Aún en los días más destemplados, como éste por ejemplo, ella, grande y gorda, con los senos pesados como sacos repletos de uva, se escotaba.

---

[71] *Wurlitzer*, de la marca registrada "Wurlitzer". Aparato que funciona con electricidad, habitualmente instalados en fuentes de sodas o picadas, para que los clientes coloquen monedas y suene la canción del disco escogido.

[72] En edición príncipe y ediciones sucesivas en otras casas editoriales —incluida la primera edición en Alfaguara— se lee "dándole por hecho". El empleo de "dándolo por hecho" presente en el mecanoescrito más tardío de la novela (Tss UI: 38) sugiere que "dándole" conforma una errata que se perpetuó hasta el presente (Cfr. Alfaguara, 2018, p. 58), ya que el pronombre de objeto hace referencia a la situación anticipada por la Japonesita. Esta es, que la Manuela diera por hecho que llegaría la electricidad al pueblo permitiendo el funcionamiento del Wurlitzer que la Japonesita ha ido a cotizar: "el primer día que funcionara la electricidad en el pueblo, funcionaría en su casa el Wurlitzer. A la Manuela mejor no decirle nada. Bastaría insinuarle el proyecto para que enloqueciera" (Mortiz, 45).

En el ángulo inferior del escote, donde comenzaban a hincharse sus senos, llevaba siempre un pañuelo minúsculo, y durante una conversación o tomando su botellón de tinto o mientras preparaba las sopaipillas más sabrosas del mundo, sacaba su pañuelo y se enjugaba el sudor casi imperceptible que siempre le brotaba en la frente, en la nariz, y sobre todo en el escote. Decían que la Japonesa Grande murió de algo al hígado, de tanto tomar vino. Pero no era verdad. No tomaba tanto. Mi madre murió de pena. De pena porque la Estación El Olivo se iba para abajo, porque ya no era lo que fue. Tanto que habló de la electrificación con don Alejo. Y nada. Después anduvieron diciendo que el camino pavimentado, el longitudinal, iba a pasar por El Olivo mismo, de modo que se transformaría en un pueblo de importancia. Mientras tuvo esta esperanza mi mamá floreció. Pero después le dijeron la verdad, don Alejo creo, que el trazado del camino pasaba a dos kilómetros del pueblo y entonces ella comenzó a desesperarse. La carretera longitudinal es plateada, recta como un cuchillo: de un tajo le cortó la vida a la Estación El Olivo, anidado en un amable meandro del camino antiguo. Los fletes ya no se hacían por tren, como antes, sino que por camión, por carretera. El tren ya no pasaba más que un par de veces por semana. Quedaba apenas un puñado de pobladores. La Japonesa Grande recordaba, hacia el final, que en otra época la misa de doce en el verano atraía a los breaks y a los victorias[73] más encopetados de la región, y la juventud elegante de los fundos cercanos se reunía al atardecer, en caballos escogidos, a la puerta del correo para reclamar la correspondencia que traía el tren. Los muchachos, tan comedidos de día como acompañantes de sus hermanas, primas o novias, de noche se soltaban el pelo[74] en la casa de la Japonesa, que no cerraba nunca. Después, llegaban sólo los obreros del camino

---

[73] *Victoria*, carruaje de caballos bajo, sobre cuatro ruedas, que posee puerta en cada lateral y cubrición de capota o toldo retráctil. Corresponde a una modificación del diseño del Milord francés, importado por el Príncipe de Gales, hijo de la reina Victoria, como obsequio para su madre en 1869. El nuevo modelo fue nombrado "Victoria" en honor a la reina y se convirtió en uno de los carruajes más populares del siglo XIX.
[74] *Soltarse el pelo*, locución verbal similar a "soltarse las trenzas" que implica relajarse en las costumbres y en los aspectos morales.

longitudinal, que hacían a pie los dos kilómetros hasta su casa, y después ni siquiera ellos, sólo los obreros habituales de la comarca, los inquilinos, los peones, los afuerinos que venían a la vendimia. Otra clase de gente. Y más tarde ni ellos. Ahora era tan corto el camino a Talca que el domingo era el día más flojo —se llegaba a la ciudad en un abrir y cerrar de ojos, y ya no se podía pretender hacerle la competencia a casas como la de la Pecho de Palo. Siquiera electricidad, decía, siquiera eso, yo la oía quejarse siempre, de tantas cosas, de la hoguera en el estómago, quejarse monótonamente[75], suavemente, al final, tendida en la cama, hinchada, ojerosa. Pero no, nunca, nada, a pesar de que don Alejo le decía que esperara pero un buen día ya no pudo esperar más y comenzó a morirse. Y cuando murió la enterramos en el cementerio de San Alfonso porque en El Olivo ni cementerio hay. El Olivo no es más que un desorden de casas ruinosas sitiado por la geometría de las viñas que parece que van a tragárselo. ¿Y él de qué se ríe tanto? ¿Qué derecho tiene a no sentir el frío que a mí me está trizando los huesos?

—¡Papá!

Lo gritó desde la puerta de la cocina. La Manuela se paró en el marco iluminado de la puerta de la Lucy. Flaco y chico, parado allí en la puerta con la cadera graciosamente quebrada y con la oscuridad borroneándole la cara, parecía un adolescente. Pero ella conocía ese cuerpo. No daba calor. No calentaba las sábanas. No era el cuerpo de su madre: ese calor casi material en que ella se metía como en una caldera, envolviéndose con él, y que secaba su ropa apercancada[76] y sus huesos y todo…

—¿Qué?

—Venga.

—¿Para qué me quieres?

—Venga nomás.

---

[75] Tanto en la edición príncipe como en la primera edición de Alfaguara se utiliza "monótamente" en lugar de "monótonamente". Hemos optado por rescatar el "monótonamente" presente en el mecanoescrito más tardío de la novela (University of Iowa: 39).

[76] *Apercancada*, que tiene hongos por efecto de la humedad.

—Estoy ocupada con la Lucy.

—¿No le digo que lo necesito?

La Manuela, cubriéndose con el vestido de española, cruzó como pudo el lago del patio, chapoteando entre las hojas flotantes desprendidas del parrón. La Japonesita se había sentado de nuevo junto al fuego que se extinguía.

—Tan oscuro, niña. Parece velorio.

La Japonesita no contestó.

—Voy a echarle otro palo al fuego.

No esperó a que diera llama.

—¿Prendo una vela?

¿Para qué? Ella podía estar tardes enteras, días enteros en la oscuridad, como ahora, sin sentir nostalgia por la luz, añorando, eso sí, un poco de calor.

—Bueno.

La Manuela encendió y después de dejar la vela encima de la mesa junto a las papas, se puso los anteojos y se sentó a coser al lado de la luz. La Lucy había apagado. Iba a dormir hasta la hora de la comida. Así era fácil matar el tiempo. Eran las cinco. Faltaban tres horas para la comida. Tres horas y ya estaba oscuro. Tres horas para que comenzara la noche y el trabajo.

—Apuesto que no viene nadie esta noche.

La Manuela se paró. Sostuvo su vestido pegado al cuerpo, el escote con el mentón, la cintura con las manos.

—¿Cómo me queda?

—Bien.

La lluvia cesó. En el gallinero oyeron hincharse el pavo de la Lucy: el pago de un enamorado que no tuvo otra cosa con qué pagarle. El vestido quedó perfecto.

—Apuesto que no viene nadie esta noche.

Esta vez lo dijo la Manuela. La Japonesita levantó la cabeza como si le hubieran tocado un resorte.

—Usted sabe que va a venir Pancho Vega.

La Manuela se picó un dedo con la aguja y se lo chupó.

—¿Yo? ¿Que va a venir Pancho Vega?

—Claro. ¿Para qué está arreglando su vestido, entonces?
—Pero si no está en el pueblo.
—Usted me dijo que anoche oyó la bocina...
—Sí, pero yo no...
—Usted sabe que va a venir.

Inútil negarlo. Su hija tiene razón. Pancho va a venir esta noche aunque llueva o truene. Tomó su vestido, la percala viejísima entibiada[77] por el fuego. Todo el santo día dele que te dele a la aguja, preparándolo, preparándose. Vamos a ver si es tan macho como dice. Me las va a pagar. Si pasa algo esta noche no va a quedar nadie en todo el pueblo que no lo sepa, nadie, a ver si le gusta decir las cosas que dice de las pobres locas, hasta las piedras lo van a saber. La Manuela dejó su vestido, puso la vela encima de la mesa del lavatorio, debajo del pedazo de espejo. Comenzó a peinarse. Tan poco pelo. Apenas cuatro mechas[78] que me rayan el casco. No puedo hacerme ningún peinado. Ya pasaron esos días.

—Oye...

La Japonesita levantó la cabeza.

—¿Qué?
—Ven para acá.

Se cambió a una silla de totora[79] frente al espejo. La Manuela tomó sus cabellos lacios, frunció los ojos para mirarla, tienes que tratar de ser bonita, y comenzó a escarmenárselos —qué sacas con ser mujer si no eres coqueta, a los hombres les gusta, tonta, a eso vienen, a olvidarse de los espantapájaros con que están casados, y con el pelo así, ves, así es como se usa, así queda bien, con un poco caído sobre la frente y lo demás alto como una colmena se llama, y la Manuela se lo escarmena y se ponen[80] una cinta aquí, no tienes

---

[77] Variante ortográfica. En edición príncipe coma después de "entibiada": "Tomó su vestido, la percala viejísima entibiada, por el fuego" (48).

[78] *Mechas*, pelos. *Cuatro mechas*, expresión que indica poco pelo o cabellera rala.

[79] *Totora*, voz de origen quechua o aimara. Planta común en esteros y pantanos cuyo tallo se usa en la fabricación de techos, muebles y cortinas.

[80] En la primera edición de Alfaguara se observa el empleo del impersonal: "se pone una cinta aquí" (48). Hemos mantenido el plural "ponen" presente tanto en la edición príncipe como en el mecanoescrito más antiguo (Tss UI: 43).

una cinta bonita, yo creo que tengo una guardada en la maleta, si quieres te la presto, te la voy a poner aquí. A una de las nietas de don Alejo la vi así en el verano, ves que te queda bien esta línea, no seas tonta, aprovecha… ves, así…

La Japonesita cedió tranquilamente.[81] Sí. Seguro que venía. Ella lo sabe tan claramente como lo sabe la Manuela. El año pasado, cuando trató de abusar con ella, sintió su aliento avinagrado en su mejilla, en su nariz. Bajo las manos de su padre que le rozaban la cara de vez en cuando, el recuerdo agarrotó a la Japonesita. La había agarrado con sus manos ásperas como un ladrillo, el pulgar cuadrado, de uña roída, tiznado de aceite, ancho, chato, hundido en su brazo, haciéndola doler, un moretón que le duró más de un mes…

—Papá…

La Manuela no contestó.

—¿Qué vamos a hacer si viene?

La Manuela dejó la peineta. Frente al espejo el pelo de la Japonesita quedó escarmenado como el de un bosquimano.

—Usted me tiene que defender si viene Pancho.

La Manuela[82] tiró las horquillas al suelo. Ya estaba bueno. ¿Para qué seguía haciéndose la[83] tonta? ¿Quería que ella, la Manuela, se enfrentara con un machote como Pancho Vega? Que se diera cuenta de una vez por todas y que no siguiera contándose el cuento… sabes muy bien que soy loca perdida, nunca nadie trató de ocultártelo. Y tú pidiéndome que te proteja: si voy a salir corriendo a esconderme como una gallina en cuanto llegue Pancho. Culpa suya no es por ser su papá. Él no hizo la famosa apuesta y no había querido tener nada que ver con el asunto. Qué se le iba a hacer.

---

[81] Errata en edición príncipe donde se observa ausencia de punto seguido después del adverbio "tranquilamente": "La Japonesita cedió tranquilamente Sí. Seguro que venía" (49).

[82] En edición de Alfaguara 1995 este enunciado se encuentra separado de la declaración de la Japonesita, pero no presenta sangría como en la edición príncipe. Hemos respetado el punto y aparte en ambas ediciones y mantenido la sangría presente en la edición príncipe (49).

[83] En la edición príncipe se observa "haciéndose tonta", en tanto en los tres mecanoescritos disponibles de la novela se observa "haciéndose la tonta". (University of Iowa:43. First Draft:23 y Second Draft:39 en la Universidad de Princeton). Hemos rescatado el artículo presente en los materiales de escritura.

Después de la muerte de la Japonesa Grande te he pedido tantas veces que me des mi parte para irme, qué se yo dónde, siempre habrá alguna casa de putas donde trabajar por ahí... pero nunca has querido. Y yo tampoco. Fue todo culpa de la Japonesa Grande, que lo convenció —que se iban a hacer ricos con la casa, que qué importaba la chiquilla, y cuando la Japonesa Grande estaba viva era verdad que no importaba porque a la Manuela le gustaba estar con ella... pero hacía cuatro años que la enterraron en el cementerio de San Alfonso porque este pueblo de porquería ni cementerio propio tiene y a mí también me van a enterrar ahí, y mientras tanto, aquí se queda la Manuela. Ni suelo en la cocina: barro. ¿Así es que para qué la molestaba la Japonesita? Si quería que la defendieran, que se casara, o que tuviera un hombre. Él... bueno, ya ni para bailar servía. El año pasado, después de lo de Pancho, su hija le gritó que le daba vergüenza ser hija de un maricón como él. Que claro que le gustaría irse a vivir a otra parte y poner otro negocio. Pero que no se iba porque la Estación El Olivo era tan chica y todos los conocían y a nadie le llamaba la atención tan acostumbrados estaban. Ni los niños preguntaban porque nacían sabiendo. No hay necesidad de explicar, eso dijo la Japonesita y el pueblo se va a acabar uno de estos días y yo y usted con este pueblo de mierda que no pregunta ni se extraña de nada. Una tienda en Talca. No. Ni restaurante ni cigarrería ni lavandería, ni depósito de géneros, nada. Aquí en El Olivo, escondiéndonos... bueno, bueno, chiquilla de mierda, entonces no me digas papá. Porque cuando la Japonesita le decía papá, su vestido de española tendido encima del lavatorio se ponía más viejo, la percala gastada, el rojo desteñido, los zurcidos a la vista, horrible, ineficaz, y la noche oscura y fría y larga extendiéndose por las viñas, apretando y venciendo esta chispita que había sido posible fabricar en el despoblado, no me digái[84] papá, chiquilla huevona[85]. Dime

---

[84] *Digái*, forma voseante de decir. En general, la Manuela tutea a la Japonesita, mientras que la Japonesita la trata de usted. La relación entre ellas es asimétrica y el uso de voseo hacia la Japonesita denota molestia por parte de la Manuela.

[85] *Huevona*, adjetivo vulgar, sinónimo de tonta. Poco inteligente o que se comporta como tal.

Manuela, como todos. ¡Que te defienda! Lo único que faltaba. ¿Y a una, quién la defiende? No, uno de estos días tomo mis cachivaches y me largo a un pueblo grande como Talca. Seguro que la Pecho de Palo me da trabajo. Pero eso lo había dicho demasiadas veces y tenía sesenta años. Siguió escarmenando[86] el pelo de su hija.

—¿Para qué te voy a defender? Acuéstate con él, no seas tonta. Es regio. El hombre más macho de por aquí y tiene camión y todo y nos podría llevar a pasear. Y como puta vas a tener que ser algún día, así que…

… que la forzara. Esta noche por fin, aunque tuviera que correr sangre. Pancho Vega o cualquier otro, eso ella lo sabía. Pero hoy Pancho. Un año llevaba soñando con él. Soñando que la hacía sufrir, que le pegaba, que la violentaba, pero en esa violencia, debajo de ella o adentro de ella, encontraba algo con qué vencer el frío del invierno. Este invierno, porque Pancho era cruel y un bruto y le torció el brazo, fue el invierno menos frío desde que la Japonesa Grande murió. Y los dedos de la Manuela tocándole la cabeza, palpándole la mejilla junto a la oreja para falsificar la coquetería de rizo, tampoco eran tan fríos… era un niño, la Manuela. Podía odiarlo, como hace un rato. Y no odiarlo. Un niño, un pájaro. Cualquier cosa menos un hombre. Él mismo decía que era muy mujer. Pero tampoco era verdad. En fin, tiene razón. Si voy a ser puta mejor comenzar con Pancho.

La Manuela terminó de arreglar el pelo de la Japonesita en la forma de una colmena. Mujer. Era mujer. Ella se iba a quedar con Pancho. Él era hombre. Y viejo. Un maricón pobre y viejo. Una loca aficionada a las fiestas y al vino y a los trapos[87] y a los hombres. Era fácil olvidarlo aquí, protegido en el pueblo —sí, tiene razón, mejor quedarnos. Pero de pronto la Japonesita le decía esa palabra y su propia imagen se borroneaba como si le hubiera caído encima una gota de agua y él entonces, se perdía de vista a sí misma, mismo, yo misma no sé, él no sabe ni ve a la Manuela y

---

[86] *Escarmenado*, tipo de peinado en que se da volumen al pelo.
[87] *Trapos*, ropa.

no quedaba nada, esta pena, esta incapacidad, nada más, este gran borrón de agua en que naufraga.

Al dar los últimos toques al peinado la Manuela sintió a través del pelo que su hija se iba entibiando. Como si de veras le hubiera entregado la cabeza para que se la embelleciera. Esa ayuda ella podía y quería dársela. La Japonesita estaba sonriendo.

—Prenda otra vela para verme mejor...

La prendió y la puso al otro lado del espejo. La Japonesita, con sus dedos, tocó apenas su propia imagen en el jirón de vidrio. Se dio vuelta:

—¿Me veo bien?

Sí, si Pancho Vega no fuera tan bruto entonces ella se enamoraría de él y sería su amante un tiempo hasta que la dejara para irse con otra porque así son de brutos los hombres y después yo sería distinta. Y tal vez no tan avara, pensó[88] la Manuela, tan amarrada con mi plata, que al fin y al cabo harto trabajo me cuesta ganármela. Y yo tal vez no sentiré tanto frío. Un poco de dolor o amargura cuando el bruto de Pancho se fuera, pero qué importaba, nada, si ella, y ella también, quedaba más clara.

Era una de esas noches en que la Manuela hubiera preferido irse a acostar, doblar el vestido, tomar una cápsula, y después, ya, otro día. No ver a nadie hoy porque todo su calor parecía haberse trasvasijado a la Japonesita dejándola a ella, a la Manuela, sin nada. Afuera, las nubes se perseguían por el cielo inmenso que comenzaba a despejarse, y en el patio, la artesa, el gallinero, el retrete, todos los objetos hasta el más insignificante, adquirieron volúmenes, lanzando sombras precisas sobre el agua que ya se consumía bajo

---

[88] Variante léxica. En edición príncipe se observa "pasó la Manuela" (52). Sin embargo, en los tres mecanoescritos sobrevivientes, así como en la primera edición de Alfaguara, "pensó la Manuela" (51). La utilización de "pensó" complica la focalización narrativa empleada en el fragmento al transformar la focalización interna fija en la Japonesita en una focalización interna variable, al añadir momentáneamente lo que la Manuela piensa en relación al efecto que podría tener en su hija enamorarse de Vega: probablemente dejaría de ser "tan avara" (51). Este fragmento es uno de los más ambiguos y complejos de la novela, anticipando la indeterminación que caracterizará la narrativa de *El obsceno pájaro de la noche*, cuya escritura antecede y precede la de esta novela y que es finalmente publicada seis años después en Seix Barral.

el cielo overo. Tal vez, después de todo, no vendría Pancho... tal vez todo no fuera más que una broma de don Alejo, que era tan aficionado a las bromas.

Tal vez por último ni siquiera vendría don Alejo con este frío —él mismo dijo que estaba enfermo y que los médicos lo molestaban con exámenes y dietas y regímenes. Tocó su vestido desmayado sobre la suciedad de las papas, y en el silencio oyó el ronquido de la Lucy al otro lado del patio. Vio su propia cara en el espejo, sobre la cara de su hija, que se miraba extática —las velas, a cada lado, eran como las de un velorio. Su propio velorio tendría así de luz en el mismo salón donde, cuando el calor de la fiesta fundía las durezas de las cosas, ella bailaba. Se iba a quedar eternamente en la Estación El Olivo. Morir aquí, mucho, mucho antes de que muriera esa hija suya que no sabía bailar pero que era joven y era mujer y cuya esperanza al mirarse en el espejo quebrado no era una mentira grotesca.

—¿De veras me veo bien?

—Para lo fea que eres... más o menos...

V

Le pusieron una jarra de vino, del mejor, al frente, pero no lo probó. Mientras hablaba, la Japonesita se sacó una de las horquillas que sostenían su peinado y con ella se rascó la cabeza. Los perros se quedaron echados en el barro de la acera, gruñendo de vez en cuando junto a la puerta o dándole un rasguñón[89] que casi la derribaba.

—Negus, tranquilo... Moro...

La Manuela también se sentó a la mesa. Se sirvió un vaso de tinto, de éste que su hija reservaba para las grandes ocasiones y que nunca le convidaba. La Cloty, la Lucy, la Elvira y otra puta más tomaban mate en un rincón, donde no las pescara el viento que entraba por las rendijas de las puertas y del techo. Cébame[90] otro. No va a venir nadie esta noche. Bostezaban. Seguramente va a cerrar apenas se vaya el caballero y nosotras nos vamos a poder ir a dormir. Elvira, cambia el disco, ponme "Bésame mucho"[91], ay no, otra cosa mejor, algo más alegre. La Elvira le dio cuerda a la victrola[92] encima del mostrador, pero antes de poner otro disco comenzó a limpiarla con un trapo, ordenando a su lado el montón de discos.

Las noticias que trajo don Alejo Cruz fueron malas: no iban a electrificar el pueblo. Quién sabe hasta cuándo. Quizás nunca. El Intendente decía que no tenía tiempo para preocuparse de algo tan insignificante, que el destino de la Estación El Olivo era desaparecer. Ni toda la influencia de don Alejo sumada a la de todos los Cruz convenció al Intendente. Tal vez dentro de un par de años, pero sin seguridad. Que entonces le volviera a hablar del asunto a

---

[89] *Rasguñón*, deterioro leve y superficial de la piel hecho con las uñas o un objeto punzante.

[90] *Cebar*, verter en forma lenta pequeños chorros de agua caliente en la yerba mate, cerca de la bombilla, para preparar y beber la infusión.

[91] Bolero escrito por la mexicana Consuelo Velásquez (1916-2005) en 1940, llevada al inglés por Sunny Skylar en 1944 e interpretada por famosos cantantes alrededor del mundo en estas y otras lenguas.

[92] *Victrola*, tocadiscos provisto de una manila que funciona a cuerda. La palabra tiene su origen en la serie de gramófonos con trompeta interna, creada y registrada a principios del siglo XX por la empresa Victor Talking Machine Company.

ver si las cosas se veían más despejadas. Equivalía a un no rotundo. Y don Alejo se lo dijo así, claramente, a la Japonesita. Trató de convencerla de lo lógico que era que el Intendente pensara así, dio razones y explicaciones aunque la Japonesita no dijo ni una sílaba de protesta —sí, pues chiquilla, tan pocos toneleros que quedan, un par creo y viejazos ya, y la demás gente, tú ves, es tan poca y tan pobre, y el tren que ya ni para aquí siquiera, los lunes nomás, para que tú te subas en la mañana y te bajes en la tarde cuando vas a Talca. Hasta la bodega de la estación se está cayendo y hace tanto tiempo que no la uso que ni olor a vino le queda.

—Si hasta la Ludo me dijo esta mañana cuando le fui a pedir hilo colorado, cuando lo encontré a usted, don Alejandro, que estaba pensando irse a Talca. Claro, tiene a su Acevedo en un nicho perpetuo allá y con misas todos los días y una hermana que tiene…

—¿La Ludo? No sabía. Qué raro que la Blanca no me dijo nada y estuvo a verla hace poco. ¿Cómo está la Ludo? ¿Es de ella la casa…?

—Claro, si Acevedo se la compró cuando…

Entonces[93] la Manuela se acordó que la Ludo le había dicho que don Alejo quería comprársela, de modo que sabía muy bien de quién era la propiedad. Lo miró, pero cuando sus ojos se encontraron con los del senador los retiró, y mirando a las putas hizo señas para que acercaran el brasero. La Lucy lo puso entre la Japonesita y don Alejo y ella volvió a ofrecerle vino.

—No me desprecie, pues, don Alejo. Es de la cosecha que a usted le gusta. Ni a usted le queda de éste…

—No, gracias, mijita. Me voy. Se está haciendo tarde.

Tomó su sombrero, pero antes de pararse se quedó un rato todavía y cubrió con su manota la mano de la Japonesita, que dejó caer la horquilla en una poza de vino en la mesa.

—Ándate tú también. ¿Para qué te quedas?

---

[93] Hemos mantenido el punto y aparte presente en la edición príncipe (55) y el mecanoescrito más tardío de la novela (Tss University of Iowa: 51). Alfaguara a partir de su edición de 1995 cambió a punto seguido (54).

La Manuela se encendió para terciar.

—Eso le digo yo, don Alejo. ¿Para qué nos quedamos?

Las putas dejaron de murmurar en el rincón y miraron a la Japonesita como esperando una sentencia. Ella se arrebujó con su chal rosado, haciendo un movimiento de negación con la cabeza, muy lento, muy definitivo, que la Manuela conocía.

—No seas tonta. Ándate a Talca a poner un negocio con la Manuela. Platita tienes harta en el banco. Yo sé porque el otro día le estuve preguntando el estado de tu cuenta al gerente, que es primo mío, y ya quisiera yo... eso me dijo él, muchas propiedades y muchas deudas, pero la Japonesita lo tiene todo saneado. Un restorán cómprate por ejemplo. Si te hace falta yo pido un préstamo para ti en el banco y te hago de aval. Te dan la plata en un par de días, todo arreglado entre amigos, entre gente conocida. Anímate, mujer, mira que esto no es vida. ¿No es cierto Manuela?

—Claro pues, don Alejo, ayúdeme a convencerla...

—¿Para qué le pregunta a él, que no piensa más que en andar de farra por ahí?

—La plata es de los dos, por partes iguales, según tengo entendido. Así lo dejó la Japonesa Grande, ¿no es cierto?

—Sí. Tendríamos que vender la casa...

Don Alejo dejó transcurrir apenas un momento.

—Yo te la compro...

Tenía los ojos gachos, observando la horquilla que flotaba en la mancha de vino. Y en el dorso de la mano bondadosa que cobijaba la mano de la Japonesita ardían vellos dorados. Pero ella, la Manuela, era muy diabla, y no la iba a engañar. Lo conocía desde hacía demasiado tiempo para no darse cuenta de que algo estaba tramando. Siempre había querido pillarlo en uno de esos negocios turbios de que le acusaban sus enemigos políticos. Claro, cuando lo eligieron diputado hacía cerca de veinte años fue mucho venderle sitios baratos a los votantes, con plazos largos, aquí en la Estación, que esto se va para arriba, que tiene mucho futuro, que aquí y que allá, y la gente se puso a pintar las casas y a mejorarlas, porque claro, todo va a subir de precio aquí... y claro, ni alcantarilla, y apenas un par de calles más que eran pura tierra aplanada. ¿Qué quiere hacer con nosotros ahora? ¿No le parece suficiente lo que ya ha hecho? ¿Qué se le ha metido en la cabeza ahora que quiere comprar las pocas casas del pueblo que no son suyas? A ella, a la Manuela,[94] que no le vinieran con cuentos. Esta tarde don Alejo no vino a traerles la mala noticia de la electricidad, sino que a proponerles la compra de la casa. Con los años el viejo se estaba poniendo transparente. Sus ojos azules chisporrotearon con el asunto de la casa de la Ludo. Y ahora esta casa… les quería quitar esta casa, que era de la Japonesita y suya. ¡Claro que qué importaba que don Alejo se los pasara a todos por el aro[95] con tal de poder irse a vivir a Talca, aunque perdieran la plata!

—A ti no te gusta este negocio, no te ha gustado nunca, como a tu mamá. Mañana mismo te consigo la plata si quieres, y podemos preparar la escritura de la venta donde el notario, si te decides. Empújala, Manuela. Y te puedo ayudar a buscar un local conveniente, bueno, bien bueno, allá[96] en Talca. ¿Vas a ir en el tren de mañana?

—Sí. Tengo que depositar.

—Entonces…

Ella no contestó.

—Voy a andar por el Banco alrededor de las doce…

Esta vez don Alejo se puso de pie: la almendra de luz de carburo en el pico del chonchón[97] se agitó con el movimiento de la manta. Los perros comenzaron a alborotarse afuera, husmeando el aire del salón por la juntura de la puerta como si quisieran bebérselo[98]. La Manuela y la Japonesita lo siguieron hasta la puerta. Tomó el picaporte. Con la otra mano se puso el sombrero y apagó su rostro. Estuvo así unos instantes diciéndoles cosas, repitiéndoles que

---

[94] En Alfaguara 1995 se eliminó la coma: "A ella, a la Manuela que no le vinieran con cuentos" (56). En esta edición hemos mantenido la coma de la edición príncipe.

[95] *Pasar por el aro*, aprovecharse, engañar.

[96] Variante léxica. En Alfaguara 1995: "Y te puedo ayudar a buscar un local conveniente, bueno, bien bueno, allí en Talca" (56). En esta edición hemos mantenido "allá" de la edición príncipe (58).

[97] *Chonchón*, farol que funciona con bencina o parafina.

[98] Tanto en la edición príncipe (58) como en la primera edición de Alfaguara (57) utilizadas para el establecimiento del texto, se observa "quisieron". Hemos rescatado el subjuntivo presente en el mecanoescrito más tardío de la novela (Tss Univeristy of Iowa, 53).

lo pensaran, que si querían podían seguir discutiendo el negocio otro día, que él estaba a su disposición, ya sabían el afecto que les tenía de toda la vida, que si querían tasaran la casa, él conocía a un experto serio y estaba dispuesto a pagar el precio de la tasación...

Cuando por fin abrió la puerta y entró el aire con la bocanada de estrellas y volvió a cerrarla, el Wurlitzer se hizo añicos detrás de los ojos fruncidos de la Japonesita. Ella y el pueblo entero quedaron en tinieblas. Qué importaba que todo se viniera abajo, daba lo mismo con tal que ella no tuviera necesidad de moverse ni de cambiar. No. Aquí se quedaría rodeada de esta oscuridad donde nada podía suceder que no fuera una muerte imperceptible, rodeada de las cosas de siempre. No. La electricidad y el Wurlitzer no fueron más que espejismos que durante un instante, por suerte muy corto, la indujeron a creer que era posible otra cosa. Ahora no. No quedaba ni una esperanza que pudiera dolerle, eliminando también el miedo. Todo iba a continuar así como ahora, como antes, como siempre. Volvió a la mesa y se sentó en la silla calentada por la manta de don Alejo. Se inclinó sobre el brasero.

—Tranca la puerta, Cloty...

La Manuela, que se dirigía hacia la victrola, se quedó parada y bruscamente dio media vuelta.

—¿Vamos a cerrar?

—Sí. Ya no va a venir nadie.

—Pero si no va a seguir lloviendo.

—Los caminos deben estar embarrados.

—Pero...

—...y va a escarchar.

La Manuela fue a sentarse al otro lado del brasero y también se inclinó sobre él. La Cloty puso "Flores negras[99]" en la victrola y el disco comenzó a chillar. Las demás putas desaparecieron.

—¿Por qué no le hacemos caso a don Alejo?

Lo dijo porque de pronto vio claro que don Alejo, tal como había creado este pueblo, tenía ahora otros designios y para llevarlos a

---

[99] Bolero compuesto en 1937 por el cubano Sergio de Carlo.

cabo necesitaba eliminar la Estación El Olivo. Echaría abajo todas las casas, borraría las calles ásperas de barro y boñigas, volvería a unir los adobes de los paredones a la tierra de donde surgieron y araría esa tierra, todo para algún propósito incomprensible. Lo veía. Clarísimo. La electricidad hubiera sido una salvación. Ahora...

—Vámonos hija.

La Japonesita comenzó a hablar sin mirar a la Manuela, escudriñando los carbones encanecidos. Al principio parecía que sólo estuviera canturreando o rezando, pero después la Manuela se dio cuenta de que le estaba hablando a él.

—Saca el disco, Cloty, que no oigo.

—¿Me va a necesitar?[100]

—No.

—Buenas noches, entonces.

—Buenas noches. Yo voy a cerrar después.

Quedaron solos en el salón, sobre el brasero.

—... que todo siga igual. ¿Qué vamos a hacer en un pueblo grande nosotras dos? Para que se rían...[101] allá nadie nos conoce, y vivir en otra casa. Aquí siempre va a haber huasos que estén calientes o que tengan ganas de emborracharse. No nos vamos a morir de hambre ni de vergüenza. Cuando voy a Talca los lunes me vuelvo temprano a la estación a esperar el tren de vuelta para que la gente no me mire —a veces lo espero más de una hora, dos, y la estación está casi sola...

Cuando la Japonesita se ponía a hablar así a la Manuela le daban ganas de chillar, porque era como si su hija estuviera ahogándolo con palabras, cercándolo lentamente con su voz plana, con ese sonsonete. ¡Maldito pueblo! ¡Maldita chiquilla! Haber creído que porque la Japonesa Grande lo hizo propietario y socio de la casa en la famosa apuesta que gracias a él le ganó a don Alejo, las cosas iban a cambiar

---

[100] Intromisión editorial en las ediciones del primer ciclo español donde se observa "vas" (Euros, 70; Bruguera, 79; Sedmay, 76) en vez de "va" de la edición príncipe (60).

[101] Punto y aparte a partir de Alfaguara 1995 (58). En esta edición hemos mantenido el punto seguido de la edición príncipe (60).

y su vida iba a mejorar. Claro que entonces las cosas eran mejores. Hasta los chonchones iluminaban más, no como ahora que comenzaban las lluvias y ay, mi alma, cuatro meses de sentirme fea y vieja, una que podía haber sido reina. Y ahora que don Alejo les ofrecía ayuda para poder irse a Talca las dos tranquilas y contentas y poner algún negocio, de géneros le gustaría a ella porque de trapos sí que entendía, pero no, la chiquilla se ponía a hablar y no paraba nunca, así, despacito, construyendo una muralla alrededor de la Manuela. La Japonesita dio vuelta al tornillo para quitarle luz al chonchón.

—Deja eso.

Lo dejó por un instante pero luego volvió a manipular el tornillo de la lámpara.

—Deja eso, te digo, mierda…

La Japonesita se sobresaltó con el grito de la Manuela, pero siguió disminuyendo la luz, como si no hubiera oído. Yo no existo ni aunque grite. Hasta que un buen día ella, que podía haber sido la reina de las casas de putas desde Chanco[102] a Constitución[103], desde Villa Alegre[104] hasta San Clemente[105], reina de las casas de

---

[102] Pueblo perteneciente a la Región del Maule, fundado en 1849, emplazado sobre un antiguo asentamiento de indígenas pescadores. Originalmente estaba a orillas del mar, pero durante el siglo XX el pueblo quedó sepultado por el avance de las dunas llamadas "arenas volantes". Gracias al liderazgo del botánico alemán Federico Albert Faupp (1867-1928) en la reforestación de la zona, fue posible refundar el pueblo al este del bosque, convirtiéndose en una de las primeras reservas forestales del país.

[103] Ciudad costera perteneciente a la Región del Maule, provincia de Talca, fundada el 18 de junio de 1794 por Santiago Oñederra, con el nombre de Villa Nueva Bilbao de Gardoqui, por orden del gobernador de Chile, capitán general y presidente de la Real Audiencia, Ambrosio O'Higgins, quien impulsó un nuevo puerto en la zona con la finalidad de transportar por vía marítima la producción de trigo de Talca y de los fundos de la costa de la región, facilitando el traslado y abastecimiento de trigo al país. La ciudad cambió de nombre a "Constitución" en 1828, en homenaje a la Constitución Política de la República inaugurada ese año. Durante el siglo XIX se transformó en el principal astillero del país. Tras la construcción del ferrocarril hacia Talca a fines de los siglos XIX y principios del XX, se convirtió en el puerto de salida de los productos agrícolas de la región del Maule.

[104] Ciudad perteneciente a la Región del Maule y desde 1873 a la provincia de Linares. Recibió la llegada de trenes a vapor hacia 1874, quedando unida a Santiago, San Javier, Linares y Talca. A fines del siglo XIX producto de la construcción de canales de regadío y molinos, se potenció la producción de harina de trigo en esta localidad. En 1915 fue escenario de uno de los primeros servicios de tranvías eléctricos del país, propiciando la construcción de más líneas en otras ciudades del Valle central, como Talca.

[105] Ciudad fundada en 1891, perteneciente a la Región del Maule y a la provincia de Talca. Se encuentra aproximadamente a 20 kilómetros al sur de esta ciudad.

putas de toda la provincia, estirara la pata y llegara la pelada para llevársela para siempre. Entonces, ninguna maña ni ningún chisme podría convencer a esa vieja de porquería que la dejara un poquito más, para qué quieres quedarte, Manuela por Dios, vamos para allá que está mucho mejor el negocio al otro lado, y la enterraran en un nicho en el cementerio de San Alfonso bajo una piedra que dijera "Manuel González Astica" y entonces, durante un tiempo, la Japonesita y las chiquillas de aquí de la casa le llevarían flores pero después seguro que la Japonesita se iba a otra parte, y claro, la Ludo también se moriría y no más flores y nadie en toda la región, nada más que algunos viejos gargajientos, se acordarían que allí yacía la gran Manuela.

Fue a la victrola a poner otro disco.

Flores negras
del destino
en mi soledad
tu alma me dirá
te quierooooooooooo…

La Manuela detuvo el disco. Puso la mano encima de la placa negra. La Japonesita también se había puesto de pie. En el centro de la noche, allá lejos, en el camino que venía desde la carretera longitudinal al pueblo, se irguió un bocinazo caliente como una llama, insistente, colorado, que venía acercándose. Una bocina. Otra vez. Para hacerse el gracioso, el imbécil, despertando a todo el mundo a esta hora. Iba entrando al pueblo. El camión con llantas dobles en las ruedas de atrás. Tocando todo el tiempo, ahora frente a la capilla, sí, sí, tocando y tocando porque seguro que el bruto viene borracho. La Manuela, con los escombros de su cara ordenados, sonreía.

—Apaga el chonchón, tonta.

Antes de que apagara, la Manuela alcanzó a ver que en la cara de su hija había una sonrisa —tonta, no le tiene miedo a Pancho, seguro que quiere que venga, que lo espera, tiene ganas la tonta, y una también esperando, vieja verde… pero era importante que Pancho creyera que no había nadie. Que no entrara, que creyera que estaban todos dormidos en la casa. Que supiera que no lo estaban esperando y que no podía entrar aunque quisiera.

—Viene.

—Qué vamos a hacer…

—No te muevas.

La bocina se acerca a través de la noche y llega clara, como si en toda la llanura estriada de viñas no hubiera nada que se interpusiera. La Manuela se acercó a la puerta en la oscuridad. Quitó la tranca. ¡A esta hora, sinvergüenza, despertando a todo el pueblo! Se quedó al lado de la puerta mientras la bocina llamaba, despertaba cada músculo, cada nervio y los dejaba vivos y colgando, listos para recibir heridas o choques —esa bocina no cesaba. Ahora venía, sí, frente a la casa… los oídos dolían y la Japonesita cerró los ojos y se cubrió los oídos. Pero igual que la Manuela, sonreía.

—Pancho…

—¿Qué vamos a hacer?

VI

Las mujeres del pueblo se pusieron de acuerdo de no protestar por tener que quedarse en sus casas esa noche, sabiendo perfectamente que todos los hombres iban donde la Japonesa. La esposa del Jefe de Estación, la del Sargento de Carabineros, la del Maestro, la del Encargado de Correos, todas sabían que iban a festejar el triunfo de don Alejandro Cruz y sabían dónde y cómo lo iban a festejar. Pero porque se trataba de una fiesta en honor del señor y porque cualquier cosa que se relacionara con el señor era buena, por esta vez no dijeron nada.

Esa mañana habían visto bajar del tren de Talca a las tres hermanas Farías, gordas como toneles, retacas, con sus vestidos de seda floreada ciñéndoles las cecinas como zunchos, sudando con la incomodidad de tener que transportar las guitarras y el arpa. Bajaron también dos mujeres más jóvenes, y un hombre, si es que era hombre. Ellas, las señoras del pueblo, mirando desde cierta distancia, discutían qué podía ser: flaco como palo de escoba, con el pelo largo y los ojos casi tan maquillados como los de las hermanas Farías. Paradas cerca del andén, tejiendo para no perder el tiempo y rodeadas de chiquillos a los que de vez en cuando tenían que llamar a gritos para que no se acercaran a mendigarle a los forasteros, tuvieron tema para rato.

—Debe de[106] ser el maricón del piano.

—Si la Japonesa no tiene piano[107].

---

[106] En la edición del 2000, Alfaguara eliminó la preposición: "Debe ser el maricón del piano" (63). La misma modificación se observa en la reedición más reciente de esta editorial. Cfr. Alfaguara 2016: 79. Hemos mantenido la preposición presente en la edición príncipe.

[107] Christian Spencer Espinosa (2013) a partir de un estudio de campo que involucró una serie de entrevistas a cantores, músicos, folcloristas y a un grupo de la Corporación Nacional de Cueca entre el 2008 y 2009, apunta el cambio de significado que esta locución tuvo entre la primera y segunda mitad del siglo XX: "En sus inicios 'maricón del piano' se refiere irónica y a veces despectivamente a homosexuales y afeminados que participan haciendo música en burdeles. No obstante ello, hacia mediados del siglo el término pierde su tono despectivo para convertirse en un apelativo genérico que describe a personas no heterosexuales que hacen música en estos espacios, entre los cuales hallamos homosexuales, transexuales y travestis".

—De veras.

—Decían que iba a comprar.

—Artista es, mira la maleta que trae.

—Lo que es, es maricón, eso sí…

Y los chiquillos los siguieron por el polvo de la calzada hasta la casa de la Japonesa[108].

Las señoras, de regreso a sus casas a almorzar, conminaron a sus maridos para que no dejaran de acordarse de todos los detalles de lo que esa noche pasaría en la casa de la Japonesa, y que si fuera posible, si hubiera alguna golosina novedosa, cuando nadie los estuviera viendo se echaran algo al bolsillo para ellas, que al fin y al cabo se iban a quedar solas en sus casas, aburriéndose, mientras ellos hacían quién sabe qué en la fiesta. Claro que hoy no tenía importancia que se emborracharan. Esta vez la causa era buena. Que se estuvieran cerca de don Alejandro, eso era lo importante, que él los viera en su celebración, que de pasada y como quien no quiere la cosa le recordaran el asunto del terrenito, y de esa partida de vino que prometió venderles con descuento, sí, que cantaran juntos, que bailaran, que hicieran las mil y una, hoy no importaba con tal que las hicieran con el señor.

Durante meses el pueblo estuvo tapizado de carteles con el retrato de don Alejandro Cruz, unos en verde, otros en sepia, otros en azul. Los chiquillos patipelados[109] corrían por todas partes lanzando volantes, o entregándoselos innecesaria y repetidamente a quien pasara, mientras los más chicos, a los que no se confió propaganda política, los recogían y hacían con ellos botes de papel

---

Los músicos entrevistados subrayan su "personalidad fuertemente performativa, al menos al interior del burdel". Elías Zamora —percusionista porteño nacido en 1931— señala las diferentes actividades que realizaban en el burdel y cómo se destacaban por sus talentos artísticos: "son cantores, bailadores o bailadoras, guitarristas o pianistas, además de servir la mesa, hacer las camas y a veces 'tocar las campanas' para llamar al almuerzo (razón por la cual se les llama también 'campanilleros')" (634).

[108] En Alfaguara 1995 punto seguido: "Y los chiquillos los siguieron por el polvo de la calzada hasta la casa de la Japonesa. Las señoras, de regreso a sus casas a almorzar," (64). Hemos mantenido el punto y aparte de la edición príncipe.

[109] *Patipelado*, descalzo. Adjetivo característico de situaciones informales o coloquiales que representa la pobreza al extremo de no tener zapatos.

110

o los quemaban o se sentaban en las esquinas contándolos a ver quién tenía más. La Secretaría funcionaba en el galpón del correo, y noche a noche se reúnan allí los ciudadanos de la Estación El Olivo para avivar su fe en don Alejo y concertar citas y excursiones por los campos y pueblos cercanos para propagar esa fe. Pero el verdadero corazón de la campaña era la casa de la Japonesa. Allí se reunían los cabecillas, de allí salían las órdenes, los proyectos, las consignas. Nadie que no fuera partidario de don Alejo entraba a su casa ahora, y las mujeres, adormecidas en los rincones sin nada que hacer, oían las voces que en las mesas del salón, alrededor del vino y de la Japonesa, programaban incansablemente. Durante el último mes sobre todo, cuando la proximidad del triunfo enardeció la verba de la patrona haciéndola olvidar todo salvo su pasión política, escanciaba generosa su vino para cualquier visitante cuya posición fuera vacilante o ambigua, y en el curso de unas cuantas horas la dejaba firme como un peral o la definía tajante como un cuchillo.

Las elecciones fueron diez días antes pero recién ahora don Alejo regresaba al pueblo. El salón y el patio de la Japonesa estaban tapizados con retratos del nuevo diputado. Las invitaciones atrajeron a lo más selecto de la comarca, desde habitantes escogidos de El Olivo, hasta los administradores, mayordomos y técnicos viñateros de los fundos cercanos. Y de Talca la Japonesa encargó a su amiga la Pecho de Palo que le mandara dos putas de refuerzo, a las hermanas Farías para que no faltara música,[110] y a la Manuela, el maricón ese tan divertido que hacía números de baile.

—Mi plata que me va a costar. Pero algún gusto tengo que darme, y todo sea para que El Olivo tenga el futuro que nos promete el flamante diputado don Alejandro Cruz, aquí presente, orgullo de la Zona…

Claro que la Japonesa se daba muchos gustos. Ya no era tan joven, es cierto, y los últimos años la engordaron tanto que la

---

[110] En Alfaguara 1995 se elimina la coma antes de la conjunción: "para que no faltara música y a la Manuela, el maricón ese" (65). Hemos mantenido la coma presente en la edición príncipe (66).

acumulación de grasa en sus carrillos[111] le estiraba la boca en una mueca perpetua que parecía — y casi siempre era sonrisa. Sus ojos miopes, que le valieron su apodo, no eran más que dos ranuras oblicuas bajo las cejas dibujadas muy altas[112]. En sus mocedades había tenido amores con don Alejo. Murmuraban que él la trajo a esta casa cuando la dueña era otra, muerta hacía muchos años. Pero sus amores eran cosa del pasado, una leyenda en la que se enraizaba la realidad actual de una amistad que los unía como a conspiradores. Don Alejo solía pasar largas temporadas de trabajo o en el fundo sin ir a la ciudad hasta después de la vendimia, o para la poda o la desinfección, muchas veces sin su esposa y sin su familia, lo que le resultaba aburrido. Entonces, en la noche, después de comida, echaba sus escapaditas a la Estación para tomar unas cuantas copas y reírse un rato con la Japonesa Grande. En esas temporadas ella se encargaba de tener una mujer especial para don Alejo, que nadie más que él tocaba. Era generoso. La casa que ocupaba la Japonesa era una antiquísima propiedad de los Cruz y se la daba en un arriendo anual insignificante. Y todas las noches, invierno o verano, la gente de los fundos de alrededor, los administradores y los viñateros y los jefes mecánicos, y a veces hasta los patrones menos orgullosos y los hijos de los patrones que era necesario echar cuando aparecían los padres, solían ir a la casa de la Japonesa en la Estación El Olivo. No tanto para meterse en cama con las mujeres aunque siempre había jóvenes y frescas, sino para entretenerse un rato hablando con la Japonesa o tomándose una jarra o jugando una mano de monte o de brisca en un ambiente alegre pero seguro, porque la Japonesa no abría las puertas de su casa a cualquiera. Siempre gente fina. Siempre gente con los bolsillos llenos. Por eso es que ella pertenecía al partido político de don Alejo, el partido histórico, tradicional, de orden, el partido de la gente decente que

---

[111] Errata en edición príncipe "carrrilos" (67).
[112] Isis Quinteros (1970) plantea la posibilidad de que Donoso se hubiera inspirado en un conocido burdel de Talca y en el apodo de su dueña: "Donoso pudo haber tomado la idea del prostíbulo, (…) de un conocido burdel que existía en Talca, llamado comúnmente 'la casa de la Japonesa', cuya regenta tenía los ojos rasgados como las orientales" (144).

paga las deudas y no se mete en líos, esa gente que iba a su casa a divertirse y cuya fe en que don Alejo haría grandes cosas por la región era tan inquebrantable como la de la Japonesa.

—Tengo derecho a darme mis gustos.

El gran gusto de su vida fue dar la fiesta esa noche. Apenas llegó la Manuela, la Japonesa se adueñó de él. Creyó que el bailarín de quien le habían hablado era más joven: éste andaba pisando los cuarenta, igual que ella. Mejor, porque los chiquillos jóvenes cuando los clientes se emborrachaban, le hacían la competencia a las mujeres: mucho lío. Como la Manuela llegó temprano en la mañana y no iba a tener nada que hacer hasta tarde en la noche, al principio anduvo mirando por ahí, hasta que la Japonesa le hizo una seña que se acercara.

—Ayúdame a poner estas ramas aquí en la tarima.

La Manuela tomó el asunto de la decoración en sus manos: tanta rama no, dijo, las hermanas Farías son demasiado gordas y con tanta arpa y guitarra y además las ramas, no se van a ver. Mejor poner ramas arriba nomás, ramas de sauce amarradas con cinta de papel de color, que cayeran como una lluvia verde, y al pie de la tarima, enmarcado también en ramas frescas de sauce llorón, el retrato de don Alejo más grande que se pudiera conseguir. La Japonesa quedó feliz con el resultado. Manuela, ayúdame a colgar las guirnaldas de papel, Manuela dónde será mejor ubicar el poyo para asar los lechones, Manuela échale una mirada al aliño de las ensaladas, Manuela esto, Manuela lo otro, Manuela lo de más allá. Toda la tarde y a cada orden o pedido de la Japonesa, la Manuela sugería algo que hacía que las cosas se vieran bonitas o que el condimento para el asado quedara más sabroso. La Japonesa, ya tarde, se dejó caer en una silla en el medio del patio, bastante borracha, con los ojos fruncidos para ver mejor, dando órdenes a gritos, pero tranquila porque la Manuela lo hacía todo tan bien.

—Manuela ¿trajeron la frutilla para el borgoña[113]?

---

[113] *Borgoña*, bebida alcohólica en base a vino tinto y fruta picada, generalmente frutillas (fruta pequeña, de color rojo, jugosa, aromática; de hojas dentadas y con semillas al exterior).

—Manuela, pongamos más flores en ese adorno.

La Manuela corría, obedecía, corregía, sugería.

—Lo estoy pasando regio[114].

La Pecho de Palo le había dicho que la Japonesa era buena gente, pero no tanto como esto. Tan sencilla ella, dueña de casa y todo. Cuando la Japonesa fue a su pieza a vestirse,[115] la Manuela la acompañó para ayudarla: al rato salió muy elegante con su vestido de seda negra escotado en punta adelante, y todo el pelo reunido en un moño discreto pero lleno de coquetería. El vino comenzó a correr apenas llegaron los primeros invitados, mientras el aroma de los lechones que comenzaban a dorarse y del orégano y el ajo recalentado de las salsas y de las cebollas y pepinos macerándose en los jugos de las ensaladas, se extendieron por el patio y el salón.

Don Alejo llegó a las ocho, bastante achispado. Entre aplausos abrazó y besó a la Japonesa, cuyo rimmel[116] se le había corrido con la transpiración o con el llanto emocionado. Entonces las hermanas Farías se subieron a la tarima y comenzó la música y el baile. Muchos hombres se quitaron las chaquetas y quedaron en suspensores[117]. El floreado de los vestidos de las mujeres se oscureció con sudor debajo de los brazos. Las hermanas Farías parecían inagotables, como si a cada tonada les dieran cuerda de nuevo y no existiera ni el calor ni la fatiga.

—Que pongan otra jarra…

La Japonesa y don Alejo no tardaron en despacharse la primera y ya pedían la segunda. Pero antes de comenzarla el diputado sacó a bailar a la dueña de casa mientras los demás les hacían rueda.

---

[114] *Regio*, muy bien.

[115] Coma ausente en edición príncipe: "Cuando la Japonesa fue a su pieza a vestirse la Manuela la acompañó para ayudarla" (69). En Alfaguara 1995 y en esta edición, inserción después del verbo: "Cuando la Japonesa fue a su pieza a vestirse, la Manuela la acompañó para ayudarla" (68).

[116] *Rimmel*, vocablo comúnmente utilizado para designar una máscara de pestañas. El origen del término se relaciona con el éxito comercial del artículo de maquillaje creado en 1880 por el francés Eugene Rimmel. Al convertirse en la marca más exitosa del producto disponible en el mercado, se empezó a designar metonímicamente al artículo por medio del nombre de la marca del producto original.

[117] *Suspensores*, par de tiras elásticas que sirven para sujetar los pantalones pasándolas por encima de los hombros.

Después se fueron a sentar otra vez. La Japonesa llamó a la Rosita, traída especialmente de Talca para don Alejo.

—¿Ve pues don Alejo? Mire estas nalgas, toque, toque, como a usted le gustan, blanditas, puro cariño. Para usted se la traje, yo sabía que le iba a gustar, no voy a conocer sus gustos... Ya, déjeme, mire que estoy vieja para esas cosas. Sí, ve, y la Rosita ya no es tan joven, porque sé que usted le hace ascos a las chiquillas muy chiquillas...

El diputado palpó las nalgas ofrecidas y después la hizo sentar-se a su lado y le metió la mano por debajo de la falda. El Jefe de Estación quiso bailar con la Japonesa, pero ella le dijo que no, que esta noche se iba a dedicar a atender a su invitado de honor. Ella misma escogió las presas más doradas del lechón vigilando a don Alejo para que comiera bien hasta que salió a bailar con la Rosita, sus bigotes manchados con salsa y orégano y el mentón y los dedos embarrados con la grasa. La Manuela se acercó a la Japonesa.

—Quiubo...

—Siéntate...

—¿Y don Alejo?

—Si cabes. No dice nada el futre.

—Bueno.

—¿Te serviste de todo?

—Estaba rico. Un vasito de vino me falta.

—Toma de éste.

—¿A qué hora voy a bailar?

—Espera a que se caliente un poco la fiesta.

—Sí, es mejor. El otro día anduve bailando en Constitución. Regio me fue y me quedé a pasar el fin de semana en la playa. ¿Tú no vas nunca a Constitución? Tan bonito, el río y todo y tan buen marisco. La dueña de la casa donde estuve te conoce. Olga se llama y dice que es medio gringa. Nada de raro porque es harto pecosa, por aquí en los brazos. No si soy de aquí yo[118], nací en un fundo cerca de

---

[118] Hemos conservado esta coma después de la negación presente tanto en la edición príncipe (71) como en el último mecanoescrito de la novela (The University of Iowa, 66). Alfaguara 1995 remueve la coma: "No si soy de aquí yo" (71).

115

Maule[119], sí, ahí mismito, ah, así que tú también has andado por ese lado. Bah… somos compatriotas. No. Me fui al pueblo y después trabajaba con una chiquilla y recorrimos todos los pueblos para el Sur, sí, le iba bien, pero no creas que a mí me iba tan mal, claro que para callado. Pero era joven entonces, ya no. Qué sé yo qué será de ella, hasta en un circo trabajamos una vez. Pero no nos fue nada de bien. Yo prefiero este trabajo. Claro, una se cansa de tanto andar y todos los pueblos son iguales. No, si la Pecho de Palo se está poniendo muy mañosa. Más de sesenta, muchísimo más, cerca de los setenta. ¿No te has fijado cómo tiene las piernas de várices? Y tan lindas piernas que dicen que tenía. En la maleta traje el vestido. Sí. Es de lo más bonito. Colorado. Me lo vendió una chiquilla que trabajaba en el circo. Ella lo había usado poquito, pero necesitaba plata así que[120] me lo vendió. Yo lo cuido como hueso de santo porque es fino, y como yo soy tan negra el colorado me queda regio. Oye… ¿Ya?

—Espera.

—¿En cuánto rato más?

—Como en una hora.

—¿Pero me cambio?

—No. Mejor la sorpresa.

—Bueno.

—Puchas[121] que estái[122] apurada.

—Claro. Es que me gusta ser la reina de la fiesta.

Dos hombres que oyeron el diálogo comenzaron a reírse de la Manuela, tratando de tocarla para comprobar si tenía o no pechos. Mijita linda… qué será esto. Déjeme que la toquetee, ándate para allá roto borracho, que venís[123] a toquetearme tú. Entonces ellos

---

[119] *Maule*, comuna de la región homónima en la provincia de Talca, nombrada inicialmente Peumo. Ya en tiempos de la ocupación inca tenía un valor estratégico por su posición colindante con el río Maule.

[120] En edición príncipe "asique" (72).

[121] En este contexto, marcador discursivo que introduce un comentario crítico, por parte de la Japonesa, por la insistencia de la Manuela en comenzar su número.

[122] *Estái*, forma voseante de *estar*, en este caso denota un trato íntimo y familiar.

[123] *Venís*, forma voseante de *venir*. La combinación del pronombre tú con el verbo en forma voseante es común en el español chileno. En este ejemplo, el uso denota un desprecio hacia el interlocutor, lo que se evidencia junto al uso del apelativo *roto*.

116

dijeron que era el colmo que trajeran maricones como éste, que era un asco, que era un descrédito, que él iba a hablar con el Jefe de Carabineros[124] que estaba sentado en la otra esquina con una de las putas en la falda, para que metiera a la Manuela a la cárcel por inmoral, esto es una degeneración. Entonces la Manuela lo rasguñó. Que no se metiera con ella. Que él podía delatar al Jefe de Carabineros[125] por estar medio borracho. Que tuviera cuidadito, porque la Manuela era muy conocida en Talca y tenía muy buen trato con la policía. Una es profesional, me pagaron para que haga mi show…

La Japonesa fue a buscar a don Alejo y lo trajo apurada para que interviniera.

—¿Qué te están haciendo, Manuela?

—Este hombre me está molestando.

—¿Qué te está haciendo? Me está diciendo cosas…

—¿Qué cosas?

—Degenerado… y maricón…

Todos se rieron.

—¿Y no eres?

—Maricón seré pero degenerado no. Soy profesional. Nadie tiene derecho a venir a tratarme así. ¿Qué se tiene que venir a meter conmigo este ignorante? ¿Quién es él para venir a decirle cosas a una, ah? Si me trajeron es porque querían verme, así que… Si no quieren show, entonces bueno, me pagan la noche y me voy, yo no tengo ningún interés en bailar aquí en este pueblo de porquería lleno de muertos de hambre…

—Ya, Manuela, ya… toma…

Y la Japonesa lo hizo tomarse otro vaso de tinto.

Don Alejandro dispersó el grupo. Se sentó a la mesa, llamó a la Japonesa, echó a alguien que quiso sentarse con ellos, y sentó a

---

[124] *Jefe de Carabineros*, jefe de la policía uniformada creada en 1927 por el presidente Carlos Ibáñez del Campo (1877-1960) a partir de la fusión de los diferentes cuerpos policiales existentes en el país.

[125] Empleo de minúscula en "Jefe de Carabineros", en la edición príncipe. Hemos mantenido el uso de mayúsculas que se observa tanto en la primera edición de Alfaguara (70) como en el mecanoescrito más tardío de la novela (Tss University of Iowa: 67).

un lado suyo a la Rosita y al otro a la Manuela: brindaron con el borgoña recién traído.

—Porque sigas triunfando, Manuela...

—Lo mismo por usted, don Alejo.

Cuando don Alejo salió a bailar con la Rosita, la Japonesa acercó su silla a la de la Manuela.

—Le caíste bien al futre, niña. Eso se nota de lejos. No, no hay nadie como don Alejo, es único. Aquí en el pueblo es como Dios. Hace lo que quiere. Todos le tienen miedo. ¿No ves que es dueño de todas las viñas, de todas, hasta donde se alcanza a ver? Y es tan bueno que cuando alguien lo ofende, como éste que te estuvo molestando, después se olvida y los perdona. Es bueno o no tiene tiempo de preocuparse de gente como nosotros. Tiene otras preocupaciones. Proyectos, siempre. Ahora nos está vendiendo terrenos aquí en la Estación, pero yo lo conozco y no he caído todavía. Que todo se va a ir para arriba. Que para el otro año va a parcelar una cuadra de su fundo y va a hacer una población, va a vender propiedades modelo, dice, con facilidades de pago, y cuando haya vendido todos los sitios de su parcelación va a conseguir que pongan electricidad aquí en el pueblo y entonces sí que nos vamos a ir todos para arriba como la espuma. Entonces vendrían de todas partes a mi casa, que tú sabes que tiene nombre, de Duao y de Pelarco... Me agrandaría[126] y mi casa sería más famosa que la de la Pecho de Palo. Ay, Manuela, qué hombre éste, tan enamoradaza que estuve de él. Pero no se deja agarrar. Claro que tiene señora, una rubia muy linda, muy señora, distinguida ella te diré, y otra mujer más en Talca y qué sé yo cuántas más en la capital. Y todas trabajando como chinas[127] por él en las elecciones. Si hubieras visto a Misia Blanca, hasta sin medias estaba, y la otra mujer, la de Talca, también, trabajando por él, para que saliera. Claro, a todos nos conviene. Y el día de las elecciones él mismo vino con un camión

---

[126] Intromisión editorial en la edición de Bruguera donde se observa "agradaría" (98) en vez de "agrandaría" de la edición príncipe (74).

[127] *Trabajar como china*, trabajar con mucha intensidad.

y a todos los que no querían ir a votar los echó arriba a la fuerza y vamos mi alma, a San Alfonso a votar por mí, y les dio sus buenos pesos y quedaron tan contentos que después andaban preguntando por ahí cuándo iba a haber más elecciones. Claro que hubieran votado por él de todas maneras. Si es el único candidato que conocen. Los otros por los cartelones de propaganda nomás[128], mientras que don Alejo, a él sí que sí. ¿Quién no lo ha visto pasar por estos caminos en su tordillo, rumbo a la feria de los lunes en San Alfonso? Y además de su platita, a los que votaron por él les dio sus buenos tragos de vino y mató un novillo, dicen, para tener asado todo el día, y de San Alfonso los hizo traer para acá en camión otra vez, tan bueno el futre dicen que decían, pero después desapareció porque se tuvo que ir a la capital a ver cómo fue la cosa… Mira cómo baila el Jefe de Estación con esa rucia…[129]

La Japonesa fruncía los ojos para alcanzar a ver los extremos del patio: cuando no podía ver algo, le decía a la Manuela que le soplara si la rucia todavía está bailando con el mismo, y con quién está ahora el sargento Buendía y si las cocineras están poniendo más lechón al fuego mira que ahora pueden no tener hambre pero en poquito rato más van a querer comer otra vez.

Don Alejo se acercó a la mesa. Con sus ojos de loza azulina, de muñeca, de bolita[130], de santo de bulto[131], miró a la Manuela, que se estremeció como si toda su voluntad hubiera sido absorbida por esa mirada que la rodeaba, que la disolvía. ¿Cómo no sentir vergüenza de seguir sosteniendo la mirada de esos ojos portentosos con sus ojillos parduzcos de escasas pestañas? Los bajó.

—¿Quiubo, mijita?

La Manuela lo miró de nuevo y sonrió.

—¿Vamos, Manuela?

---

[128] *Nomás*, marcador discursivo que se usa para recalcar una afirmación, en este caso, la campaña electoral de Cruz caracterizada por su aparición pública en contraposición a la de sus contrincantes desconocidos en persona, para la mayoría de los habitantes de la zona.
[129] *Rucia*, de pelo rubio.
[130] *Bolita*, canica, bola pequeña de vidrio en este caso, usada por los niños para jugar.
[131] *Santo de bulto*, busto o estatua de un santo.

Tan bajo que lo dijo. ¿Era posible, entonces… ?

—Cuando quiera, don Alejo…[132]

Su escalofrío se prolongaba, o se multiplicaba en escalofríos que le rodeaban las piernas, todo, mientras esos ojos seguían clavados en los suyos… hasta que se disolvieron en una carcajada. Y los escalofríos de la Manuela terminaron con un amistoso palmotazo de don Alejo en la espalda.

—No, mujer. Era broma nomás. A mí no me gusta…

Y tomaron juntos, la Manuela y don Alejo, riéndose. La Manuela, todavía envuelta en una funda de sensaciones, tomó sorbitos cortos, y cuando todo pasó, sonrió apenas, suavemente. No recordaba haber amado nunca tanto a un hombre como en este momento estaba amando al diputado don Alejandro Cruz. Tan caballero él. Tan suave, cuando quería serlo. Hasta para hacer las bromas que otros hacían con jetas[133] mugrientas de improperios, él las hacía de otra manera, con una sencillez que no dolía, con una sonrisa que no tenía ninguna relación con las carcajadas que daban los otros machos. Entonces la Manuela se rió[134], tomándose lo que le quedaba de borgoña en el vaso, como para ocultar detrás del vidrio verdoso un rubor que subió hasta sus cejas depiladas: ahí mismo, mientras empinaba el vaso, se forzó a reconocer que no, que cualquier cosa fuera de esta cordialidad era imposible con don Alejo. Tenía que romper eso que sentía si no quería morirse. Y no quería morir. Y cuando dejó de nuevo el vaso en la mesa, ya no lo amaba. Para qué. Mejor no pensar.

Don Alejo estaba besando a la Rosita, la mano metida debajo de la falda. La retiró para alisarse el pelo cuando un grupo de hombres acercaron sus sillas a la mesa. Claro, él les había prometido agrandar los galpones junto a la estación en cuanto lo eligieran, sí, y claro, acuérdese de la electricidad en cuanto pueda y lo de

---

[132] En Alfaguara supresión de los puntos suspensivos: "—Cuando quiera, don Alejo." (73). En esta edición hemos mantenido los puntos suspensivos de la edición príncipe (76).

[133] *Jetas*, forma despectiva de "bocas".

[134] Errata en edición príncipe "rio" (76).

aumentar la guarnición de carabineros especialmente en tiempos de vendimia, por los afuerinos, que iban vagando de viña en viña buscando trabajo y a veces robando, sí, que se acordara, no me lo vaya a poner orgulloso este triunfo, no se vaya a olvidar de nosotros pues don Alejo que lo ayudamos cuando usted nos necesitó, porque al fin y al cabo usted es el alma del pueblo, el puntal, y sin usted el pueblo se viene abajo, sí señor, póngale otro poco don Alejo, no me desprecie, y dele[135] más a su chiquilla mire que está con sed y si no la atiende capaz que se vaya con otro, pero como le iba diciendo, patrón, los galpones se llueven todos y son harto chicos, no me diga que no ahora después que lo ayudamos, si usted dijo. Él contestaba atusándose los bigotes de vez en cuando. La Manuela le guiñó un ojo porque vio que estaba ahogando los bostezos. Sólo ella se había dado cuenta de que estaba aburrido, tarareando lo que cantaban las hermanas Farías: ésta no es conversación para fiesta. Qué latosos[136] son los hombres con sus cosas de negocios no es verdad don Alejo le decía la Manuela con la mirada, hasta que don Alejo no pudo reprimir un bostezo descomunal, baboso, que descubrió hasta la campanilla y todo su paladar rosado terminando en el vértigo de su tráquea, y ellos, mientras don Alejo bostezaba en sus caras, se callaron. Entonces, en cuanto volvió a cerrar la boca, con los ojos lagrimeantes, buscó la cara de la Manuela.

—Oye, Manuela…

—¿Qué, don Alejo?

—¿No ibas a bailar? Esto se está muriendo.

---

[135] Errata en edición de Alfaguara 1995 donde el verbo aparece sin tilde en el cuarto capítulo, pero se tilda en el VI. En la edición príncipe, en tanto, el verbo no se tilda en ambos capítulos: "dele". En esta edición hemos mantenido "dele" de la edición príncipe (77).

[136] *Latosos*, forma coloquial de decir aburridos, que dan la "lata".

VII

La Manuela giró en el centro de la pista, levantando una polvareda con su cola colorada. En el momento mismo en que la música se detuvo, arrancó la flor que llevaba detrás de la oreja y se la lanzó a don Alejo, que levantándose la alcanzó a atrapar en el aire. La concurrencia rompió en aplausos mientras la Manuela se dejaba caer acezando en la silla junto a don Alejo.

—Vamos a bailar, mijita…

Las voces agudas y gangosas de las hermanas Farías volvieron a adueñarse del patio. La Manuela, con la cabeza echada hacia atrás y el talle quebrado se prendió a don Alejo y juntos dieron unos pasos de baile entre la alegría de los que hacían ruedo. Se acercó el Encargado de Correos y le arrebató la Manuela a don Alejo. Alcanzaron a dar una vuelta a la pista antes de que el Jefe de Estación se acercara a quitársela y después otros y otros del círculo que se iba estrechando alrededor de la Manuela. Alguien la tocó mientras bailaba, otro le hizo una zancadilla. El viñatero jefe de un fundo vecino le arremangó la falda y al verlo, los que se agrupaban alrededor para arrebatarse a la Manuela, ayudaron a subirle la falda por encima de la cabeza, aprisionando sus brazos como dentro de una camisa de fuerza. Le tocaban las piernas flacas y peludas o el trasero seco, avergonzados, ahogándose de risa.

—Está caliente.

—Llega a echar humito.

—Vamos a echarla al canal.

Don Alejo se puso de pie.

—Vamos.

—Hay que refrescarla.

Entre varios tomaron a la Manuela en peso. Sus brazos desnudos trazaban arabescos en el aire, dejándose transportar mientras lanzaba trinos. En la claridad de la calle avanzaron hacia los eucaliptos de la Estación. Don Alejo mandó que cortaran los alambrados, que al fin y al cabo eran suyos, y abriéndose brecha entre las zarzas, llegaron al canal que limitaba sus viñas y las separaba de la Estación.

—Uno... dos... tres y chaaaaassss...

Y lanzaron a la Manuela al agua. Los hombres que la miraban desde arriba, parados entre la mora y el canal, se ahogaban de risa, señalando a la figura que hacía poses y bailaba, sumida hasta la cintura en el agua, con el vestido flotando como una mancha alrededor suyo y cantando "El relicario"[137]. Que se atrevieran, los azuzaba, que le gustaban todos, cada uno en su estilo, que no fueran cobardes delante de una pobre mujer como ella, gritaba quitándose el vestido que lanzó a la orilla. Uno de los hombres trató de mear a la Manuela, que pudo esquivar el arco de la orina. Don Alejo le dio un empujón, y el hombre, maldiciendo, cayó en el agua, donde se unió durante un instante a los bailes de la Manuela. Cuando por fin les dieron la mano para que ambos subieran a la orilla todos se asombraron ante la anatomía de la Manuela.

—¡Qué burro...!

—Mira que está bien armado...

—Psstt, si éste no parece maricón.

—Que no te vean las mujeres, que se van a enamorar.

La Manuela, tiritando, contestó con una carcajada.

—Si este aparato no me sirve nada más que para hacer pipí.

Don Alejo regresó con un grupo a la casa de la Japonesa. Algunos se fueron a sus casas sin que los demás notaran. Otros, con el cuerpo pesado por el vino, se dejaron caer entre la maleza a la orilla de la calle o en la estación, para dormir la borrachera. Pero a don Alejo todavía le quedaban ganas de fiesta. Mandó a las hermanas Farías que se volvieran a subir en la tarima para cantar. Con algunos amigotes se sentó a una mesa donde quedaba un plato con huesos

---

[137] En edición de Alfaguara cursiva en vez de comillas (80). Paso doble compuesto en 1914 por José Padilla, con letra de Armando Oliveros y José María Castellví y dado a conocer por Mary Focela. Raquel Meller y Sara Montiel, entre otras cantantes, que lo interpretaron. La letra habla del amor entre una mujer y un torero que al momento de caer mortalmente herido durante una corrida de toros, levanta y le muestra el relicario fabricado con el trozo de la capa que ante su petición, la mujer pisó cuando se vieron por primera vez.

fríos y la grasa opacando la hoja del cuchillo. La Japonesa se les unió, para escuchar los pormenores del baño de la Manuela.

—Y dice que no le sirve más que para mear.

La Japonesa alzó la cabeza fatigada para mirarlos.

—Eso dirá él, pero yo no le creo.

—¿Por qué?

—No sé, porque no…

Lo discutieron un rato.

La Japonesa se acaloró. Su pecho mullido subía y bajaba con la pasión de su punto de vista: que sí, que la Manuela sería capaz, que con tratarla de una manera especial en la cama para que no tuviera miedo, un poco como quien dijera, bueno, con cuidado, con delicadeza, sí, la Japonesa Grande[138] estaba segura de que la Manuela podría. Los hombres sintieron una ola de calor que emanaba de su cuerpo seguro de su ciencia y de sus encantos ya tal vez un poco pasados de punto, pero por lo mismo más cálidos[139] y afectivos… sí, sí… yo sé… y de todos los nombres que la escucharon entonces diciendo que sí, que yo puedo calentar a la Manuela por muy maricón que sea, ninguno hubo que no hubiera dado mucho por tomar el sitio de la Manuela. La Japonesa se enjugó la frente. Pasó la punta de su lengua rosada por sus labios, que durante un minuto quedaron brillantes. Don Alejo se estaba riendo de ella.

—Si ya estái vieja, que vai[140] a poder…

—Bah, más sabe el diablo por viejo que…

—¡Pero la Manuela! No, no, te apuesto que no.

—Bueno. Yo le apuesto a que sí.

Don Alejo cortó su risa.

---

[138] Errata en edición príncipe. Empleo de minúscula en el nombre "Japonesa grande" (81). En la edición de la novela que saca Ayacucho en 1990 se reitera el error (45).

[139] Tanto en el mecanoescrito más tardío de la novela (Tss University of Iowa, 82) como en las dos ediciones utilizadas para el establecimiento del texto, se observa "mismos" (Mortiz 82, Alfaguara 79). Al igual que la edición de Ayacucho (45), hemos optado por el singular "mismo".

[140] *Estái* y *vai*, formas voseantes de *estar* e *ir* utilizadas por don Alejo para desafiar a la Japonesa Grande. En este caso particular las formas voseantes subrayan la relación asimétrica de poder entre ambos.

—Ya está. Ya que te creís[141] tan macanuda te hago la apuesta. Trata de conseguir que el maricón se caliente contigo. Si consigues calentarlo y que te haga de macho, bueno, entonces te regalo lo que quieras, lo que me pidas. Pero tiene que ser con nosotros mirándote, y nos hacen cuadros plásticos.

Todos se quedaron en silencio esperando la respuesta de la Japonesa, que le hizo señas a las hermanas Farías para que volvieran a cantar y pidió otro jarro de vino.

—Bueno. ¿Pero qué me regala?

—Te digo que lo que quieras.

—¿Y si yo le pidiera que me regalara el fundo El Olivo?

—No me lo vas a pedir. Eres una mujer inteligente y sabes muy bien que no te lo daría. Pídeme algo que te pueda dar.

—O que usted quiera darme.

—No, que pueda...

No había forma de romper la barrera. Mejor no pensar.

—Bueno, entonces...

—¿Qué?

—Esta casa.

Cuando primero se habló de la apuesta había pensado pedirle sólo unos cuantos barriles de vino, del bueno, que sabía que don Alejandro le mandaría sin hacerse de rogar. Pero después le dio rabia y pidió la casa. Hacía tiempo que la quería. Quería ser propietaria. Cómo se siente una cuando es propietaria, yo dueña de esta casa en que entré a trabajar cuando era chiquilla. Nunca soñé con ser propietaria. Sólo ahora, por la rabia que le daba que don Alejo contara con lo que llamaba su "inteligencia" y abusaba de ella. Si se quería reír de la Manuela, y de todos, y de ella, bueno, entonces que pagara, que no contara conque ella fuera razonable.

---

[141] *Creís*, forma voseante de *creer*. La fórmula de tratamiento de don Alejo a la Japonesa en este segmento oscila entre tuteo y voseo, mientras que la Japonesa Grande lo trata consistentemente de *usted*. Esto ilustra la asimetría en la relación: mientras don Alejo puede elegir la fórmula de tratamiento, la Japonesa Grande solo puede recurrir a una.

Que pagara. Que le regalara la casa si era tan poderoso que podía dominarlos así.

—Si esta casa no vale nada, pues, Japonesa.

—¿Qué no dice que todo va a subir tanto de precio aquí en la Estación?

—Sí, mujer, pero…

—Yo la quiero. No se me corra[142], pues don Alejo. Mire que aquí tengo testigos, y después pueden decir por ahí que usted no cumple sus promesas. Que da mucha esperanza y después, nada…

—Trato hecho, entonces.

Entre los aplausos de los que asistieron a la apuesta, don Alejo y la Japonesa[143] chocaron sus vasos llenos y se los zamparon al seco[144]. Don Alejo se paró a bailar con la Rosita. Después se fueron para adentro a pasar un rato juntos. Entonces la Japonesa se limpió la boca con el dorso de la mano, y cerrando los ojos, gritó:

—Manuela…

Las pocas parejas que bailaban se detuvieron.

—¿Dónde está la Manuela?

La mayor parte de las mujeres ya habían formado parejas cuya estabilidad duraría lo que quedaba de la noche. La Japonesa cruzó bajo el parrón cuyas hojas comenzaban a tiritar con el viento y entró a la cocina. Estaba oscura. Pero sabía que estaba allí junto a la cocina negra pero caliente aún.

—Manuela… ¿Manuela?

Lo sintió tiritar junto a las brasas. Mojado el pobre, y cansado con tanta farra. La Japonesa se fue acercando al rincón donde sintió que estaba la Manuela, y lo tocó. Él no dijo nada. Luego apoyó su cuerpo contra el de la Manuela. Encendió una vela. Flaco, mojado, reducido, revelando la verdad de su estructura mezquina, de sus huesos enclenques como la revela un pájaro al que se despluma para

---

[142] *Correrse,* eludir la promesa recién hecha.

[143] Intromisión editorial en la edición de Bruguera donde se observa "Japonesita" (111) en vez de "Japonesa" de la edición príncipe (83).

[144] *Al seco,* de un solo trago.

echarlo a la olla. Tiritando junto a la cocina envuelto en la manta que alguien le había prestado.

—¿Tienes frío?

—Son tan pesados…

—Brutos.

—A mí no me importa. Estoy acostumbrada. No sé por qué siempre me hacen esto o algo parecido cuando bailo, es como si me tuvieran miedo, no sé por qué, siendo que saben que una es loca. Menos mal que ahora me metieron al agua nomás, otras veces es mucho peor, vieras…

Y riéndose agregó:

—No te preocupes. Está incluido en el precio de la función.

La Japonesa no pudo dejar de tocarlo, como buscando la herida para cubrirla con su mano. Se le había pasado la borrachera y a él también. La Japonesa se sentó en un piso[145] y le contó lo de la apuesta.

—¿Estás mala de la cabeza, Japonesa, por Dios? ¿No ves que soy loca perdida? Yo no sé. ¡Cómo se te ocurre una cochinada[146] así!

Pero la Japonesa le siguió hablando. Le tomó la mano sin urgencia. Él se la quitó, pero mientras hablaba volvió a tomársela y él ya no se la quitó. No, si no quería, que no hiciera nada, ella no iba a obligarlo, no importaba, era sólo cuestión de hacer la comedia. Al fin y al cabo nadie iba a estar vigilándolos de cerca sino que desde la ventana y sería fácil engañarlos. Era cuestión de desnudarse y meterse juntos a la cama, ella le diría qué cara pusiera, todo, y a la luz de la vela no era mucho lo que se veía, no, no, no. Aunque no hicieran nada. No le gusta el cuerpo de las mujeres. Esos pechos blandos, tanta carne de más, carne en que se hunden las cosas y desaparecen para siempre, las caderas, los muslos como dos masas inmensas que se fundieran al medio, no. Sí, Manuela, cállate, te pago, no digas que no, vale la pena porque te pago lo que quieras.

---

[145] *Piso*, asiento sencillo, bajo, con patas, sin respaldo ni brazos y para una persona.
[146] *Cochinada*, situación que implica suciedad y a la cual se le pueden adjudicar diferentes connotaciones: sexual, ética, de traición, etc.

Ahora sé que tengo que tener esta casa, que la quiero más que cualquier otra cosa porque el pueblo se va a ir para arriba y yo y la casa con el pueblo, y puedo, y es posible que llegue a ser mía esta casa que era de los Cruz. Yo la arreglaría. A don Alejandro no le gustó nada que yo se la pidiera. Yo sé por qué, porque dicen que el camino longitudinal va a pasar por aquí mismo, por la puerta de la casa. Sí, porque sabe lo que va a valer y no quiere perderla, pero le dio miedo que los otros que oían la apuesta le dijeran que se achicaba o se corría... y entonces dijo que bueno y puede ser mía. Traería artistas, a ti, Manuela, por ejemplo, te traería siempre. Sí. Te pago. Nada más que por estar desnuda un rato conmigo en la cama. Un rato, un cuarto de hora, bueno, diez, no, cinco minutos... y nos reiríamos, Manuela, tú y yo, ya estoy aburrida de esos hombronazos que me gustaban antes cuando era más joven, que me robaban plata[147] y me hacían lesa con la primera que se les ponía por delante, estoy aburrida, y las dos podemos ser amigas, siempre que fuera mía, mi casa, mía, si no, y seguiré siempre así pendiente de don Alejo, de lo que quiera él, porque esta casa es suya, tú sabes. Pero me da miedo eso, eso también me da miedo, Japonesa, hasta la comedia, no importa, no importa. Quieres que te sirva un mate, estás tiritando y yo me tomo uno contigo, no, no me gusta el mate, ahora por acompañarte nomás: Japonesa diabla, me estás pastoreando[148], dándome vuelta y vuelta vas a ver qué bien te cebo el mate no tengas miedo, no me tengas miedo, a las demás mujeres sí pero a mí no, está bueno el mate ves, y se te va a pasar el frío. Pero la Manuela seguía diciendo no, no, no, no...

La Japonesa devolvió la tetera al fuego.

—¿Y si te quedaras como socia?

La Manuela no contestó.

—¿Como socia mía?

La Japonesa vio que la Manuela lo estaba pensando.

---

[147] *Plata*, dinero.
[148] *Pastorear*, vigilar a alguien para que se comporte de acuerdo con lo deseado.

—Vamos a medias en todo. Te firmo a medias, tú también como dueña de esta casa cuando don Alejo me la ceda ante notario. Tú y yo propietarias. La mitad de todo.[149] De la casa y de los muebles y del negocio y de todo lo que vaya entrando…

… y así, propietaria, nadie podrá echarla, porque la casa sería suya. Podría mandar. La habían echado de tantas casas de putas porque se ponía tan loca cuando comenzaba la fiesta y se le calentaba la jeta con el vino, y la música y todo y a veces por culpa suya comenzaban las peleas de los hombres. De una casa de putas a otra. Desde que tenía recuerdo. Un mes, seis meses, un año a lo más… siempre tenía que terminar haciendo sus bártulos y yéndose a otra parte porque la dueña se enojaba, porque decía, la Manuela armaba las peloteras[150] con lo escandalosa que era… tener una pieza mía, mía para siempre, con monas[151] cortadas en las revistas pegadas en la pared, pero no: de una casa a otra, siempre, desde que lo echaron de la escuela cuando lo pillaron[152] con otro chiquillo y no se atrevió a llegar a su casa porque su papá andaba con un rebenque[153] enorme, con el que llegaba a sacarle sangre a los caballos cuando los azotaba, y entonces se fue a la casa de una señora que le enseñó a bailar español. Y después ella lo echó, y otras, siempre de casa en casa, sin un cinco[154] en el bolsillo, sin tener dónde esconderse a descansar cuando le dolían las encías, esos calambres desde siempre,

---

[149] En Alfaguara 1995 coma en vez de punto seguido después de propietarias: "Tú y yo propietarias, la mitad de todo" (84).

[150] *Pelotera*, desorden.

[151] *Monas*, imágenes de mujeres. La utilización de recortes de revistas y hojas de periódicos para decorar y empapelar las paredes de un cuarto, también se observa en el relato "Santelices" (1966) y en *El obsceno pájaro de la noche* (1970). En el primero se trata de imágenes de felinos, en el segundo, de hojas de periódicos bajo el papel mural: "El papel que eligió misiá Raquel para la celda de Inés resultó ser un modelo color ocre muy clarito… Pero bajo ese discreto papel angélico, entre el muro y el papel nuevo y para protegerlo de la aspereza del adobe, yo pegué una camisa de papeles de diario como en las covachas de las viejas, noticias pavorosas desprovistas de urgencia pero con el pavor intacto, (…) papel de diario que uso para organizar un rompecabezas sobrecogedor bajo el papel pintado que lo cubre todo y mantiene intacto ese espanto" (381). Véase también 80, 141-142, 313.

[152] *Pillaron*, sorprendieron.

[153] *Rebenque*, látigo empleado por los jinetes.

[154] *Sin un cinco*, locución adverbial propia de situaciones informales o coloquiales: con nada o muy poco dinero.

desde que se acordaba, y no le decía a nadie y ahora a los cuarenta años se me están soltando los dientes que llego a tener miedo de salpicarlos cuando estornudo. Total. Era un rato. Los garbanzos no me gustan pero cuando no hay más que comer... total. Propietaria, una. Nadie va a poder echarme, y si es cierto que el pueblo éste se va a ir para arriba, entonces, claro, la vida no era tan mala, y hay esperanza hasta para una loca fea como yo, y entonces la desgracia no era desgracia sino que podía transformarse en una maravilla gracias a don Alejo, que me promete que las cosas pueden ser maravillosas, cantar y reírse y bailar en la luz todas las noches, para siempre.

—Bueno.

—¿Trato hecho?

—Pero no me hagái nada porque grito[155].

—¿Trato hecho, Manuela?

—Trato hecho.

—Vamos a hacer leso[156] a don Alejo.

—¿Y después firmamos donde notario?

—Donde notario. En Talca.

—Ahora no tiritaba. Le latía muy fuerte el corazón.

—¿Y cuándo vamos a hacer los cuadros plásticos?

La Japonesa se asomó a la puerta.

—Don Alejo no ha salido de la pieza todavía, espera...

Se quedaron en silencio junto a la cocina. La Manuela retiró su mano de la mano de la Japonesa, que se la dejó ir porque ya no importaba, ese ser era suyo, entero. La Manuela en su casa siempre. Unido a ella. ¿Por qué no? Trabajadora era, eso se veía, y alegre, y tanta cosa que sabía de arreglos y vestidos y comida, sí, no estaba mal, mejor unida con la Manuela que con otro que la hiciera sufrir, mientras que la Manuela no la haría sufrir jamás, amiga, amiga nada más, juntas las dos. Fácil quererlo. Quizás llegaría a sufrir por él, pero de otra manera, no con ese alarido de dolor cuando un hombre deja de quererla, ese descuartizarse sola noche a noche

---

[155] *Hagái*, forma voseante de *hacer*. El uso de voseo aquí denota intimidad entre las hablantes.
[156] *Hacer leso*, engañar. Locución verbal característica de situaciones informales o coloquiales.

porque el hombre se va con otra o la engaña, o le saca plata, o se aprovecha de ella y ella, para que no se vaya, hace como si no supiera nada, apenas atreviéndose a respirar en la noche junto a ese cuerpo que de pronto, de pronto podía decirle que no, que nunca más, que hasta aquí llegaban… ella puede excitarlo, está segura, casi sin necesidad de esfuerzo porque el pobre tipo por dentro y sin saberlo ya está respondiendo a su calor. Si no fuera así jamás se hubiera fijado[157] en él para nada.

Excitarlo va a ser fácil. Incluso enamorarlo. Pero no. Eso lo echaría todo a perder. No sería conveniente. Era preferible que la Manuela jamás olvidara su posición en su casa —el maricón de la casa de putas, el socio. Pero aunque no se tratara de eso sería fácil para ella enamorarlo, tan fácil como en este momento era quererlo.

—Oye, Manuela, no te vayas a enamorar de mí…

---

[157] *Fijado*, de fijarse, poner atención, interesarse por algo o alguien.

VIII

—Esto es lo que vale, compadre, no sea leso: la plata. ¿Usted cree que si uno tuviera no sería igual a él? ¿O cree que don Alejo es de una marca especial? No, nada de cuestiones aquí. Usted le tiene miedo al viejo porque le debe plata nomás. No, si no le voy a decir a nadie. ¿Usted cree que yo quiero que la gente sepa cómo trató al marido de mi hermana? En el sobrecito que le di tiene la plata para pagarle lo que le debe… no, págueme cuando pueda, sin urgencia, usted es de la familia. Yo no soy de esos futres parados[158] y no me voy a portar con usted como él. ¡Las cosas que le dijo, por Diosito Santo! Le digo que no se preocupe, que a mí me sobra. Me da una rabia con estos futres… ¿Por qué va a estar haciéndole caso de no ir donde la Japonesita si a usted se le antoja y paga su consumo? ¿Es de él la Japonesita? Claro, el futre cree que todo es suyo, y no, señor. A usted no lo manda, ni a mí tampoco y si queremos vamos donde se nos antoja. ¿No es cierto? Usted le paga su plata y adiós… Ya pues, Pancho, anímese, que no es para tanto…

El camión pasó de largo frente a la casa de la Japonesita. Doblaron lentamente por esa bocacalle y luego dieron vuelta a esa manzana y de nuevo frente a la casa de la Japonesita, esta vez sin tocar la bocina, Octavio convenciéndolo, dando vueltas y vueltas alrededor de la manzana.

—¿Y qué hago con la cuestión de los fletes?

—No se preocupe. ¿No ve que todos los camioneros de por aquí pasan por mi gasolinera y yo sé donde hay mejores fletes de la región? No se preocupe. Le digo que usted no es esclavo de ese viejo… Bueno. Ya me aburrí con este asunto. Vamos a pagarle ahora mismo, sí, ahora…

—Es tarde…[159]

Octavio lo pensó.

---

[158] *Parado*, de personalidad fuerte y orgullosa.
[159] En edición de Alfaguara punto en vez de suspensivos: "Es tarde." (88).

—Total, qué me importa que estén comiendo. Vamos nomás.

Pancho hizo girar el camión en la calle estrecha y enfiló hacia el otro lado, hacia el fundo El Olivo, más allá de la Estación. Él conocía su máquina, y en el camino más allá de las moras y de los canales que limitaban la estación, sorteó acequias y hoyos, maniobrando esa máquina enorme que le resultaba liviana ahora iba a casa de don Alejo para arrancarle la parte de ese camión que aún le pertenecía.

—Nos vamos a quedar pegados en el barro…

Octavio abrió la ventana y tiró el cigarrillo.

—No…

Pancho no siguió hablando porque avanzaba por un desfiladero de zarzamoras. Tenía que avanzar muy lentamente, los ojos fruncidos, la cabeza inclinada sobre el parabrisas. Para ver las piedras y los baches. Conocía bien este camino, pero de todos modos, mejor tener cuidado. Hasta los ruidos los conocía: aquí, detrás de la mora, el Canal de los Palos se dividía en dos y la rama para el potrero de Los Lagos borboteaba durante un trecho por una canaleta de madera. Ahora no se oía. Pero si fuera a pie como antes, como cuando era chico, el ruido del agua en la canaleta de madera se comenzaba a oír justamente aquí, pasando el sauce chueco[160]. Éste era el camino que todos los días recorría a pie pelado[161] para asistir a la escuela de la Estación El Olivo, cuando había escuela. Tiempo perdido. Misia Blanca le había enseñado a leer y a escribir y las cuatro operaciones junto con la Moniquita, que aprendió tan rápido y le ganaba en todo. Hasta que don Alejo dijo que Pancho tenía que ir a la escuela. Y después a estudiar qué sé yo, en la Universidad. ¡Cómo no! Fui el porro más porro[162] de la clase y nunca pasaba de curso porque no se me antojaba, hasta que don Alejo, que no tiene pelo de tonto, se dio cuenta y bueno, para qué seguirse molestando con este chiquillo si no salió bueno para las letras, es mejor que aprenda los números y a leer nomás para que no lo confundan con un animal, y

---

[160] *Chueco*, curvado, torcido.
[161] *Pie pelado*, locución adverbial característica de situaciones informales o coloquiales: con los pies descalzos.
[162] *Porro*, poco estudioso, sustantivo característico de situaciones informales o coloquiales.

que se ponga a ayudar en el campo, vamos a ver qué podemos hacer
con él, para qué va a ir a perder el tiempo en la escuela si tiene la
mollera dura. Cada piedra. Y más allá, el mojón de concreto roto
desde siempre. Quién sabe cómo lo rompieron. Difícil debe ser
romper un mojón de concreto pero roto está. Cada hoyo, cada piedra: don Alejo se las hizo aprender de memoria yendo y viniendo,
todos los días del fundo a la escuela y de la escuela al fundo hasta
que dijeron que ya estaba bueno, que qué se sacaban. Pero la Ema
quiere que la Normita vaya a un colegio de monjas, no quiero que
la niña sea una cualquiera, como una, que tuvo que casarse con el
primero que la miró para no quedarse para vestir santos[163] —mira
cómo estaría una si hubiera estudiado un poco, para qué decís eso
cuando sabís que te gusté apenas me viste y dejaste al chiquillo dueño de la carnicería porque te enamoraste de mí, pero estudiando
hubiera sido distinto, qué es estudiar mamá y qué son las monjitas,
yo quiero que la niña estudie una profesión corta como obstetricia,
qué es obstetricia mamá, y a él no le gustaba que preguntara, tan
chiquita y qué le va a explicar uno, mejor esperar que crezca. Si
quiero, si se me antoja, mando a mi hija que estudie. Don Alejo
no tiene nada que decir. Nada que ver conmigo. Yo soy yo. Solo. Y
claro, la familia, como Octavio, que es mi compadre así es que no
me importa deberle y no me va a hacer nada si me demoro un poco
con los pagos… le va a gustar que le quiera comprar casa a la Ema.
Ahora le pago al viejo y me voy.

El camión giró entre dos plátanos[164] y entró por una avenida de
palmeras[165]. A los lados, bodegas. Y montones de orujo fétido junto

---

[163] *Vestir santos*, expresión despectiva relacionada con la antigua costumbre de mujeres, generalmente
viudas y solteras, de limpiar y mantener las iglesias. Entre las tareas desempeñadas era frecuente
la de vestir a las imágenes de los santos de la iglesia a la que servían en forma voluntaria.

[164] *Plátano*, árbol de uso principalmente ornamental, de copa ancha y larga vida, que se importó a
Chile, especialmente desde Francia, a principios del siglo XX. Su nombre es *Platanus orientalis*
y fue introducido al país por recomendación de destacadas personalidades de la época como el
científico alemán Federico Albert y el paisajista francés a cago del diseño del Parque Forestal,
George Dubois.

[165] *Palmera*, probablemente se refiere a la palma chilena, la que se caracteriza por tener un tronco
grueso de corteza lisa, generalmente más angosto hacia arriba. De crecimiento lento, puede tolerar temperaturas muy bajas y llegar a medir hasta veinticinco metros de altura.

134

a los galpones cerrados y oscuros. Al fondo, el parque, la encina gigantesca bajo la cual los veía tenderse en las hamacas y sillas de lona multicolor — él mirándolos desde el otro lado, pero cuando chico no porque la Moniquita y él jugaban juntos entre las hortensias gigantes, los dos solos, y los grandes se reían de él preguntándole si era novio de la Moniquita y él decía que sí, y entonces sí que lo dejaban entrar, pero después, cuando era más grande, entonces ya no: leían revistas en idiomas desconocidos, dormitando en las sillas de lona desteñida.

Los cuatro perros se precipitaron hacia el camión, que se acercaba por la avenida de palmeras, y atacaron su caparazón brillante, rasguñándolo y embarrándolo en cuanto se detuvo frente a la llavería[166].

—Bajémonos...

—¿Cómo, con estos brutos?

Los brincos y gruñidos de los perros los sitiaron en la cabina. Entonces Pancho, porque sí, porque le dio rabia, porque le dio miedo, porque odiaba a los perros, comenzó a tocar la bocina como un loco y los perros a redoblar sus saltos rasguñando la pintura colorada que tanto cuidaba, pero ya no importa, ahora no importa nada más que tocar, tocar, para derribar las palmeras y la encina y atravesar la noche de parte a parte para que no quede nada, tocar, tocar, y los perros ladran mientras en el corredor se prende la luz y se animan figuras entre los sacos, y bajo las puertas, gritando a los perros, corriendo hacia el camión pero Pancho no cesa, tiene que seguir, los perros furiosos sin obedecer a los peones que los llaman. Hasta que aparece don Alejo en lo alto de las gradas del corredor y Pancho deja de tocar. Entonces los perros se callaron y corrieron hacia él.

—Otelo... Sultán. Acá, Negus, Moro...

Los perros se alinearon detrás de don Alejo.

—¿Quién es?

Pancho se quedó mudo, exangüe, como si hubiera gastado toda su fuerza. Octavio le dio un codazo, pero Pancho siguió mudo.

---

[166] *Llavería*, lugar donde en los antiguos fundos se reunían los objetos que se guardaban bajo llave.

—Bah. Poco hombre.

Entonces Pancho abrió la puerta y saltó a tierra. Los perros se abalanzaron sobre él pero don Alejo alcanzó a llamarlos mientras Pancho volvía a subir a la cabina. Octavio había apagado los focos, y surgió todo el paisaje de la oscuridad, y la encina negra y las frondas de las palmas y el espesor de los muros y las tejas de los aleros se dibujaron contra el cielo repentinamente hondo y vacío.

—¿Quién es?

—Pancho, don Alejo. Hay que ver sus perritos.

—¿Qué es esta pelotera que llegaste metiendo?

¿Estás borracho, sinvergüenza, que crees que puedes llegar a mi casa a cualquiera hora metiendo todo este ruido? Ustedes —encierren a los perros por allá, ya Moro, Sultán, allá, Otelo, Negus... y tú, Pancho, sube para acá arriba para el corredor mientras yo voy a buscar mi manta, mira que está helando...

Pancho y Octavio bajaron cautelosamente del camión tratando de no caer en las pozas, y subieron al corredor. En el fondo de la U que abrazaba el parque vieron unas ventanas con luz. Se acercaron. El comedor. La familia reunida bajo la lámpara. Un muchacho de anteojos —nieto, el hijo de don Jorge, qué estará haciendo aquí en el fundo cuando ya debía estar en el colegio. Y Misia Blanca a la cabecera. Canosa, ahora. Era rubia,[167] con una trenza muy larga que se enrollaba alrededor de la cabeza y que se cortó cuando él le pegó el tifus a la Moniquita. Él la vio hacerlo, a Misia Blanca, en la capilla ardiente —alzó sus brazos, sus manos tomaron su trenza pesada y la cortó al ras, en la nuca. Él la vio: a través de sus lágrimas que le brotaron sólo entonces, sólo cuando la señora Blanca se cortó la trenza y la echó adentro del cajón, él la vio nadando en sus lágrimas como ahora la veía nadando en el vidrio empañado del comedor. Que me presten a Panchito: llegaba a pedírselo a su madre para que fuera a jugar con la Moniquita porque eran casi de la misma edad y los sirvientes de la casa se reían de él porque decía que era novio de

---

[167] Errata en la edición príncipe. Se observa punto seguido antes de la preposición: "Era rubia. con una trenza muy larga" (95). Hemos mantenido la coma de Alfaguara 1995 (91).

la hija del patrón. Ahora, ella era una anciana. Comía en silencio. Y cuando don Alejo por fin salió a reunirse con ellos en el corredor, con el sombrero y la manta de vicuña puestos[168], Pancho lo vio tan alto, tan alto como cuando lo miraba para arriba, él, un niño que apenas sobrepasaba la altura de sus rodillas.

—¡Qué milagro, Pancho!

—Buenas noches, don Alejo…

—¿Con quién vienes?

—Con Octavio…

—Buenas noches.

—¿En qué puedo servirles?

Se dejó caer en un sillón de mimbre y los dos hombres quedaron parados ante él. Pequeño se veía ahora. Y enfermo.

—¿A qué vinieron a esta hora?

—Vengo a pagarle, don Alejo.

Se puso de pie.

—Pero si me pagaste esta mañana. No me debes nada hasta el mes entrante. ¿Qué te picó[169] de repente?

Iban paseándose por la U de los corredores. De cuando en cuando, al pasar, se repetía la imagen de Misia Blanca presidiendo la larga mesa casi vacía, una vez revolviendo la tisana, otra vez tapando la quesera, otra vez rompiendo el trozo de pan contra el mantel albo, dentro del marco de luz de la ventana. Octavio le iba explicando las cosas a don Alejo… quién sabe qué, prefiero no oír, lo hace mejor que yo. Sí, dejar que él lo haga porque él no se va a dejar montar[170] por don Alejo, como me monta a mí. Misia Blanca

---

[168] Tanto en la edición príncipe como la primera edición de Alfaguara, se observa el singular "puesto". Hemos rescatado el plural "puestos" presente en el mecanoescrito más tardío de la novela (Tss University of Iowa, 90).

[169] *Picó*, expresión idiomática donde se omite "el bicho" de locución verbal "picarle a alguien un bicho", con el sentido de experimentar un cambio súbito que lleva a un interés marcado y aparentemente irracional por algo.

[170] Sharon Magnarelli propone la deshumanización de la Manuela y Japonesita mediante el empleo de este verbo (ver nota 11 del texto incluido en este dossier). Rubí Carreño (2007), por su parte, interpreta el empleo del verbo montar en este contexto como un "erotización del poder", "de la subordinación" (136) presente en la novela.

elige en un platillo un terrón de azúcar tostada para su tisana. Uno para ella, otro para la Moniquita y otro para ti, Panchito, tiene un trozo de hoja de cedrón pegada, le da un gusto especial, gusto a Misia Blanca, bueno, váyanse a jugar al jardín y no la pierdas de vista, Pancho, que eres más grande y la tienes que cuidar. Y las hortensias descomunales allá en el fondo de la sombra, junto a la acequia de ladrillos aterciopelados de musgo él papá y ella mamá de las muñecas, hasta que los chiquillos nos pillan jugando con el catrecito, yo arrullando a la muñeca en mis brazos porque la Moniquita dice que así lo hacen los papás y los chiquillos se ríen —marica, marica, jugando a las muñecas como las mujeres y no quiero volver nunca más pero me obligan porque me dan de comer y me visten pero yo prefiero pasar hambre y espío desde el cerco de ligustros porque quisiera ir de nuevo pero no quiero que me digan que soy el novio de la hija del patrón, y marica, marica por lo de las muñecas. Hasta que un día don Alejo me encuentra espiando entre los ligustros. Te pillé chiquillo de mierda. Y su mano me toma de aquí, del cuello, y yo me agarro de su manta pataleando, él tan grande yo tan mínimo mirándolo para arriba como a un acantilado. Su manta un poco resbalosa y muy caliente porque es de vicuña. Y él me arrastra por los matorrales y yo me prendo a su manta porque es tan suave y tan caliente y me arrastra y yo le digo que no me habían dado permiso para venir, mentiroso, él lo sabe todo, eres un mentiroso Pancho, no te arranques, porque quién va a cuidar y a jugar con la niña más que tú, y me lanza al parque tan grande para que la busque en la maraña de matorrales, y corro y mis pies se enredan en las pervincas[171] pero yo no tengo para qué correr tanto si sé que está como todos los días, bajo las hortensias, en la sombra, junto a la tapia en que brillan las astillas de botellas quebradas, y llego y la toco, y de la punta de mi cuerpo con que iba penetrando el bosque de malezas, huyendo, esa punta de mi cuerpo derrama algo que me moja[172] y

---

[171] *Pervinca*, planta herbácea de la familia Apocynaceae.
[172] La conexión entre las matas maduras de hortensias al fondo del jardín y una escena sexual también se observa en el Capítulo XII de *El obsceno pájaro de la noche*, específicamente en el segundo

entonces yo me enfermo de tifus y ella también y ella se muere y yo no[173], y yo me quedo mirando a Misia Blanca y sólo cuando sus manos levantan su trenza para cortarla comienzan a brotar mis lágrimas porque yo me mejoré y porque Misia Blanca se está cortando la trenza. Ha apagado la luz del comedor. En esta vuelta ya no está. La voz de Octavio sigue explicando: sí, don Alejo, cómo no, no importa, aunque no le den los fletes, yo ya le conseguí otros, sí, muy buenos, unos fletes de ladrillos, unos que están haciendo por el otro lado de...

—¿De quién son esos ladrillos?

Octavio no contestó.

Don Alejo se detuvo sorprendido ante el silencio, y ellos también, Octavio sosteniendo la mirada del senador durante un instante.

¿Era posible? Pancho se dio cuenta de que Octavio no contestaba la pregunta de don Alejo porque si llegaba a saber de quién eran esos ladrillos podía llamar por teléfono, bastaba eso, para que no se los dieran. Él conocía a todo el mundo. Todo el mundo lo respetaba. Tenía los hilos de todo el mundo en sus dedos. Pero su cuñado Octavio, su compadre, el padrino de la Normita, le estaba haciendo frente: Octavio era nuevo en la zona y no le tenía miedo al viejo. Y porque no quería, no le contestaba. Dieron una vuelta entera por el corredor sin hablar. El parque estaba callado pero vivo, y el silencio que dejaron sus voces se fue recamando de ruidos casi imperceptibles, la gota que caía de la punta del alero, llaves tintineando en el bolsillo de Octavio, el escalofrío del jazmín casi

---

fragmento narrado desde la perspectiva de Jerónimo de Azcoitía: "Aprieto la mano de Inés. Es fría, perfecta. Responde a mi mano que la aprieta apenas, y la aprieto más y la arrastro hasta los macizos de hortensias para escondernos como adolescentes" (202). Al igual que la noche de la apuesta en *El lugar sin límites* narrada en el siguiente capítulo, la escena entre Inés y Jerónimo de Azcoitía también cuenta con testigos: "El círculo de miradas fulgurantes se ha instalado en la espesura alrededor nuestro. No temas a los testigos, Inés..." (202).

[173] Esta escena en la que Pancho reconstruye mediante el recuerdo el momento en que Moniquita se enferma de tifus responsabilizándose de su muerte, es una de las menos trabajadas por la crítica de la novela. Ver Philip Swanson, 1988, p. 54 y nota 15 del texto de Sharon Magnarelli incluido en el *dossier* de esta edición.

desnudo atravesando por goterones, los pasos lentos que concluye-
ron en la puerta de la casa.

—Hace frío…

—Claro. Con tanto fresco.

Pancho se estremeció con las palabras de su cuñado: don Alejo
lo miró a punto de preguntarle qué quería decir con eso, pero no lo
hizo, y comenzó a contar los billetes que Octavio le entregó.

—Tres por lo menos…

—¿Qué dice?

—Frescos[174]… tres…

Pancho le arrebató la palabra a su cuñado antes de que conti-
nuara entusiasmado por sus triunfos. ¿Eran triunfos? Don Alejo
estaba demasiado tranquilo. Quizás no había oído.

—No, no, nada, don Alejo. Bueno, si está conforme no lo mo-
lestamos más y nos vamos. Estamos quitándole el tiempo. Y con
este frío. Salúdeme a Misia Blanca, por favor. ¿Está bien?

Don Alejo los acompañó hasta el extremo del corredor para
despedirlos. Cruzando el barro hacia el camión se dieron vuelta y
vieron a los cuatro perros junto a él en las gradas.

—Cuidadito con los perros…

Don Alejo se rió fuerte.

—Cómetelos Sultán…

Y los cuatro perros se lanzaron detrás de ellos. Apenas tuvieron
tiempo para subir al camión antes de que comenzaran a arañar las
puertas. Al girar hacia la salida los focos alumbraron un momento
la figura de don Alejo en lo alto de las gradas y después los focos
que avanzaban fueron tragándose, de par en par, las palmeras de la
salida del fundo. Pancho dio un suspiro.

—Ya está.

—No me dejaste decirle en su cara que es un fresco.

—Si es buena gente el futre.

---

[174] Sharon Magnarelli, en la nota 16 del texto incluido en el dossier, apunta cómo en la única traducción disponible al inglés de la novela, se pierde el juego de palabras de Octavio dirigidas a don
Alejo con las que implica que Cruz es un descarado, sinvergüenza.

Pero fresco. Octavio se lo había venido contando cuando venían hacia el pueblo y entonces le creyó, pero ahora era más difícil creerlo. Que lo sabían hasta las piedras del camino por donde regresaban a la Estación. Que no fuera idiota, que se diera cuenta de que el viejo jamás se había preocupado de la electricidad del pueblo, que era puro cuento, que al contrario, ahora le convenía que el pueblo no se electrificara jamás. Que no fuera inocente, que el viejo era un macuco[175]. Las veces que había ido a hablar con el Intendente del asunto era para distraerlo, para que no electrificara el pueblo, yo se lo digo porque sé, porque el chofer del Intendente es amigo mío y me contó, no sea leso, compadre. Claro. Piénselo. Quiere que toda la gente se vaya del pueblo. Y como él es dueño de casi todas las casas, si no de todas, entonces, qué le cuesta echarle otra habladita al Intendente para que le ceda los terrenos de las calles que eran de él para empezar y entonces echar abajo todas las casas y arar el terreno del pueblo, abonado y descansado, y plantar más y más viñas como si el pueblo jamás hubiera existido, sí, me consta que eso es lo que quiere. Ahora, después que se le hundió el proyecto de hacer la Estación El Olivo un gran pueblo, como pensó cuando el longitudinal iba a pasar por aquí mismo, por la puerta de su casa...

Inclinado sobre el manubrio[176], Pancho escudriña la oscuridad porque tiene que escudriñarla si no quiere despeñarse en un canal o injertarse en la zarzamora. Cada piedra del camino hay que mirarla, cada bache, cada uno de estos árboles que yo iba a abandonar para siempre. Creí que quedaba aquí esto con mis huellas, para después pensar cuando quisiera en estas calles por donde voy entrando, que ya no van a existir y no voy a poder recordarlas porque ya no existen y yo ya no podré volver. No quiero volver. Quiero ir hacia otras cosas, hacia adelante. La casa en Talca para la Ema y la escuela para la Normita. Me gustaría tener donde volver no para volver sino para tenerlo, nada más, y ahora no voy a tener. Porque don Alejo se va a morir. La certidumbre de la muerte de don Alejo vació la

---

[175] *Macuco*, astuto.
[176] *Manubrio*, volante en un vehículo terrestre.

noche y Pancho tuvo que aferrarse de su manubrio para no caer en ese abismo.

—Compadre.

—¿Qué le pasa?

No supo qué decir. Era sólo para oír su voz. Para ver si realmente quería ser como Octavio, que no tenía dónde volver y no le importaba. Era el hombre más macanudo[177] del mundo porque se hizo su situación solo y ahora era dueño de una estación de servicio y del restaurancito del lado en el camino longitudinal, por donde pasaban cientos de camiones. Hacía lo que quería y le pasaba para la semana a su mujer, no como la Ema, que le sacaba toda la plata, como si se la debiera. Octavio era un gran hombre, gran, gran. Era una suerte haberse casado con su hermana. Uno sentía las espaldas cubiertas.

—Quedó a mano, entonces. Mejor no tener nada que ver con ellos. Son una mugre, compadre, se lo digo yo, usted no sabe en las que me han metido estos futres de porquería.

Iban llegando al pueblo.

—¿A dónde vamos?

—A celebrar.

—¿Pero a dónde?

—¿A dónde cree, pues compadre?

—Donde la Japonesita.

—Adonde la Japonesita, entonces.

---

[177] *Macanudo*, magnífico, extraordinario.

IX

La Japonesita apagó el chonchón.

—Es él.

—¿Otra vez?

Después que cerraron las puertas del camión transcurrió un minuto espeso de espera, tan largo que parecía que los hombres que bajaron se hubieran extraviado en la noche. Cuando por fin golpearon en la puerta del salón, la Manuela apretó su vestido de española.

—Me voy a esconder.

—Papá, espere...

—Me va a matar.

—¿Y yo?

—Qué me importa. A mí me la tiene jurada. No tengo nada que ver con lo que te pase a ti.

Salió corriendo al patio. Si se salvaba de ésta seguro que se moría de bronconeumonía como todas las viejas. ¿Qué tenía que ver ella con la Japonesita? Que se defendiera si quería defenderse, que se entregara si quería entregarse, ella, la Manuela, no estaba para salvar a nadie, apenas su propio pellejo, y menos que nadie a la Japonesita que le decía "papá", papá cuando una tenía miedo de que Pancho viniera a matarla por loca. Lo mejor era escabullirse por el sitio del lado para ir a pasar la noche donde la Ludovinia, caliente siempre en su dormitorio, y cama de dos plazas, no, no, nada de meterse en cama con mujeres, ya sabía lo que podía pasarle. Pero a la Ludo quizás le quedaran sopaipillas de la hora del almuerzo y se las calentara en el rescoldo y le diera unos matecitos y pudieran ponerse a hablar de cosas tan lindas los sombreros de Misia Blanca cuando se usaban los sombreros y olvidarse de esto, porque esto sí que no se lo iba a contar a la Ludo para que no le preguntara y no tener que hablar. Hasta que esto retrocediera entrando en la oscuridad que se lo va tragando y entonces una le diría a la Ludo que sí, fíjate, mañana tal vez pudiera decírselo, fíjate que la chiquilla por fin se decidió y se llevó al hombre para la pieza, ya estaba bueno de leseras[178], ahora sí que nos vamos a quedar tranquilas, y toda la oscuridad rodeando todo hasta que fuera hora de dormir y poder ir dejándose caer gota a gota, gota a gota, dentro del charco del sueño que crecería hasta llenar entero el cuarto tibio de la Ludo.

La luz se encendió de nuevo en el salón. Un hombre apareció en el rectángulo. La aguja de la victrola comenzó a raspar un disco. Octavio se apoyó en el marco de la puerta. La Manuela dio un paso atrás, abrió la reja del gallinero y se escondió debajo de la mediagua[179] junto a la escalerilla blanqueada por la caca de las gallinas, y el pavo de la Lucy comenzó a rondar, inflado, furioso, todas las plumas erizadas. La Manuela se metió una mano debajo de la camisa para calentársela: cada uno de los pliegues de su piel añeja era como de cartón escarchado, y la retiró. Ahora bailaban. La Japonesita cruzó el rectángulo de luz, prendida a Pancho Vega.

En un rato más iban a comenzar a registrar la casa para buscarla. ¡Si la Japonesita fuera lo suficientemente mujer para entretenerlos, para desviar sus bríos hacia ella misma, que tanto los necesitaba! Pero no. Iban a registrar. La Manuela lo sabía, iban a sacar a las putas de sus cuartos, a deshacer la cocina, a buscarla a ella en el retrete, tal vez en el gallinero, a romperlo todo, los platos y los vasos y la ropa, y a ellas, y a ella si llegaban a encontrarla. Porque a eso habían venido. A mí no van a engañarme. Esos hombres no habían brotado así nomás de la noche para acudir a la casa y acostarse con una mujer cualquiera y tomar unas jarras de vino cualesquiera, no, vinieron a buscarla a ella, para martirizarla y obligarla a bailar. Sabían que a ella se le había puesto entre ceja y ceja[180] que no quería bailar para ellos, tal como el año pasado se le puso a Pancho que sí, que tenía que bailarle, roto bruto, viene por ella, la Manuela lo sabe. Mientras tanto se conformaba con bailar con la Japonesita. Pero después iba a buscarla a ella. Sí, podía haberme ido donde

---

[178] *Leseras*, tonterías, acciones ridículas.
[179] *Mediagua*, casa de muy baja calidad y característica de sectores muy pobres.
[180] *Entre ceja y ceja*, locución verbal para indicar una idea fija, inmutable.

la Ludo. Pero no. La Japonesita bailaba, raro, porque no bailaba nunca, ni aunque le rogaran. No le gustaba. Ahora sí. La vio girar frente a la puerta abierta de par en par, pegada a él, como derretida y derramada sobre Pancho, con sus bigotes negros escondidos en el cuello de la Japonesita, sus bigotes sucios, el borde de abajo teñido de vino y nicotina. Y agarrándole el nacimiento de las nalgas, sus manos manchadas de nicotina y de aceite de máquina. Y Octavio parado en el vano de la puerta, fumando, esperando: después lanzó el cigarrillo a la noche y entró. El disco se detuvo. Una carcajada: Un grito de la Japonesita. Una silla cae. Algo le están haciendo. La mano de la Manuela metida de nuevo entre su piel y su camisa justo donde late el corazón, aprieta hasta hacerse doler, como quisiera hacerle doler el cuerpo a Pancho Vega, por qué grita de nuevo la Japonesita, ay, ay, papá que no me llame, que no me llame así otra vez porque no tengo puños para defenderla, sólo sé bailar, y tiritar aquí en el gallinero.

...Pero una vez no tirité. El cuerpo desnudo de la Japonesa Grande, caliente, ay, si tuviera ese calor ahora, si la Japonesita lo tuviera para así no necesitar otros calores, el cuerpo desnudo y asqueroso pero caliente de la Japonesa Grande rodeándome, sus manos en mi cuello y yo mirándole esas cosas que crecían allí en el pecho como si no supiera que existían, pesadas y con puntas rojas a la luz del chonchón que no habíamos apagado para que ellos nos miraran desde la ventana. Por lo menos esa comprobación exigieron. Y la casa sería nuestra. Mía. Y yo en medio de esa carne, y la boca de esa mujer borracha que buscaba la mía como busca un cerdo en un barrial aunque el trato fue que no nos besaríamos, que me daba asco, pero ella buscaba mi boca, no sé, hasta hoy no sé por qué la Japonesa Grande tenía esa hambre de mi boca y la buscaba y yo no quería y se la negaba frunciéndola, mordiéndole los labios ansiosos, ocultando la cara en la almohada, cualquier cosa porque tenía miedo de ver que la Japonesa iba más allá de nuestro pacto y que algo venía brotando y yo no... Yo quería no tener asco de la carne de esa mujer que me recordaba la casa que iba a ser mía con esta comedia tan fácil pero tan terrible, que no comprometía

a nada pero… y don Alejo mirándonos. ¿Podíamos burlarnos de
él? Eso me hacía temblar. ¿Podíamos? ¿No moriríamos, de alguna
manera, si lo lográbamos? Y la Japonesa me hizo tomar otro vaso de
vino para que pierdas el miedo y yo tomándomelo derramé medio
vaso en la almohada junto a la cabeza de la Japonesa cuya carne me
requería, y otro vaso más. Después ya no volvió a decir casi nada.
Tenía los ojos cerrados y el rimmel corrido y la cara sudada y todo
el cuerpo, el vientre mojado sobre todo, pegado al mío y yo en-
contrando que todo esto está de más, es innecesario, me están trai-
cionando, ay qué claro sentí que era una traición para apresarme y
meterme para siempre en un calabozo porque la Japonesa Grande
estaba yendo más allá de la apuesta con ese olor, como si un caldo
brujo se estuviera preparando en el fuego que ardía bajo la vegetación del vértice de sus piernas, y ese olor se prendía en mi cuerpo y
se pegaba a mí, el olor de ese cuerpo de conductos y cavernas ini-
maginables ininteligibles, manchadas de otros líquidos, pobladas
de otros gritos y otras bestias, y este hervor tan distinto al mío, a mi
cuerpo de muñeca mentida, sin hondura, todo hacia afuera lo mío,
inútil, colgando, mientras ella acariciándome con su boca y sus
palmas húmedas, con los ojos terriblemente cerrados para que yo
no supiera qué sucedía adentro, abierta, todo hacia adentro, pasajes
y conductos y cavernas y yo allí, muerto en sus brazos, en su mano
que está urgiéndome para que viva, que sí, que puedes, y yo nada, y
en el cajón al lado de la cama el chonchón silbando apenas casi junto a mi oído como en un largo secreteo sin significado. Y sus manos
blandas me registran, y me dice me gustas, me dice quiero esto, y
comienza a susurrar de nuevo, como el chonchón, en mi oído y yo
oigo esas risas en la ventana: don Alejo mirándome, mirándonos,
nosotros retorciéndonos, anudados y sudorosos para complacerlo
porque él nos mandó hacerlo para que lo divirtiéramos y sólo así
nos daría esta casa de adobe[181], de vigas mordidas por los ratones,

---

[181] Sharon Magnarelli apunta cómo en *El lugar sin límites* la "copulación teatral" o el "espectáculo de
la copulación" protagonizado por la Manuela y la Japonesa Grande es "escrito y dirigido por Alejo, quien determina cuál será el teatro, cuándo y dónde se llevará a cabo la representación" (71).

y ellos, los que miran, don Alejo y los otros que se ríen de nosotros, no oyen lo que la Japonesa Grande me dice muy despacito al
oído, mijito, es rico, no tenga miedo, si no vamos a hacer nada, si
es la pura comedia para que ellos crean y no se preocupe mijito y
su voz es caliente como un abrazo y su aliento manchado de vino,
rodeándome, pero ahora importa menos porque por mucho que su
mano me toque no necesito hacer nada, nada, es todo una comedia, no va a pasar nada, es para la casa, nada más, para la casa. Su
sonrisa pegada en la almohada, dibujada en el lienzo. A ella le gusta
hacer lo que está haciendo aquí en las sábanas conmigo. Le gusta
que yo no pueda: con nadie, dime que sí, Manuelita linda, dime
que nunca con ninguna mujer antes que yo, que soy la primera, la
única, y así voy a poder gozar mi linda, mi alma, Manuelita, voy
a gozar, me gusta tu cuerpo aterrado y todos tus miedos y quisiera
romper tu miedo, no, no tengas miedo Manuela, no romperlo sino
que suavemente quitarlo de donde está para llegar a una parte de
mí que ella, la pobre Japonesa Grande, creía que existía pero que
no existe y no ha existido nunca, y no ha existido nunca a pesar
de que me toca y me acaricia y murmura… no existe, Japonesa
bruta, entiende, no existe. No mijita, Manuela, como si fuéramos
dos mujeres, mira, así, ves, las piernas entretejidas, el sexo en el
sexo dos sexos iguales, Manuela, no tengas miedo el movimiento
de las nalgas, de las caderas, la boca en la boca, como dos mujeres
cuando los caballeros en la casa de la Pecho de Palo les pagan a las
putas para que hagan cuadros plásticos… no, no, tú eres la mujer,
Manuela, yo soy la macha, ves cómo te estoy bajando los calzones y
cómo te quito el sostén para que tus pechos queden desnudos y yo
gozártelos, sí tienes Manuela, no llores, sí tienes pechos, chiquitos
como los de una niña, pero tienes y por eso te quiero. Hablas y me

La situación se reitera, aunque con una variante interesante, en los capítulos XII y XIII (237) de
El obsceno pájaro de la noche, donde don Jerónimo de Azocoitía no exige ser testigo como en la
noche de la apuesta, sino ser el objeto de contemplación: "Déjame desnudarte [Inés] ante el lustre
de sus miradas. Tiéndete en este lecho de hojas. Contémplenla, que para eso los tengo, y a mí,
que también me desnudo, también contémplenme: celebren mi potencia erguida, envídienmela
que para eso los alimento… (202).

acaricias y de repente me dices, ahora sí Manuelita de mi corazón, ves que puedes... Yo soñaba mis senos acariciados, y algo sucedía mientras ella me decía sí, mijita, yo te estoy haciendo gozar porque yo soy la macha y tú la hembra, te quiero porque eres todo, y siento el calor de ella que me engulle, a mí, a un yo que no existe, y ella me guía riéndose, conmigo porque yo me río también, muertos de la risa los dos para cubrir la vergüenza de las agitaciones, y mi lengua en su boca y qué importa que estén mirándonos desde la ventana, mejor así, más rico, hasta estremecerme[182] y quedar mutilado, desangrándome dentro de ella mientras ella grita y me aprieta y luego cae, mijito lindo, qué cosa más rica, hacía tanto tiempo, tanto, y las palabras se disuelven y se evaporan los olores y las redondeces se repliegan, quedo yo, durmiendo sobre ella, y ella me dice al oído, como entre sueños: mijita, mijito, confundidas sus palabras con la almohada. No le contemos a nadie mira que es una vergüenza lo que me pasó, mujer, no seas tonta, Manuela, que te ganaste la casa como una reina, me ganaste la casa para mí, para las dos. Pero júrame que nunca más, Japonesa por Dios qué asco, júrame, socias, claro, pero esto no, nunca más porque ahora ya no existe ese tú, ese yo que ahora estoy necesitando tanto, y que quisiera llamar desde este rincón del gallinero, mientras los veo bailar allá en el salón...

...los puños que no tiene sólo le sirven para arrebujarse en la parcela desteñida de su vestido. Matar a Pancho con ese vestido. Ahorcarlo con él. La Lucy salió al patio como si hubiera estado esperando ese momento.

—Pssssttt.

Miró para todos lados.

—Lucy, aquí...

En el salón el disco se repite y se repite.

—¿Qué estái haciendo ahí como gallina clueca?

—Anda para el salón.

—Ya voy. ¿Hay gente?

---

[182] Intromisión editorial en las ediciones del primer ciclo español donde se observa "estremecerse" (Euros, 124; Bruguera, 147; Sedmay, 137) en vez de "estremecerme" de la edición príncipe (109).

—Pancho y Octavio.

La Japonesita y Pancho que cruzan bailando la puerta, despiertan el rostro de la Lucy.

—¿Está sola?

—Anda, te digo.

¿Qué derecho tiene la puta de mierda de la Lucy a censurarla a ella porque espera escondida en el gallinero? Mañana le cobrará la plata que le debe de un vestido, porque se estaba haciendo la lesa[183], claro, sabiendo lo que a ella le gustan los hombres, y cree que por eso la tienen que tolerar. Es una asilada como todas las otras. No tiene derecho. Y la Japonesita también… ¿Qué derecho? ¿Derecho a qué? Papá. ¡Qué papá! No me hagas reírme, por favor, mira que tengo los labios partidos y me duelen cuando me río… papá. Déjame tranquila. Papá de nadie. La Manuela nomás, la que puede bailar hasta la madrugada y hacer reír a una pieza llena de borrachos y con la risa hacer que olviden a sus mujeres moquillentas[184] mientras ella, una artista, recibe aplausos, y la luz estalla en un sinfín de estrellas. No tenía para qué pensar en el desprecio y en las risas que tan bien conoce porque son parte de la diversión de los hombres, a eso vienen, a despreciarla a una, pero en la pista, con una flor detrás de la oreja, vieja y patuleca[185] como estaba, ella era más mujer que todas las Lucys y las Clotys y las Japonesitas de la tierra… curvando hacia atrás el dorso y frunciendo los labios y zapateando con más furia, reían más y la ola de la risa la llevaba hacia arriba, hacia las luces.

Que la Japonesita grite allá adentro. Que aprenda a ser mujer a la fuerza, como aprendió una. Está buena la fiesta. La Lucy baila con Octavio, pero ella es la única capaz de hacer que la fiesta se transforme en una remolienda[186] de padre y señor mío, ella, porque es la Manuela. Aunque tiemble aquí en la oscuridad rodeada de

---

[183] *Hacerse la lesa*, locución verbal, característica de situaciones informales, coloquiales: hacerse el desentendido.

[184] *Moquillenta*, que secreta mucosidad nasal en forma excesiva.

[185] *Patuleca*, referido a una persona que tiene un defecto en las piernas.

[186] *Remolienda*, fiesta bulliciosa y alborotada.

guano de gallina tan viejo que ya ni siquiera olor le queda. Ésas no son mujeres. Ella va a demostrarles quién es mujer y cómo se es mujer. Se quita la camisa y la dobla sobre el tramo de la escalera. Y los zapatos... sí, los pies desnudos como una verdadera gitana. También se quita los pantalones, y queda desnudo en el gallinero, con los brazos cruzados sobre el pecho y eso tan extraño colgándole. Se pone el vestido de española por encima de la cabeza y los faldones caen a su alrededor como un baño de tibieza porque nada puede abrigarla como estos metros y metros de fatigada percala colorada. Se entalla el vestido. Se arregla los pliegues alrededor del escote... un poco de relleno aquí donde no tengo nada. Claro, es que una es tan chiquilla, la gitanilla, un primor, apenas una niñita que va a bailar y por eso no tiene senos, así, casi como un muchachito, pero no ella, porque es tan femenina, el talle quebrado y todo... la Manuela sonríe en la oscuridad del gallinero mientras se pone detrás de la oreja la amapola de gasa que le prestó la Lucy. Haz lo que quieras con la Japonesita. Total, qué tiene que ver ella con el asunto. Ella no es más que la gran artista que ha venido a la casa de la Japonesita[187] a hacer su número, loca, loca, quiere divertirse, siente las manos pesadas de Pancho pulsándola esa noche como que no quiere la cosa[188] cuando nadie lo está mirando, agarrones, sí señor, agarrones[189] y de los buenos. Que hagan lo que quieran con ella, treinta hombres. Ojalá tuviera una otra edad para aguantar. Pero no. Duelen las encías. Y las coyunturas, ay, cómo duelen las coyunturas y los huesos y las rodillas en la mañana, qué ganas de quedarse en la cama para siempre, para siempre, y que me cuiden. Con tal que la Japonesita se decida esta noche. Que se la lleve Pancho. Que haga circular su sangre pálida por ese cuerpo de pollo desplumado, sin vello siquiera donde debía tenerlo porque ya es grande, pobre, no sabe lo que se pierde, las manos de Pancho que

---

[187] Intromisión editorial en la edición de Bruguera donde se observa "Japonesa" (151) en vez de "Japonesita" de la edición príncipe (112).

[188] *Como que no quiere la cosa*, locución adverbial: aparentando tener poco interés.

[189] *Agarrones*, manoseo lascivo de alguna parte del cuerpo de otro, tales como glúteos, senos, muslos.

aprietan mi linda, no seas tonta, no pierdas la vida, y yo que soy tu amiga, yo, la Manuela, voy a ir a bailar para que todo sea alegre como debe ser y no triste como tú porque cuentas peso y peso y no gastas nada... y esa flor que tengo en el pelo. La Manuela avanza a través del patio entallándose el vestido. Tan flaca, por Dios, a nadie le voy a gustar, sobre todo porque tengo el vestido embarrado y las patas embarradas y se quita una hoja de parra que se le pegó en el barro del talón y avanza hasta la luz y antes de entrar escucha oculta detrás de la puerta, mientras se persigna como las grandes artistas antes de salir a la luz.

X

En el fundo El Olivo, a don Céspedes le daban todo el vino que quería, tome nomás don Céspedes que para eso está le repetía el patrón, pero él era sobrio. A veces un vasito antes de echarse a dormir en la revoltura de sacos, entre los barriles de madera curada por cosechas y cosechas de vino. Era del mismo vino que el patrón le vendía a la Japonesita a precio de costo, por pura amistad y para que la pobre chiquilla hiciera un poco de ganancia, pero a nadie más, ni aunque le rogaran. A veces, muy tarde en la noche, cuando don Céspedes no lograba dormir por uno de los dolores que ya nunca abandonaban alguna región de su cuerpo, calzaba sus ojotas y echándose la manta sobre los hombros cruzaba la viña, pasaba el canal de los Palos por el tronco caído de un sauce, atravesaba el límite de zarzamora y alambrado por boquetes conocidos sólo por él, y llegaba a la casa de la Japonesita donde se instalaba silencioso en una de las mesas cerca de la pared, a tomarse una jarra de vino tinto, del mismo que tenía al alcance de su mano en la llavería.

Octavio lo vio entrar. La Japonesita no quería bailar con él, de modo que mientras esperaba que la Lucy y Pancho terminaran su baile llamó a don Céspedes, que se trasladó a su mesa. Octavio iba a preguntarle algo al viejo, pero no lo hizo porque lo vio quedarse tieso en su silla, mirando fijo a un punto preciso de la oscuridad, como si ese punto contuviera el plano detallado de toda la noche.

—Los perros…

—¿Qué dice, don Céspedes?

—Que soltaron los perros en la viña.

Se quedaron escuchando.

—No oigo nada.

—Ni yo tampoco.

—Pero andan. Yo los siento. Ahora van correteando hacia el norte, para el potrero[190] de los Largos, donde están las vacas… y ahora…

---

[190] *Potrero*, terreno extenso desprovisto de vegetación.

Una bandada de queltegües[191] cruzó por encima del pueblo.

— …y ahora vienen corriendo para acá, para la Estación.

La Japonesita y Octavio trataron de penetrar la noche con su atención, pero no pudieron traspasar la canción estridente para lanzarse al campo y recoger de allí la minucia de los ruidos y el soplo de las distancias. Octavio se sirvió un vaso de vino.

—¿Y quién soltó los perros?

—Don Alejandro. Es el único que los suelta.

—¿Y porqué?

—Cuando anda raro… y esta noche andaba raro. Me dijo que se iba a morir, cuando estuvo a conversar conmigo en la llavería esta noche, que un médico le dijo. Cosas raras dijo… que no quedará nada después de él porque todos sus proyectos le fracasaron…

—Futre goloso… ¿Si él, que es millonario, es un fracasado, qué nos deja a nosotros los pobres?

—Apuesto que anda en la viña con ellos.

—¿Y para qué los suelta si no quedó ni un racimo después de la vendimia y nadie va a estar entrándose?

—Quién sabe. A veces entran a otras cosas.

—¿A qué?

—Hay que andar con mucho cuidado con los perros. Son mañosos. Pero a mí no me muerden… Qué me van a estar mordiendo a mí cuando ni carne me queda.

Gris al otro lado de la llama de carburo, cerrado como alguien al que ya nada puede sucederle, la Japonesita lo vio envidiable en su inmunidad. Ni los perros lo mordían. Seguro que ni las pulgas de su jergón lo picaban. Alguien dijo una vez que don Céspedes ni comía ya, que las sirvientas de la casa de don Alejo a veces se

---

[191] *Queltegüe*, vocablo de origen mapuche: ave que habita desde Antofagasta hasta Tierra del Fuego, frecuentemente en lugares húmedos a orillas de tranques y lagunas. Su frente, garganta y pecho son de color negro, contrastando con el abdomen blanco. Oreste Plath en la sección "zoología agorera" dedicada a los animales cuyo vuelo y canto es utilizado para explicar la muerte, en su *Geografía del mito y de la leyenda chilenos* (1973), señala: "Al volar el queltehue en bandada rodeando una casa, es señal que dentro del mismo año morirá el jefe de esa morada" (375). Tanto en la edición príncipe como en la primera de Alfaguara, se usa el vocablo "queltegüe". Hemos respetado esa ortografía en nuestra versión.

acordaban de su existencia y lo buscaban por todas partes, por las bodegas y los galpones, y le llevaban un pan o queso o un plato de comida caliente que él aceptaba. Pero después volvían a olvidarse y ya quién sabe con qué se alimentaba el pobre viejo, durmiendo en sus sacos en cualquier parte dentro de las bodegas, perdido entre los arados y las maquinarias y los fardos de paja y trébol, encima de un montón de papas.

Pancho y la Lucy se sentaron a la mesa.

—Esto parece velorio…

Nadie contestó.

—Anímese pues, compadre, que si no me llevo a la Lucy…

Y miró a la Japonesita para ver cómo reaccionaba: estaba mirando el mismo punto de la oscuridad que don Céspedes. Le tocó un pecho, demasiado pequeño, como una pera pasmada, de esas que se encuentran sin perfume, incomibles, caídas bajo los árboles. Pero los ojos. Retiró la mano y se quedó mirando[192]. Dos redomas[193] iluminadas por dentro. Cada ojo brillaba entero tragado por el Iris traslúcido y Pancho sintió que si se inclinaba sobre ellos podría ver, como en un acuario, los jardines submarinos del interior de la Japonesita. No era agradable. Era raro. Si fuera por él la dejaría allí mismo. ¿Pero por qué la iba a dejar? ¿Porque el viejo lo mandó, porque don Alejo le advirtió que no se acercara a ella? Pero

---

[192] En Alfaguara 1995 se eliminó la conjunción "y": "Retiró la mano se quedó mirando" (111). Hemos mantenido la conjunción de la edición príncipe (116-117).

[193] Tres elementos remiten en este capítulo directamente a la tercera novela de Donoso *Este domingo*, que los materiales de trabajo del escritor confirman fue escrita después de *El lugar sin límites* y antes de retomar el proceso creativo de *El obsceno pájaro de la noche*: "redoma", "alfeñiques" y "tarro de té Mazawatte". En *Este domingo* "redoma" es utilizado desde el título del primer capítulo "En la redoma", y dentro de este, en su significado de vasija de vidrio, que en tanto contenedor, separa un afuera de un adentro. Primero, para hacer referencia al auto del padre del narrador-niño: "esta redoma de tibieza donde se fracturan las luces que borronean lo que hay afuera, y yo aquí, tocando el frío, apenas, en la parte de adentro del vidrio" (14). Más tarde, mediante el símil que asemeja al abuelo con un pez nadando en una pecera, que es observado por el narrador-niño y sus primos: "Yo estaba con los demás, fuera de la redoma, viéndolo nadar adentro, contemplando sus evoluciones, comentando la luz en su espiga de escamas, riéndome con los demás del feo gesto ansioso de su boca al acercarse al vidrio que él no sabía que era vidrio y yo sí, yo sí lo sabía" (24). En *El lugar sin límites*, en cambio, el vocablo es utilizado para describir los ojos. En esta aparición en particular de la Japonesita; en los capítulos X y XI, de la Manuela: "Dos redomas iluminadas por dentro. Cada ojo brillaba entero"; "los ojos de la Manuela iluminados enteros, redomas".

si no somos bandidos, don Alejo, somos igual a usted, así es que no nos mire tan en menos, no vaya a creer...

—¿Vamos a bailar, mijita?

La Lucy cerró los ojos y volvió a abrirlos, pero al abrirlos de nuevo no supo cuánto tiempo había transcurrido desde que los cerró ni a qué trozo del tiempo inmenso, estirado, se asomaba ahora. Pasó una bandada de queltegües. ¿Otra vez? ¿O era otra parte de la misma vez que creyó oír hacía rato? Los ladridos de los perros, cercanos algunos, lejanísimos otros, dibujaban las distancias del campo en la noche. Un jinete galopó por un camino, y de pronto la Lucy, que trataba de oír sólo el bolero de la victrola, se enredó en la angustia de no saber quién era ese jinete ni de dónde venía ni para dónde iba y cuánto rato duraría ese galope tenue ahora, muy tenue, pero galopando siempre hacia el interior de sus oídos, hasta quedar clavado allí. Le sonrió a Octavio porque vio que estaba molesto.

—Puchas que está aburrido...

Don Céspedes bostezó y luego se quedó escuchando.

—Ése es el Sultán...

—¿Y cómo conoce a cada uno de los perros?

—Yo se los crío a don Alejo y los conozco desde chicos. Desde que nacen. De verás. Cuando don Alejo ve que alguno de sus perros negros anda mal, que se pone flojo o muy manso o se manca de una mano, nos encerramos, don Alejo y yo, con el perro, y lo mata de un pistoletazo... yo lo sostengo para que le pegue bien el balazo y después lo entierro. Y cuando la perra que guardamos encerrada en el fondo de la huerta está en celo, les damos yohimbina[194] a los perros, y nos encerramos de nuevo, don Alejo y yo, con ellos en el galpón, y los brutos se pelean por la perra, se vuelven locos, quedan heridos a veces, hasta que se la montan y ya está. De los cachorros se deja los mejores, y si ha matado a uno de los grandes se queda con uno nada más, y a los otros los voy a echar yo al canal de los Palos en un saco. Cuatro, le gusta tener siempre cuatro. La señora

---

[194] *Yohimbina*, droga utilizada entre criadores para facilitar la reproducción sexual de animales.

Blanca se enoja porque hacemos esto, dice que no es natural, pero el caballero se ríe y le dice que no se meta en cosas de hombres. Y los perros, aunque sean otros, se llaman siempre igual, Negus, Sultán, Moro, Otelo, siempre igual desde que don Alejo era chiquillito así de alto nomás, los mismos nombres como si los perros que él matara siguieran viviendo, siempre perfectos los cuatro perros de don Alejandro, feroces le gusta que sean, si no, los mata[195]. Y ahora los soltó en la viña. Claro, el caballero andaba triste...

Mientras don Céspedes hablaba, Pancho y la Japonesita se sentaron y se quedaron oyéndolo.

—¿Qué tiene que ver que esté triste?

—Es que se va a morir...

—¡Hasta cuándo con don Alejo...!

Hasta cuándo. Hasta cuándo. Que se muriera. A él qué le importaba, que se fueran a la mierda[196] él y su digna esposa. ¿Él y su compadre no podían divertirse un rato, entonces, sin oír el nombre de don Alejo, don Alejo? Que doña Blanca se fuera a la mierda, doña Blanca que le había enseñado a leer y que a veces le daba alfeñiques que guardaba en un tarro de té Mazawatte[197] en la despensa. Esa despensa. Hilera tras hilera de frascos de mermeladas con etiquetas blancas escritas con su aguda letra de las monjas que él, Pancho Vega, escribía hasta el día de hoy — Ciruela — Durazno — Damasco — Frambuesa — Guinda — y los frascos llenos de peras en conservas y las cerezas en aguardiente y los damascos

---

[195] La crítica ha discutido los nombres de los perros y su relación con Alejo Cruz. Ver: Vidal, 154; Quinteros, 177; Nigro, 229; Morell, 1986, p. 110; Swanson, 1988, pp. 52-53; Valenzuela, 1007; Cánovas, 2000, p. 88; Moreno, 38.

[196] *Irse a la mierda*, locución verbal que significa sufrir un daño o perjuicio profundo, irremediable.

[197] Al igual que en *Este domingo*, la imagen del tarro de té forma parte de un recuerdo de la infancia donde un adulto —el abuelo/ "la Muñeca", doña Blanca— comparte un alfeñique conservado en una lata . En *Este domingo*, el narrador-personaje recuerda: "Nos convocaba [el abuelo] a su escritorio y nos ofrecía, como para romper el hielo, unos alfeñiques deliciosos, hechos en casa, que guardaba en un tarro de té Mazawatte" (20). La marca "Mazawatte Tea" fue registrada en 1887 y perduró hasta mediados del siglo XX. Las cajas de lata del producto se caracterizaban por sus atractivas ilustraciones, dentro de las cuales resulta particularmente relevante para el mundo narrado en *Este Domingo*, la que retrata a una anciana y una niña, que podrían ser una abuela y su nieta, la que incluye la leyenda "*Old folks at home*".

flotando en el almíbar amarillo. Y más allá las hileras de moldes de loza blanca en forma de castillo: de manzana o de membrillo, y a la Moniquita siempre le daban la torre del castillo donde el dulce era liso y brillante. Que se fueran a la mierda. La mano de Pancho subía por la pierna de la Japonesita y nadie decía ni una palabra mientras los oídos de la Lucy registraban la noche para descubrir otro jinete que reviviera su miedo. Él había pagado toda la deuda y el camión era suyo. Su camión colorado. Acariciar a su camión colorado y no a la Japonesita con su olor a ropa, y esa bocina ronca el papú[198] habla igual que el papá decía la Normita. Suyo. Más suyo que su mujer. Que su hija. Si quería, podía correrlo por el camino longitudinal que era recto como un cuchillo, esta noche por ejemplo, podía correrlo como un salvaje, tocando la bocina a todo lo que daba, apretando lentamente el acelerador para penetrar hasta el fondo de la noche y de pronto, porque sí, porque don Alejo ya no podía controlarlo, yo daría vuelta al volante un poquito más, doblar apenas las muñecas, pero lo suficiente para que el camión salga del camino, salte y me vuelque y quede como un borrón de fierros humeantes y silenciosos al borde del camino. Si quiero. Si se me antoja, y a nadie tengo que explicarle nada. La pierna de la Japonesita comenzó a entibiarse bajo su mano.

La Japonesita se estaba tomando un vaso de vino. Esperó que la Lucy saliera a bailar con Octavio para empinárselo entero, como a escondidas. Vino. Todos los hombres que venían a su casa tenían olor a vino y todas las cosas sabor a vino. Y durante la vendimia el olor a vino invadía al pueblo entero y después, el resto del año, quedaban los montones de orujo pudriéndose en las puertas de las bodegas. Asco. Ella tiene ese mismo olor a vino, como los hombres, como las putas, como el pueblo. Había tan poco más que hacer que tomar vino. Como la Cloty, que cuando no tenía clientes le decía oye Japonesita apúntame otra botella de tinto del más baratito y se metía en la cama y tomaba y tomaba hasta que al día

---

[198] *Papú*, voz de uso en el habla infantilizada con el significado de automóvil.

siguiente amanecía hecha una calamidad, trabajando como mula desde temprano, la nariz colorada y el estómago descompuesto. Pero a mi madre jamás le sentí olor a vino. Y la Japonesa Grande era buena para el frasco[199], eso lo sabían hasta las piedras. Olía a jabón Flores de Pravia[200] aunque en el salón hubiera bebido litros de vino, y entonces mi mamá se prendía[201] como una antorcha y no había quién la hiciera dejar de hablar y de reírse y de bailar. ¿Cómo lo haría? Su calor llenaba la cama cuando caía a la cama y ella la tenía que desvestir, ella o la Manuela. Hasta la tumba en que la acostaron en el cementerio de San Alfonso debía estar caliente y ella ya no volvería a sentir nunca más ese calor. Sólo la mano de Pancho abandonada sobre su muslo porque se estaba quedando dormido mientras miraba a la Lucy bailando pegada a Octavio. Pero Pancho estaba borracho. Como todos los hombres que nació viendo en esta casa. Y jugó entre pantalones debajo de las mesas mientras ellos bebían, oyendo improperios y oliendo sus vómitos en el patio, jugando entre las sábanas sucias apiladas junto a la artesa, esas sábanas en que esos hombres habían dormido con esas mujeres. Pero si la mano de Pancho lograba encenderla como a su madre, entonces podría descansar de todo, su padre se lo dijo. ¿Quién era esa sombra que contaba los pesos para nada? La mano que avanzaba por su muslo se lo iba diciendo porque ahora no le tenía miedo y la Manuela se lo había dicho, le había preguntado quién eres, y la mano que remontaba su muslo mientras el hombre a quien pertenecía bostezaba podía darle la respuesta, esa mano que era la repetición de la mano de los hombres que siempre habían venido a esta casa, quería encenderla, ese pulgar romo de uña comida, sí, lo vi, esos dedos cubiertos de vello y la uña cuadrada avanzando y ella no quería pero ahora sí, sí, para saber quién eres

---

[199] *Buena para el frasco*, locución adjetiva que se utiliza para calificar a un individuo como aficionado al alcohol.

[200] *Flores de Pravia*, marca de jabón publicitado para el lavado y cuidado del rostro de mujeres, entre las décadas del 30 y 60. Sus avisos comerciales aparecían en revistas como *Zig-Zag*, *Margarita*, *En viaje* y *Ecran*, entre otras.

[201] *Se prendía*, se entusiasmaba.

Japonesita, ahora lo sabrás y esa mano y ese calor de su cuerpo pesado y entonces, aunque él se vaya, quedará algo siquiera de esta noche...

—Puchas[202] que está aburrido esto...

Después vio al viejo al frente.

—¿No es cierto don Céspedes?

Él sonrió.

—Oye Octavio, vámonos a otra parte...

Don Céspedes le preguntó:

—¿Por qué?

—Aquí no hay ambiente.

Sólo entonces se dio cuenta que Octavio ya no estaba.

—¿Qué se hizo mi compadre?

—Hace rato que pasó para adentro con la Lucy.

Entonces sentó a la Japonesita en sus rodillas.

—Peor es mascar lauchas[203].

Pero como ella se quedó tiesa, Pancho le dio un empellón que casi la botó al suelo.

—Estoy cabreado[204].

Comenzó a circular entre las mesas.

—¡Porquería de casa de putas! Ni putas hay. ¿Y las otras chiquillas? Y la victrola afónica. No hay ni qué echarle al buche. ¿A ver? Pan: añejo. Fiambres... puf, medio podridos. ¿Y esto? Dulces cargados de moscas del tiempo de mi abuela. Ya Japonesita, báilame siquiera. Empelótate[205]. Qué, si eres más tiesa que un palo de escoba, qué vai a bailar. No como tu madre, guatona era, pero harto graciosa la tonta. Y como la Manuela dicen...

---

[202] *Puchas*, interjección que expresa enojo. Considerado eufemismo de la interjección vulgar "puta".

[203] *Peor es mascar lauchas*, locución verbal que utiliza la palabra de origen mapuche "laucha" con el significado de roedor pequeño, muy ágil y dañino por su capacidad para roer y destruir objetos en las casas donde habita, tanto en el campo como en la ciudad. Se discute la posibilidad de que la expresión sea una derivación de "Peor es mascar la hucha", donde "hucha" tiene el significado de alcancía o bien de correas de cuero. En la novela, para Pancho Vega el usar a la Japonesita esa noche es mejor que quedarse sin nada. La situación, sin embargo deriva rápidamente en violencia.

[204] *Cabreado*, hastiado o aburrido por la repetición excesiva y continua de una acción molesta.

[205] *Empelótate*, imperativo de "empelotarse", desnudarse.

Los mismos ojos. Se acordaba del año pasado de los ojos de la Manuela mirándolo y él mirando los ojos aterrados, iluminados entre sus manos que le apretaban el cuello y los ojos mirándolo como redomas lúcidas con la certeza de que él iba a ahogar ese paisaje de terror en las mareas de adentro. Se quedó parado.

—¿Y la Manuela?

La Japonesita no contestó.

—¿Y la Manuela, te digo?

—Mi papá está acostado.

—Que venga.

—No puede. Está enfermo.

La agarró de los hombros y la zarandeó.

—¡Qué va a estar enferma esa puta vieja! ¿Crees que vine a ver tu cara de conejo resfriado? No, vine a ver a la Manuela, a eso vine. Ya te digo. Anda a llamarla. Que me venga a bailar.

—Suéltame.

Pancho tenía las cejas fruncidas, los ojos peludos, confundidos, colorados, casi ciegos de rabia. Que venga. Me quiero reír. No puede ser todo así tan triste, este pueblo que don Alejo va a echar abajo y que va a arar, rodeado de las viñas que van a tragárselo, y esta noche voy a tener que ir a dormir a mi casa con mi mujer y no quiero, quiero divertirme, esa loca de la Manuela que venga a salvarnos, tiene que ser posible algo que no sea esto, que venga.

—La Manuela…

—Bruto. Déjame.

—Que venga, te digo.

—Te digo que mi papá no puede.

—Don Alejo es tu papá. Y el mío.

Pero le miró los ojos.

—No es cierto. La Manuela es tu papá.

—No le digas la Manuela.

Pancho lanzó una carcajada.

—¿A estas alturas, mijita?

—No le digas la Manuela.

XI

—¿Por qué no?

Avanzó hasta el centro del salón.

—Pónganme "El relicario"[206], chiquillos.

Con el talle quebrado, un brazo en alto, chasqueando los dedos, circuló en el espacio vacío del centro, perseguida por su cola colorada hecha jirones y salpicada de barro. Aplaudiendo, Pancho se acercó para tratar de besarla y abrazarla riéndose a carcajadas de esta loca patuleca, de este maricón arrugado como una pasa, gritando que sí, mi alma, que ahora sí que iba a comenzar la fiesta de veras... pero la Manuela se le escabullía, chasqueando los dedos, circulando orgullosa entre las mesas antes de entregarse al baile. La Japonesita se le acercó para tratar de impedirlo. Antes de que Pancho la despidiera de una manotada, alcanzó a murmurar:

—Váyanse para adentro...

—Ay chiquilla lesa, hasta cuándo voy a tener que aguantarte. Ándate tú si querís. ¿No es cierto, Pancho? Estái[207] aguando la fiesta.

—Sí, que se vaya...

Y se dejó caer en una silla. Desde ahí Pancho siguió gritando que ahora sí que iba a comenzar lo bueno, que por qué había tan poca gente, que trajeran vino, pasteles, un asado, todo lo que hubiera, que él pagaba todo para celebrar... la Lucy, mijita, siéntese aquí y usted compadre dónde se me había metido que me dejó solo en este velorio venga para acá y don Céspedes no tenga miedo mire que allá tan lejos le va a dar frío y una puta acudió llamada por

---

[206] En el Capítulo VII de la edición príncipe y en esta mención al título de la canción, se emplean comillas y se usa mayúscula solo en el artículo: "El relicario". A partir de la primera edición en Alfaguara se observa uso de mayúscula solo en el artículo y cursiva: *El relicario* (123). El enunciado presenta un ejemplo de intromisión editorial en las ediciones del primer ciclo español donde se observa el singular "Póngame" (Euros, 141; Bruguera, 167; Sedmay, 155) en vez de "Pónganme" de la edición príncipe (124).

[207] *Querís, estái*, formas voseantes de *querer* y *estar*. Si bien la relación entre la Japonesita y la Manuela es cercana, la relación entre ellas es asimétrica, ya que la Japonesita se refiere a la Manuela con usted. El contenido del enunciado refuerza la idea del rechazo al interlocutor.

tanto ruido y se sentó sola en otra mesa y avivó la llama del chonchón y la Cloty se puso al lado de la victrola para cambiar los discos mirando a la Manuela con los ojos que se le saltaban.

—Por Diosito santo, la veterana esta...

En Talca le habían hablado a la Cloty de estos bailes de la Manuela, pero cómo iba a creer, tan vieja la loca. Tenía ganas de ver. Encendieron dos chonchones en las mesas alrededor de la pista y entonces Pancho vio por fin los ojos de la Manuela iluminados enteros, redomas, como se acordaba de ellos entre sus manos y los ojos de la Japonesita iluminados enteros y tomó un trago largo, el más largo de la noche porque no quería ver y le sirvió más tinto a Pancho, y a la Lucy, que tomen todos, aquí pago yo. Le tomó la cabeza a la Manuela y la obligó a tomarse un trago largo como el suyo y la Manuela se limpió la boca con el dorso de la mano. La Lucy se quedó dormida. Don Céspedes miraba a la Manuela pero como si no la viera.

—Échale[208] nomás Manuelita de mi alma, échale... que sea buena mi fiesta de despedida. Y a ustedes los van a borrar todos, así fzzzzz... soplándolos, ustedes saben quién. Don Céspedes, usted sabe que don Alejo los va a borrar a todos estos huevones porque le dio la real gana...

En los campos que rodeaban al pueblo el trazado de las viñas, esa noche bajo la luna, era perfecto: don Céspedes, con los ojos abiertos, lo veía. El achurado[209] regular, el ordenamiento que situaba al caserío de murallones derruidos, la tendalera[210] de este lugar que las viñas iban a borrar —y esta casa, este pequeño punto donde ellos, juntos, golpeaban la noche como una roca: la Manuela con su vestido incandescente en el centro tiene que divertirlos y matarles el tiempo peligroso y vivo que quería engullirlos, la Manuela enloquecida en la pista: aplaudan. Marcan el ritmo con sus tacos

---

[208] *Échale*, continuar con la acción realizada, en este caso, haciendo su performance frente a los presentes.
[209] *Achurado*, superficie trazada por varias líneas paralelas, en este caso, el campo.
[210] *Tendalera*, desorden.

en el suelo de tierra, palmotean las mesas rengas donde vacilan los chonchones. La Cloty cambia el disco.

Pancho, de pronto, se ha callado mirando a la Manuela. A eso que baila allí en el centro, ajado, enloquecido, con la respiración arrítmica, todo cuencas, oquedades, sombras quebradas, eso que se va a morir a pesar de las exclamaciones que lanza, eso increíblemente asqueroso y que increíblemente es fiesta,[211] eso está bailando para él, él sabe que desea tocarlo y acariciarlo, desea que ese retorcerse no sea sólo allá en el centro sino contra su piel, y Pancho se deja mirar y acariciar desde allá… el viejo maricón que baila para él y él se deja bailar y que ya no da risa porque es como si él, también, estuviera anhelando. Que Octavio no sepa. No se dé cuenta. Que nadie se dé cuenta. Que no lo vean dejándose tocar y sobar por las contorsiones y las manos histéricas de la Manuela que no lo tocan, dejándose sí, pero desde aquí desde la silla donde está sentado nadie ve lo que le sucede debajo de la mesa, pero que no puede ser no puede ser y toma una mano dormida de la Lucy y la pone allí, donde arde. El baile de la Manuela lo soba y él quisiera agarrarla así, así, hasta quebrarla, ese cuerpo olisco agitándose en sus brazos y yo con la Manuela que se agita, apretando para que no se mueva tanto, para que se quede tranquila, apretándola, hasta que me mire con esos ojos de redoma aterrados y hundiendo mis manos en sus vísceras[212] babosas y calientes para jugar con ellas, dejarla allí tendida, inofensiva, muerta: una cosa.

Entonces Pancho se rió[213]. Si era hombre tenía que ser capaz de sentirlo todo, aun esto, y nadie, ni Octavio ni ninguno de sus amigos se extrañaría. Esto era fiesta. Farra. Maricones de casas de putas había conocido demasiados en su vida como para asustarse de esta vieja ridícula, y siempre se enamoraban de él —se tocó los bíceps,

---

[211] En ediciones posteriores de Alfaguara se cambia esta coma por un punto y coma. Cfr. Alfaguara 2000 (121) y 2016 (137). En esta edición hemos mantenido la coma de la edición príncipe (126).

[212] En la primera edición de Alfagura se suprimió "mis manos" presente en la edición príncipe y todos los mecanoescritos sobrevivientes de la novela: "hundiendo en sus vísceras babosas y calientes para jugar con ellas" (121). Hemos mantenido el enunciado de la edición príncipe.

[213] Errata en edición príncipe: "se rio" (127).

se tocó el vello áspero que le crecía en la abertura de la camisa en el cuello. Se había tranquilizado bajo la mano de la Lucy.

La música paró.

—Se echó a perder la victrola.

Octavio fue a tratar de arreglarla. En un dos por tres desarmó el aparato sobre el mostrador mientras la Lucy y la Japonesita lo miraban. Parecía que no iba a volver a funcionar. La Manuela, sentada en la falda de Pancho, le dio un vaso de vino. Le rogaba que se fueran de aquí, no, no, que se fueran los tres a seguir la fiesta a otra parte. Qué estaban haciendo aquí. Perdiendo el tiempo, aburriéndose, comiendo y tomando mal. Hasta la victrola se había descompuesto y quién sabe si alguien alguna vez pudiera llegar a arreglarla. Ya ni fabricaban esos aparatos antediluvianos, vamos, por favor vamos. En el camión podían ir a seguir la fiesta a cualquier parte, en un rato estarían en Talca y allí, en la casa de la Pecho de Palo, la fiesta seguía toda la noche, todas las noches… ya, vamos mijito, llévenme que tengo el diablo en el cuerpo. Me estoy muriendo de aburrimiento en este pueblo y yo no quiero morirme debajo de una muralla de adobe desplomada, yo tengo derecho a ver un poco de luz yo que nunca he salido de este hoyo, porque me engañaron para que me quedara aquí diciéndome que la Japonesita es hija mía, y tú ves, qué[214] hija voy a tener yo, cuando somos casi de la misma edad la Japonesita y yo, dos chiquillas. Llévame de aquí. Dicen que en la casa de la Pecho de Palo preparan asado a esta hora y siempre tienen algo bueno que comer, hasta patos si los clientes piden, y hay cantoras, no sé si las hermanas Farías, no creo, porque estarían más viejas que una, otras, pero da lo mismo, tan animadas para el arpa y la guitarra que eran las hermanas Farías, que en paz descansen. Ya vamos, llévame, mira que esta chiquilla mala le dice a todo el

---

[214] Variante ortográfica. Ausencia de tilde en edición príncipe: "que hija voy a tener yo" (128). En la primera edición de Alfaguara (1995) se tilda: "qué hija voy a tener yo" (116). El uso de tildes por parte de Donoso en sus materiales de escritura es irregular. Muchas veces era un asunto al que atendía durante la relectura y reescritura, especialmente en las versiones mecanografiadas de sus textos (128). En efecto, en solo uno de los tres mecanoescritos sobrevivientes de la novela se observa tilde: "qué hija voy a tener yo que soy una chiquilla, una señorita" (Second Draft, Universidad de Princeton).

mundo que es hija mía para obligarme a quedarme, vieras cómo me trata, como a una china[215] siendo que soy su madre, y no me deja salir nada más que a misa y donde la Ludo. Yo me quiero ir con ustedes, chiquillos, a seguir la fiesta a otra parte por ahí donde esté divertido y podamos reímos un rato...

—Está jodida.

—¿Qué le pasó?

—Se le rompió el resorte.

—Oiga compadre, déjela nomás y nos vamos a otra parte.

—¿A dónde?

—Mire a don Céspedes, parece momia. Despierta, viejo...

—Vámonos donde la Pecho de Palo...

Discutieron un rato y le pagaron a la Japonesita.

—¿A dónde van a ir?

—¿Qué te importa, pejerrey[216] fiambre[217]?

—¿Dónde va a ir, papá?

—¿A quién le hablas?

—No se haga el tonto.

—¿Quién eres tú para mandarme?

—Su hija.

La Manuela vio que la Japonesita lo dijo con mala intención, para estropearlo todo y recordárselo a ellos. Pero miró a Pancho, y juntos lanzaron unas carcajadas que casi apagaron los chonchones.

—Claro, soy tu mamá.

—No. Mi papá.

Pero ya iban saliendo, la Manuela, Pancho y Octavio, abrazados y dando traspiés. La Manuela cantaba "El relicario"[218], coreado

---

215 *China*, en este caso significa empleada doméstica, sirvienta.
216 *Pejerrey*, pez comestible y pequeño, caracterizado por su banda lateral plateada en ambos lados del cuerpo.
217 *Fiambre*, en este contexto, pasado de tiempo, cadáver.
218 En esta mención del título de la canción en la edición príncipe, se elimina las comillas y se utiliza mayúscula en el nombre: el Relicario (129). A partir de la primera edición en Alfaguara se observa uso de mayúscula solo en el artículo y cursiva: *El relicario* (123). En esta edición hemos conservado el empleo en Mortiz de comillas y mayúscula solo en el artículo, presente en el séptimo capítulo e inicio del presente.

por los otros. Era tan clara la noche que los muros lanzaban sombras perfectamente nítidas sobre los charcos. La maleza crecía junto a la vereda y las hojas eternamente repetidas de las zarzamoras cubrían las masas de las cosas con su grafismo preciso, obsesivo, maniático, repetido, minucioso. Caminaron hacia el camión estacionado en la esquina. Iban uno a cada lado de la Manuela, agarrando su cintura. La Manuela se inclinó hacia Pancho y trató de besarlo en la boca mientras reía. Octavio lo vio y soltó a la Manuela.

—Ya pues compadre, no sea maricón usted también…

Pancho también soltó a la Manuela.

—Si no hice nada…

—No me vengas con cuestiones, yo vi…

Pancho tuvo miedo.

—Qué me voy a dejar besar por este maricón asqueroso, está loco, compadre, qué me voy a dejar hacer una cosa así. A ver Manuela, ¿me besaste?

La Manuela no contestó. Siempre pasaba cuando había un hombre tonto como el tal Octavio, que maldito lo que tenía que ver con el asunto y mejor sería que se largara. Comenzó a zamarrearlo.

—Quiubo, maricón, contesta.

Pancho se cuadró amenazante frente a la Manuela.

—A ver.

Tenía la mano empuñada.

—No sean tontos, chiquillos, sigamos la fiesta mejor.

—¿Lo besaste o no lo besaste?

—Pura broma…

Pancho le pegó un golpe en la cara mientras Octavio la sujetaba. No fue un golpe certero porque Pancho estaba borracho. La Manuela miraba hacia todos lados calculando el momento para huir.

—Una cosa es andar de farra y revolverla[219], pero otra cosa es que me vengái[220] a besar la cara…

—No. Me duele…

Parada en el barro de la calzada mientras Octavio la paralizaba retorciéndole el brazo, la Manuela despertó. No era la Manuela. Era él Manuel González Astica. Él. Y porque era él iban a hacerle daño y Manuel González Astica sintió terror.

Pancho le dio un empujón que lo hizo tambalear. Octavio, al soltarlo, dio un traspiés y cayó en el lodo mientras Pancho se inclinaba para ayudarlo a incorporarse. Y la Manuela, recogiéndose las faldas hasta la cintura, salió huyendo hacia la estación. Como conocía tan bien la calle evitaba los hoyos y las piedras mientras los perseguidores tropezaban a cada paso. Quizás lo perderían de vista. Tenía que correr hacia allá, hacia la estación, hacia el fundo El Olivo porque más allá del límite lo esperaba don Alejo, que era el único que podía salvarlo. Le dolía el bofetón en la cara, los tobillos endebles, los pies desnudos que se cortaban en las piedras o en un trozo de vidrio o de lata, pero tenía que seguir corriendo porque don Alejo le prometió que le iba a ir bien, que le convenía, que nunca más iba a sentir el peso de lo que sentía antes si se quedaba aquí donde estaba él, era promesa, juramento casi, y se había quedado y ahora lo venían persiguiendo para matarlo. Don Alejo, don Alejo. Él puede ayudarme. Una palabra suya basta para que estos rotos se den a la razón porque sólo a mí me tienen miedo. Al fundo El Olivo. Cruzar la viña como don Céspedes y decirle que estos hombres malos primero tratan de aprovecharse de una y después… Decirle por favor defiéndame del miedo usted me prometió que nunca me iba a pasar nada que siempre iba a protegerme y por eso me quedé en este pueblo y ahora tiene que cumplir su promesa de defenderme y sanarme y consolarme, nunca

---

[219] *Revolverla*, hacer pequeñas travesuras o actos inapropiados pero inofensivos.

[220] *Vengái*, forma voseante de *venir* que en este caso, por la tensión de la situación y el rechazo que Pancho quiere evidenciar por el beso que le dio la Manuela, hacen que el voseo verbal sea idóneo para expresar molestia y rechazo.

antes se lo había pedido ni le había cobrado su palabra pero ahora sí, sólo usted, sólo usted… no se haga el sordo don Alejo ahora que me quieren matar y que voy corriendo a buscar lo que usted me prometió… por aquí, por la zarza detrás del galpón como un zorro para que don Alejo que tiene escopeta me defienda. Usted puede matar a este par de rotos sin que nadie diga nada, al fin y al cabo usted es el señor y lo puede todo y después se arregla con los carabineros.

Cruza el alambrado cubierto de zarzamora sin ver que las púas destrozan su vestido. Y se agazapó al otro lado, junto al canal. Más allá está la viña: la corriente sucia lo separa de la ordenación de las viñas. Tiene que cruzar. Don Alejo lo espera. Las casas de El Olivo rodeadas de encinas con un pino alto como un campanario allá donde convergen las viñas, esperándolo, don Alejo esperándolo con sus ojos celestes. Debe descansar un poco. Escucha. Ya no vienen. No puede seguir. Se echa en el pasto. Nada, ni un ruido: hasta los ruidos naturales de la noche se han detenido. La Manuela aceza, ya no tienes edad para estos trotes le diría la Ludovinia y era cierto, cierto porque le duele todo —ay, la espalda, cómo le duele, y las piernas y de pronto el frío de la noche entera, de las hojas y el pasto y el agua a sus pies, si sólo pudiera cruzar este río, pero cómo, cómo si apenas se puede mover, desparramado en el suelo.

—Mijita linda…

—Ahora sí que va a llegarte.

—No… no…

No alcanzó a moverse antes que los hombres brotados de la zarzamora se abalanzaran sobre él como hambrientos. Octavio, o quizás fuera Pancho el primero, azotándolo con los puños… tal vez no fueran ellos sino otros hombres que penetraron la mora y lo encontraron y se lanzaron sobre él y lo patearon y le pegaron y lo retorcieron, jadeando sobre él, los cuerpos calientes retorciéndose sobre la Manuela que ya no podía ni gritar, los cuerpos pesados, rígidos, los tres una sola masa viscosa retorciéndose como un animal fantástico de tres cabezas y múltiples extremidades heridas e hirientes, unidos los tres por el vómito y el calor y el dolor allí en el pasto, buscando quién es el culpable, castigándolo, castigándola, castigándose deleitados hasta en el fondo de la confusión dolorosa, el cuerpo endeble de la Manuela que ya no resiste, quiebra bajo el peso, ya no puede ni aullar de dolor, bocas calientes, manos calientes, cuerpos babientos y duros hiriendo el suyo y que ríen y que insultan y que buscan romper y quebrar y destrozar y re-conocer ese monstruo de tres cuerpos retorciéndose, hasta que ya no queda nada y la Manuela apenas ve, apenas oye, apenas siente, ve, no, no ve, y ellos se escabullen a través de la mora y queda ella sola junto al río que la separa de las viñas donde don Alejo espera benevolente.

XII

—Ése es el Sultán.

—Después otro ladrido más lejos.

—Ése es el Moro. A ése le gusta quedarse tendido en la noche al lado de la pared de la herrería, que se calienta con el sol y guarda el calor... pero hoy no hubo sol. Quién sabe por qué andará el Moro por ese lado.

La Japonesita se había sentado frente a don Céspedes al otro lado de la llama de carburo, que iba achicándose. La achicó hasta dejarla convertida apenas en un punto en el pico del chonchón. Ella también oía a los perros. Anoche ella y la Manuela estuvieron oyéndolos y casi no pudieron dormir, pero ahora era distinto. Es que después de la lluvia el cielo se había despejado sobre la luna redonda y los perros le aullaban interminablemente, como si le hablaran o le pidieran algo o le cantaran, y como la luna no los oía porque quedaba demasiado lejos los perros de don Alejo seguían aullándole.

—Ése es el Sultán otra vez.

Todos se habían ido a acostar. La Cloty le dejó la victrola en la mesa frente a don Céspedes que siguió desatornillando, abriendo, cortando con un cuchillo de cocina con mango de madera grasienta. Ya no fabrican repuestos para esta clase de aparatos. Mejor que la tires al canal. No sirve para nada.

—Pero no podemos quedarnos sin victrola.

—Falta poco para que pongan electricidad.

—Ya no. Don Alejo me vino a decir hoy.

Don Céspedes se hundió en la silla, más chico que nunca. Hizo a un lado el desorden de ruedecillas gastadas, de tornillos, tuercas, golillas y acercó su copa. Estaba casi vacía. Apenas un par de dedos colorados, en el fondo, donde se multiplicaba la llama del chonchón.

—Parece de esas cuestiones[221] que hay en las iglesias.

---

[221] *Cuestiones*, palabra característica de situaciones informales y coloquiales con el significado de "cosa"; acá la llama disminuida en el chonchón le recuerda a la Japonesita las lámparas votivas utilizadas en las iglesias.

—¿Qué cuestiones, hija?

—Esas cosas coloradas con luz adentro.

Mejor volver al fundo. Don Céspedes se tomó esa gota. Ya era tarde. O tal vez no lo fuera, porque el tiempo tenía esta extraña facultad de estirarse, hoy parecía corto, mañana larguísimo, y uno nunca sabía en qué parte de la noche se encontraba.

—Mañana voy a Talca a comprar otra.

—¿Qué cosa?

—Otra victrola. En una de esas casas donde venden cosas de segunda mano, porque en las tiendas del centro no voy a encontrar de estas victrolas de manivela. Ésta era de mi mamá. Yo sé dónde hay una casa donde venden cuestiones de segunda mano y no son nadita de careros. El caballero dueño, creo que alguien lo trajo para acá para la casa una noche. A ver si me hace precio.

—El Negus… no, el Otelo…

Se quedaron oyendo. Ahora, a la Japonesita no le costó nada dibujar todo el campo dentro de su imaginación, como si de pronto hubiera adquirido, igual que don Céspedes, la facultad de desplegar ese campo como una alfombra para que la ocuparan entera por dentro.

—Están inquietos esta noche.

Es que hay luna, se dijo la Japonesita, o lo diría en voz alta, o tal vez don Céspedes inclinado sobre el brasero lo diría, o tal vez sólo lo pensara y ella lo sintió.

—¿Y para qué los sueltan?

—Es que anda raro el patrón. Anoche no se acostó. Anduvo paseándose toda la noche por el corredor y debajo de la encina. Yo anduve mirándolo desde la llavería por si se le ofreciera algo, tú sabes lo mala que es la gente y hay tanta gente que se la tiene jurada[222] al patrón. Ahí me quedé sin que él me viera, y él paseándose y paseándose y paseándose, mirándolo todo como si quisiera grabárselo, como con hambre diría yo, hasta que cuando ya iba a

---

[222] *Tenerla jurada*, locución verbal mediante la cual se asegura venganza de una persona hacia otra.

comenzar a amanecer salió Misia Blanca y le dijo por qué no te vienes a acostar y entonces, antes de seguirla, soltó a los perros en la viña.

—Claro. Fue al amanecer cuando ladraron.

—Quién sabe qué le pasará.

—Estará preocupado con los irrespetuosos como Pancho...

—No, esto fue ayer.

—Igual. La gente ya no es como antes.

—No. No es como antes.

El viejo bostezó. Y bostezó la Japonesita. Mañana iba a ir a Talca. Como todos los lunes. Ahora no tenía la posibilidad de fantasear con el Wurlitzer. Mejor. Ser como don Céspedes que no fantaseaba con nada, vigilando por si sucedía algo, atento, oculto en la sombra. Atenta, nada más, pero nada de Wurlitzers. Sólo la victrola de segunda mano para reponer ésta que rompió Pancho Vega. No, no la rompió Pancho. Se había ido. No iba a volver nunca más. Menos mal: dejaba pura tranquilidad, nada de esperanzas, que era mejor que la tranquilidad, aquí en la Estación El Olivo, hasta que le pasaran el arado por encima a todo el pueblo. Menos a su casa. Porque dijera lo que dijera don Alejo ella no la iba a vender. No señor. Que hiciera lo que se le antojara con el resto del pueblo pero yo me quedo aquí, aquí donde estoy. Aunque viniera cada vez menos gente, todo concluyéndose. Las cosas que terminan dan paz y las cosas que no cambian comienzan a concluirse, están siempre concluyéndose. Lo terrible es la esperanza. Voy a ir a Talca como todos los lunes a depositar en el Banco. Y voy a volver después del almuerzo con las compras para la semana, lo de siempre, azúcar, mate, fideos, sal, ají de color[223], lo de siempre.

Don Céspedes se puso de pie, escuchando. La Japonesita recogía los tornillos, las ruedecitas, el resorte roto y lo ató todo dentro de su pañuelo para guardarlo. Quién sabe si se podía ofrecer necesitarlos...

---

[223] *Ají de color*, condimento típico de la cocina chilena. Producto de la molienda de la variedad dulce del pimentón rojo, deshidratado. De color intenso, sabor terroso y levemente dulce.

—Me tengo que ir.

—¿Por qué?

—Tengo que ir a ver. Están ladrando mucho.

La Japonesita le sonrió.

—¿Cuánto es?

—Trescientos.

Don Céspedes pagó. Ella guardó el dinero. Ella lo sabía todo, lo veía todo, todo lo que necesitaba ver y saber. Esta casa. En las paredes de adobe pardo anidaban las arañas en pequeños hoyos tapizados en una baba blanquizca.

—¿Y la Manuela?

La Japonesita se alzó de hombros.

—¿No le irá a pasar nada?

—Qué le va a pasar.

—Está viejo.

Viejo estará pero cada día más aficionado a la farra. ¿No lo vio salir con Pancho y con Octavio? Agarró fiesta. Le entró el diablo al cuerpo. Lo conozco. Me ha hecho esto otras veces. Los hombres le convidan trago, él baila, se vuelve loco y sale de fiesta con ellos por ahí… es que se le calienta la jeta[224] con el vino y van a Talca y a veces más lejos. Uno de estos días le va a pasar algo, eso me digo todas las veces, pero siempre vuelve. Después de tres o cuatro días. A veces después de una semana en que ha andado por ahí en las casas de putas de otros pueblos donde lo conocen, triunfando como dice él, y llega de vuelta aquí con un ojo en tinta o con un par de costillas quebradas cuando los hombres le pegan por maricón cuando andan borrachos. ¡Qué me voy a preocupar! Si tiene siete vidas como los gatos. Estoy aburrida de que pase esto. Y con lo bueno que es el tal Pancho Vega para la farra tienen por lo menos una semana para andar por ahí. Los carabineros lo conocen y no dicen nada y me lo traen de vuelta calladitos y yo les convido unos tragos y aquí no ha pasado nada. Pero puede ser que haya algún carabinero nuevo,

---

[224] *Calentarse la jeta*, locución verbal que significa experimentar una gran ansiedad por alguien o algo, especialmente en sentido alcohólico y sexual.

de esos pesados que se les pone la idea y no sueltan. Y después, un par de semanas en cama yo tengo que cuidarlo. Llorando todo el tiempo, diciendo que se va a morir, que ya no está para estas cosas, que lo perdone, que nunca más, y dice que va a botar su vestido de española que usted vio, es un estropajo, pero no lo bota y lo guarda en su maleta. Y después con la canción de que los hombres aquí, que los hombres allá, que son todos malos porque le pegan y se ríen de él y entonces mi papá llora y dice qué destino éste el mío y me dice que qué sería de él sin su hijita del corazón, su único apoyo, que no lo abandone nunca. ¡Por Dios, don Céspedes! ¡Viera cómo llora! ¡Si parte el alma! Claro que después de unos meses vuelve a salir por ahí y se me pierde otra vez. Ahora hacía más de un año que no salía. Yo creía que ya no iba a salir más porque está tan averiado el pobre, pero usted ve lo que pasó...

Don Céspedes estaba escuchando otra cosa.

—¿Qué?

La Japonesita lo escudriña, tratando de adivinar qué escucha.

—No, nada, don Céspedes...

Lo acompañó hasta la puerta[225]. La abrió muy poco, casi nada, apenas una ranura para que se escurriera don Céspedes y se colara un poco de viento y de estrellas que la hicieron arrebozarse en su chal rosado. Entonces cerró la puerta con la tranca. Sobándose las manos caminó entre las mesas apagando, uno por uno, todos los chonchones.

—...tres, y cuatro...

---

[225] Intromisión editorial en las ediciones del primer ciclo español donde se observa "la acompañó" (Euros, 159; Bruguera, 188; Sedmay, 173) en vez de "lo acompañó" de la edición príncipe (139). Los materiales de escritura de la novela delatan una lucha y meticuloso trabajo en lo que respecta a la concordancia de género para la Manuela, por parte de Donoso. Para estudios que discuten el empleo de la concordancia de género en el texto publicado ver: "Gender without Limits: Transvestism and Subjectivity in *El lugar sin límites*" de Ben Sifuentes-Jáuregui, (1997) no incluido en el dossier de este volumen por motivos de fuerza mayor. "La construcción de 'la loca' en dos novelas chilenas: *El lugar sin límites* de José Donoso y *Tengo miedo torero* de Pedro Lemebel" de Berta López Morales (2011). "Espacio y sexualidad en *El lugar sin límites*" (2014) de Andrea Ostrov, incluido en el *dossier* de este volumen.

Les ha dicho que no le gusta que enciendan tantos chonchones cuando hay poca gente, no sale negocio. Y el aire queda manchado con la fetidez del carburo. Claro que el baile... en fin. Salió al patio. No sabe qué hora es, pero esos perros endemoniados siguen ladrando allá en la viña. Deben ser cerca de las cinco porque oye llorar a la Nelly y la Nelly siempre llora un poco antes de la madrugada. Entró en su pieza y se metió en su cama sin siquiera encender una vela.

DOSSIER

Escritura y travestismo

Severo Sarduy

Bruno, vedette travesti, año 1950.
Archivo Fotográfico, Alfredo Molina Lahitte, Dibam.

Escritura y travestismo

Severo Sarduy[1]

Aunque reservada, la burla aflora en la reverente destreza de los retratos de Goya. Lo risible, la fuerza compulsiva de lo ridículo, como si cuarteara el lienzo, va minando en su expresiva majestad a esas damas de la corte española, convirtiéndolas en serenos esperpentos.

Si el respeto y la derrisión, la piedad y la risa nos solicitan ante esas imágenes, es porque algo, en la panoplia real que las designa, se señala como falso. Pienso, por supuesto, en la reina María Luisa, de "La Familia de Carlos IV", enjoyada y regordeta, cuyo peinado atraviesa una flecha de brillantes, pero sobre todo en la Marquesa de la Solana, coronada por una flor desmesurada, de fieltro rosado.

Lo falso en esos testimonios, *sin recurrir a la alteración visible de las formas*, de un modo solapado, convierte las alhajas en pacotillas, los trajes en disfraces, las sonrisas en muecas.

Si aventuro estas referencias es porque nadie las explicita mejor que Manuela, la heroína de *El lugar sin límites*, de José Donoso. Reina y espantapájaros, en Manuela lo falso aflora, señala la abominación del *postiche*: el retrato se convierte en chafarrinada, el dibujo

---

[1] Este texto fue publicado originalmente en el número 20 de *Mundo Nuevo*, en febrero de 1968 y posteriormente en *Escrito sobre un cuerpo* en 1969.

en borrón, puesto que se trata de un travestí, de alguien que ha llevado la experiencia de la inversión hasta sus límites.

Lo goyesco en la Manuela irrumpe cuando en el nivel de los ademanes, de las frases en femenino, y *sin recurrir a la alteración visible de las formas* (de la gramática), se hace presente Manuel González Astica, el bailarín que un día llegara al pueblo para amenizar una fiesta en el burdel de la Japonesa, "flaco como un palo de escoba, con el pelo largo y los ojos casi tan maquillados como los de las hermanas Farías" (obesas arpistas) y que la ejecución de un "cuadro plástico" en compañía de la matrona hiciera padre.

Muñecas rusas

La inversión central, la de Manuel, desencadena una serie de inversiones: la sucesión de estas estructura la novela. En ese sentido *El lugar sin límites* continúa la tradición mítica del "mundo al revés", que practicaron con asiduidad los surrealistas. El significado de la novela, más que el travestismo, es decir, la apariencia de inversión sexual, es la inversión en sí: una cadena metonímica de "vuelcos", de desenlaces transpuestos, domina la progresión narrativa.

La Manuela que novelística (gramaticalmente) se *significa* como mujer —primera inversión—, *funciona* como hombre, puesto que es en tanto que hombre que atrae a la Japonesa. Es una atracción lo que induce a la curiosa matrona a ejecutar el "cuadro plástico"; su ambición (el burgués de la aldea le promete una casa si logra excitar a la bailarina apócrifa, si le ofrece una escena de ese suntuoso teatro) no es más que un pretexto, ese con que el dinero justifica todas las transgresiones.

En el interior de esta inversión surge otra: en el acto sexual el papel de la Manuela, hombre por atribución narrativa, es pasivo. No femenino —por eso se trata de una inversión dentro de otra y no de un simple regreso al travestismo inicial—, sino de hombre pasivo, que engendra a su pesar. La Japonesa lo posee haciéndose poseer por él. Ella es el elemento activo del *acto* (también en su acepción teatral: una sola mirada basta para crear el espacio de la representación, para instituir el Otro, la escena). La sucesión de ajustes, la metáfora de la muñeca rusa, podría esquematizarse en un cuadro.

Inversiones:

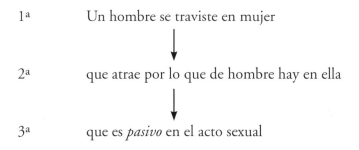

1ª   Un hombre se traviste en mujer

2ª   que atrae por lo que de hombre hay en ella

3ª   que es *pasivo* en el acto sexual

Esta cadena formal que estructura, que traza las coordenadas del espacio narrativo, se "refleja" en el nivel de los afectos, temáticamente: la repulsión que suscita el esperpento queda trastrocada en atracción: Pancho Vega, el macho oficial del caserío, asedia a la Manuela, fascinado, a pesar (o a causa) de todas las censuras, por la máscara, por la impostura goyesca. El acto sádico final, que perpetran Pancho y su secuaz Octavio substituye al de la posesión. Incapaz de afrontarse con su propio deseo, de asumir la imagen de sí mismo que este le impone, el macho —ese travesti al revés— se vuelve inquisidor, verdugo.

Donoso disfraza hábilmente la frase, la enmascara, como para situarla simbólicamente en el ámbito afectivo de la Manuela, para atribuir a esta, relegando la tercera persona que la designa a servir de ocultamiento, "la responsabilidad" del relato, un "yo" al acecho, solapado, el sujeto real de la enunciación: todo él/ella es un encubrimiento; un *yo* latente lo amenaza, lo mina por dentro, lo resquebraja. Como en ese otro lugar sin límites que es el sueño, aquí todo dice *yo*.

Los verbos de significación agresiva (patear, pegar) se encuentran "doblados" por otros de connotación sexual (jadear), por metáforas del deseo (los hombres están hambrientos), de penetración (sus cuerpos babientos y duros hiriendo el suyo), de gozo (sus cuerpos calientes retorciéndose). Una frase, finalmente, como si el discurso subterráneo aflorara, explicita la alegría sádica: "deleitados hasta el fondo de la confusión dolorosa".

Otra inversión se sitúa en el plano de las funciones sociales: la matrona del burdel es virgen, y, como para subrayar que en este mundo invertido la única atracción posible es la que ejercen los disfraces, nadie la desea.

Este juego de "vuelcos", que he esbozado, podría extenderse a toda la mecánica narrativa: al esquema novelesco del relato en el relato, Donoso substituye el de la inversión en la inversión. Si esta serie de virajes, contenidos unos en otros, no dan jamás una imagen análoga a la del "mundo al derecho", sino que van cada vez más lejos en su revolución, es porque lo que se invierte en cada caso no es la totalidad de la superficie —lo económico, lo político, las tensiones de clase no se modifican en los vuelcos y corresponden siempre a la "realidad"—, sino únicamente sus significantes eróticos cada vez diferentes, ciertos planos verbales, la topología que definen ciertas palabras.

El lugar sin límites es ese espacio de conversiones, de transformaciones y disfrazamientos: el espacio del lenguaje.

Las apariencias engañan

Es lo que constituye la supuesta exterioridad de la literatura —la página, los espacios en blanco, lo que de ellos emerge entre las líneas, la horizontalidad de la escritura, la escritura misma, etc.— lo que nos engaña. Esta apariencia, este despliegue de significantes visuales —y mediante estos (los *grafos*) en nuestra tradición, fonéticos— y las relaciones que entre ellos se crean en ese lugar privilegiado de la relación que es el *plano* de la página, el *volumen* del libro, son los que un prejuicio persistente ha considerado como la faz exterior, como el anverso de algo que sería lo que esa faz expresa: contenidos, ideas, mensajes, o bien una "ficción", un mundo imaginario, etc.

Ese prejuicio, manifiesto o no, edulcorado con distintos vocabularios, asumido por sucesivas dialécticas, es el del realismo. Todo en él, en su vasta gramática, sostenida por la cultura, garantía de su ideología, supone una *realidad* exterior al texto, a la literalidad de la escritura. Esa realidad, que el autor se limitaría a expresar, a traducir, dirigiría los movimientos de la página, su cuerpo, sus lenguajes, la materialidad de la escritura. Los más ingenuos suponen que es la del "mundo que nos rodea", la de los eventos: los más astutos desplazan la falacia para proponernos una entidad imaginaria, algo ficticio, un "mundo fantástico". Pero es lo mismo: realistas puros —socialistas o no— y realistas "mágicos" promulgan y se remiten al mismo mito. Mito enraizado en el saber aristotélico, logocéntrico, en el saber del *origen*, de un algo primitivo y *verdadero* que el autor llevaría al blanco de la página[2]. A ello corresponde la fetichización de este nuevo aedo, de este demiurgo recuperado por el romanticismo.

El progreso teórico de ciertos trabajos, el viraje total que estos han operado en la crítica literaria nos han hecho revalorizar lo que antes se consideraba como el exterior, la apariencia:

- El inconsciente considerado como un lenguaje, sometido a sus leyes retóricas, a sus códigos y transgresiones; la atención que se presta a los significantes, creadores de un *efecto* que es el sentido, al material manifiesto del sueño (Lacan).

- El "fondo" de la obra considerado como una audiencia, la metáfora como un signo sin fondo, y es "esa lejanía del significado lo que el proceso simbólico designa" (Barthes).

---

2 Jacques Derrida: *L'Ecriture et la différence*, 1967.

La aparente exterioridad del texto, la superficie, esa *máscara* nos engaña, "ya que si hay una máscara, no hay nada detrás; superficie que no esconde más que a sí misma; superficie que, porque nos hace suponer que hay algo detrás, impide que la consideremos como superficie. La máscara nos hace creer que hay una profundidad, pero lo que esta enmascara es ella misma: la máscara simula la disimulación para disimular que no es más que simulación"[3].

El travestismo, tal y como lo practica la novela de Donoso, sería la metáfora mejor de lo que es la escritura: lo que Manuela nos hace ver no es una mujer *bajo la apariencia* de la cual se escondería un hombre, una máscara cosmética que al caer dejara al descubierto una barba, un rostro ajado y duro, sino *el hecho mismo del travestismo*. Nadie ignora, y sería imposible ignorarlo dada la evidencia del disfraz, la nitidez del artificio, que Manuela es un ajetreado bailarín, un hombre disimulado, un *capricho*. Lo que Manuela muestra es la coexistencia, en un solo cuerpo, de significantes masculinos y femeninos: la tensión, la repulsión, el antagonismo que entre ellos se crea.

A través de un lenguaje simbólico[4] a lo que este personaje significa es el pintarrajeo, la ocultación, el encubrimiento. Cejas pintadas y barba: esa máscara enmascara que es una máscara: esa es la "realidad" (sin límites, puesto que todo es contaminado por ella) que el héroe de Donoso *enuncia*.

Esos planos de intersexualidad son análogos a los planos de intertextualidad que constituyen el objeto literario. Planos que dialogan en un mismo exterior, que se responden y completan, que se exaltan y definen uno al otro: esa interacción de texturas lingüísticas, de discursos, esa danza, esa parodia es la escritura.

---

[3] Jean-Louis Baudry: "Écriture, fiction, idéologie", en *Tel Quel*, núm. 31.
[4] Emir Rodríguez Monegal: "El Mundo de José Donoso", en *Mundo Nuevo*, núm. 12 [La novela de Donoso, a que se refieren estos estudios, ha sido publicada en México por Joaquín Mortiz].

La inversión como norma. A propósito de *El lugar sin límites*

Fernando Moreno

Puente Piduco en Talca, hacia 1920.
Archivo fotográfico del Museo Histórico Nacional.

La inversión como norma.
A propósito de *El lugar sin límites*

Fernando Moreno[1]
CRLA-Archivos, Universidad de Poitiers

En una entrevista publicada en Francia, José Donoso señaló que su tercera novela, *El lugar sin límites*, se había originado a partir de una situación perteneciente a la materia prima de *El obsceno pájaro de la noche*: "*J'avais des milliers et des milliers de pages. J'en ai pris une, je l'ai agrandie et transformée en un roman qui devait être* El lugar sin límites, *qui, en substance, est une page de l'Oiseau*"[2].

En efecto, no es necesario un examen demasiado exhaustivo para comprobar que en ambas novelas se produce un acercamiento evidente entre dos escenas en las que participan los personajes que ostentan el poder económico y a los cuales, en alguna medida, las demás figuras están subordinadas. Así, en *El lugar sin límites* aparece el hacendado y senador Alejandro Cruz, el que, en un pasaje determinado de la obra (capítulo tercero), llega con sus cuatro perros negros al edificio que sirve de iglesia en el pueblo y, antes de entrar a los oficios religiosos, ordena que den de comer a sus animales:

[1] Este artículo fue publicado inicialmente en el volumen compilado por Antonio Cornejo Polar, *Donoso. La destrucción de un mundo*, Editorial García Cambeiro, 1975 y en la revista *Cuadernos Hispanoamericanos*, núm. 295, 1975. Ha sido revisado y corregido especialmente para esta edición.
[2] José Donoso, "Le roman? Un instrument pour se connaître". Entretien par H. Banciotti et S. Sarduy, en *La Quinzaine Littéraire*, 136, marzo 1972, p. 8.

—Tíreles una charcha, don Céspedes...
La piltrafa sanguinolenta voló y los perros saltaron tras ella y después los cuatro juntos cayeron hechos un nudo al suelo, disputándose el trozo de carne caliente aún, casi viva. Lo desgarraron, revolcándolo por la tierra y ladrándole, babosos los hocicos colorados y los paladares granujientos, los ojos amarillos fulgurando en sus rostros estrechos... Devorada la charcha los perros volvieron a danzar alrededor de don Alejo, (...) Él los acaricia...[3].

En *El obsceno pájaro de la noche*, don Jerónimo de Azcoitía, uno de los últimos descendientes de la gran familia, ha organizado, con motivo de su próxima elección como parlamentario, una fiesta en su fundo de La Rinconada. Allí sucede (capítulo decimosegundo) que:

SUS CUATRO PERROS negros gruñen disputándose el trozo de carne caliente aún, casi viva. Lo desgarran, ladrándole en la tierra y revolcándolo, babosos los hocicos colorados, los paladares granujientos, los colmillos, fulgurantes los ojos en sus rostros estrechos. Devorada la piltrafa vuelven a bailar alrededor suyo para que los acaricie: mis cuatro perros negros...[4].

La similitud, más que eso, la coincidencia entre ambos pasajes es notoria, pero dicha semejanza se detiene ahí. La novela que surge a partir de esta situación, *El lugar sin límites*, ofrece profundas y notables diferencias con la obra posterior, las que ya, de algún modo, pueden inferirse a partir del tono y la actitud narrativa de cada uno de los fragmentos señalados. Sin embargo, a pesar del abismo que separa a ambas creaciones, hay un aspecto que merece ser consignado. En efecto, resulta importante indicar que en *El lugar sin límites* aparece como norma estructuradora, como eje organizador de su

---

[3] José Donoso: *El lugar sin límites*. Editorial Joaquín Mortiz, 1966, pp. 38-39. Todas las citas corresponden a esta edición. A continuación de cada una de ellas se indicará la página correspondiente.
[4] José Donoso, *El obsceno pájaro de la noche*. Editorial Seix Barral, 1970, pp. 188.

materia narrativa, lo que llamaremos la *inversión*[5], lo cual puede representar un antecedente de interés para el estudio de *El obsceno pájaro de la noche* por cuanto en esta obra es la disociación, la disgregación, el elemento que instaura el mundo narrado. En otras palabras, si consideramos que en otras novelas de Donoso —*Coronación, Este domingo*— se registra la presencia de una conciencia agónica inmersa en un terreno que deja de ser estable, de una clase social que va perdiendo sus moldes y sus texturas, es posible señalar que de dicha inestabilidad se pasa posteriormente a la inversión, para finalizar este proceso con la disolución, presente en la cuarta novela.

Sin embargo, no nos interesa, por ahora, insistir más detalladamente sobre esta idea, Lo que queremos destacar es que ya en esa situación que hemos anotado y que aparece como la "génesis" de la novela que nos preocupa, está presente un personaje característico de gran parte de la narrativa chilena e hispanoamericana de este siglo. Nos referimos a la figura típica del hacendado, del patrón, junto a la cual encontramos, en *El lugar sin límites*, a Pancho Vega, hijo de uno de los peones de Cruz; a don Céspedes, viejo subalterno del senador; a Octavio, dueño de una bomba bencinera y cuñado de Pancho; a la Manuela, el personaje en torno al cual giran la mayor parte de las incidencias narrativas, que es un homosexual que regenta un prostíbulo junto con su hija, la Japonesita.

Estos personajes, sobre todo el primero, junto con el espacio donde se desarrollan los acontecimientos —se trata de un pueblo cercano a la ciudad de Talca, rodeado de viñedos, con tonelerías, galpones y bodegas—, conforman el ambiente que enmarca la obra. Tal configuración ha motivado que ciertos críticos hayan visto en ella tan solo una reiteración o una especie de rebrote del llamado criollismo. Esto explica que a propósito de *El lugar sin límites* algunas reseñas señalaran que mostraba un rincón del suelo chileno, o

---

[5] Para los efectos de este trabajo entenderemos por *inversión* el cambio de una situación inicial por su opuesta, sin que este vuelco o alteración signifique exclusión, pues las más de las veces los contrarios coexisten, a pesar de que, en un primer momento, esto no parezca evidente.

que sus personajes eran figuras estáticas de estampa campesina, ya que se trataría de una novela que parecía escrita hacía décadas.

Tal idea, al parecer, podría resultar acertada si consideramos que el criollismo pretendía la mostración y valoración de las costumbres rurales, de sus tradiciones y leyendas, mediante la captación y la expresión de la tipicidad del ambiente campesino, con sus hombres y paisajes característicos, así como también por la confrontación del individuo con la naturaleza y con las vicisitudes y problemas que traen consigo su oficio y su modo de vida.

Sin embargo, como veremos, no es este el caso de *El lugar sin límites*. En la novela sucede que a partir de ciertos elementos de la realidad propia que muestran las obras del criollismo, como son aquellos que hemos señalado anteriormente, el hablante implícito[6] impone sobre ellos una estilización distorsionadora mediante la cual el libro se abre hacia otros niveles de intelección estética. Es cierto que hay elementos posibles de adscribir al criollismo, es evidente que hay en el mundo de la novela una conciencia de lo que significa el peso de una tradición, porque, a pesar de que Alejandro Cruz se mantiene, podríamos decir, en la periferia de la narración, dejando el lugar principal a otros personajes, existe, de todas maneras e inevitablemente, una extraordinaria gravitación del latifundismo en la mente de las figuras que pululan en el mundo de la obra. Sin embargo, quedarse en este plano significa negar la posibilidad de que los elementos de este mundo poético sean capaces de traspasar este plano literal para poder aludir a otros niveles posibles de aprehender ateniéndonos al factor connotativo de la novela.

Es así como podemos señalar que en general son tres los niveles significativos posibles de incluir como integradores de la sustancia poética de la obra: un primer nivel de referencia nos pone frente a una historia rural, pero no igual a las tradicionales, pues presenta

---

[6] Llamamos hablante implícito a aquel elemento poético —distinto del narrador ficticio— que se configura como sujeto de la enunciación total que constituye la novela, que es responsable de la organización del relato y que organiza y da sentido a los diversos elementos del mundo mediante un lenguaje siempre intencionado. Cf. R. Jara, F. Moreno, *Anatomía de la novela*. Ediciones Universitarias de Valparaíso, 1973.

profundas diferencias con el ya citado criollismo; un segundo nivel nos lleva a la consideración del personaje central, la Manuela, como encarnación del hombre fáustico, esencialmente en virtud de las semejanzas que existen entre muchas de sus situaciones y las que vive el personaje de Marlowe; un tercer nivel nos sitúa frente a una nueva versión de la historia bíblica en la que se enfrentan Dios y Luzbel, encarnados por Alejandro Cruz y Pancho Vega. La inversión funciona en cada uno de estos tres niveles en forma particular y enmarca en su totalidad la estructura de la obra mediante una perspectiva que entrega una noción del mundo al revés, por cuanto el infierno es ilimitado y porque en este mundo trastornado los actos y los personajes no son tan solo lo que aparentan ser, sino también mucho más.

Para un análisis del primer nivel, y como antecedente para el estudio de los otros dos, nos parece necesario detenernos un tanto en algunos aspectos del suceder narrativo[7]. La historia narrada se extiende por un lapso cronológico de diecinueve horas, desde las diez de la mañana de un domingo hasta las cinco de la mañana del lunes. Durante este período ocurren los acontecimientos distribuidos en doce capítulos. Sin embargo, la narración no es lineal, sino que se interrumpe en los capítulos sexto y séptimo para dar paso al relato de un hecho acaecido veinte años atrás de la historia entregada en el presente. Pero veamos esto con más detalle.

La novela comienza cuando la Manuela despierta y decide asistir a misa. De inmediato nos enteramos de la situación conflictiva que existe entre ella y Pancho Vega, hijo de un peón que trabajó con Alejandro Cruz, con quien ha tenido un altercado el año anterior y con el cual teme encontrarse nuevamente. A través de su conversación con la Ludo se deduce que Pancho se ha ido de la hacienda y que gracias a un préstamo de don Alejandro —que hasta

---

[7] Como se trata de niveles integradores de una estructura, muchos de los aspectos señalados para uno de ellos tienen injerencia en los otros. Es por esto que en variadas oportunidades caeremos en ciertas reiteraciones, que no son descuidadas, sino producto de la particularidad inherente a la obra.

el momento no ha cancelado— ha podido comprarse un camión, con el cual trabaja en fletes. Posteriormente la Manuela tiene un primer encuentro con don Alejo. Hay un cambio de escenario (tercer capítulo) y la narración se sitúa ahora en las proximidades de un galpón que sirve de iglesia. Allí se encuentra Pancho junto a otros personajes —Octavio, don Céspedes, la señorita Lila— y al llegar don Alejo se produce una discusión a propósito de la deuda antes aludida, a pesar de que Pancho paga las cuotas atrasadas. Por otra parte, la Japonesita, hija de la Manuela y quien verdaderamente regenta el prostíbulo, y que vive esperanzada pensando en la electrificación del pueblo, sufre una enorme decepción al enterarse, por don Alejo, de que no hay ninguna posibilidad de que esto suceda. A pesar de que el señor ofrece comprar la casa que habitan, ella decide, de todas maneras, permanecer en el pueblo, sin considerar la oposición de la Manuela.

La narración, hasta aquí lineal y cronológica, se interrumpe para presentar en dos capítulos (sexto y séptimo, como se dijo) una situación del pasado: una fiesta de celebración de la victoria de don Alejo en las elecciones parlamentarias. Esta fiesta se realiza en el prostíbulo de la Japonesa Grande y allí llega la Manuela como número de atracción artística. Es en este evento y a partir de una apuesta (la Japonesa Grande es o no capaz de seducir al homosexual) donde se origina la situación de codueño del prostíbulo por parte de la Manuela, así como también es por causa de dicha apuesta que nace la Japonesita. Nuevamente la narración se interrumpe para dar de nuevo paso al presente. Pancho y Octavio se dirigen a pagar a don Alejo el resto de la deuda. Una vez que lo han hecho deciden ir a celebrarlo al prostíbulo de la Japonesita. La Manuela se ha escondido y los hombres se divierten con su hija y con las demás prostitutas; aburridos finalmente, inquieren por la Manuela, la que aparece en la pieza y baila. Descompuesta la antigua victrola, los tres deciden marcharse para continuar la fiesta en otra parte; se produce una situación conflictiva por el intento de la Manuela de besar a Pancho y, debido a esto, los hombres la persiguen y le pegan hasta dejarla tendida, mientras ella solicita la protección de don Alejo.

194

En el prostíbulo, donde don Céspedes presiente la muerte de don Alejo, la Japonesita, que ha elegido definitivamente quedarse en el pueblo, decide ir a acostarse porque no hay nada más que hacer.

Por otra parte, el aspecto narrativo presenta ciertas características bastante particulares, en algunas de las cuales nos detendremos a continuación. Al iniciarse el relato nos enfrentamos con un narrador en tercera persona —no representado— a la manera tradicional, figura que, sin embargo, muy pronto y casi imperceptiblemente da paso a la expresión directa de los personajes, particularmente de la Manuela en este primer capítulo:

> La Manuela despegó con dificultad sus ojos lagañosos, se estiró apenas y volcándose hacia el lado opuesto de donde dormía la Japonesita, alargó la mano para tomar el reloj. Cinco para las diez. Misa de once. Las lagañas latigudas volvieron a sellar sus párpados en cuanto puso el reloj sobre el cajón junto a la cama. Por lo menos media hora antes que su hija le pidiera el desayuno (9).

Las frases que continúan este íncipit ahondan en el mismo procedimiento:

> Frotó la lengua contra su encía despoblada: como aserrín caliente y la respiración de huevo podrido. Por tomar tanto chacolí para apurar a los hombres y cerrar temprano. Dio un respingo —¡claro!—abrió los ojos y se sentó en la cama: Pancho Vega andaba en el pueblo… El año pasado al muy animal se le puso entre ceja y ceja que bailara español… ¡Cómo no! ¡Macho bruto! A él van a estar bailándole, ¡mírenlo nomás! Eso lo hago yo para los caballeros, para los amigos… (9-10).

La complejidad narrativa se verá acentuada por el hecho de que, además de la característica recién anotada, el narrador en tercera persona será reemplazado por varios narradores personales, personajes de los acontecimientos de la novela. Además de la Manuela, tenemos también la intervención de otros personajes narradores, como Pancho Vega: "Don Alejo no tiene nada que decir.

195

Nada que ver conmigo. Yo soy yo. Solo. Y, claro, la familia, como Octavio, que es mi compadre" (93) y la Japonesita: "Pero tampoco era verdad. En fin, tiene razón. Si voy a ser puta, mejor comenzar con Pancho" (51). Sin embargo, es preciso señalar que en la mayoría de los casos estos narradores representados se expresan a través de la modalidad llamada "corriente de la conciencia", modo narrativo directo que permite entregar la interioridad de la figura y que "representa el carácter temporal y fluyente de la conciencia orientada indistintamente hacia el pasado, el presente y el futuro mediante estímulos psicológicos o sensoriales que, libremente asociados, borran con su indiferenciación las fronteras cronológicas y temporales"[8].

Por otra parte, la narración se agiliza mediante la utilización del diálogo, generalmente no matizado, lo que imprime una mayor rapidez a la escritura, y también gracias al uso del estilo indirecto libre, en el cual el narrador, aunque menos visible que en el estilo directo, se mantiene presente, situándose su punto de hablada, al parecer del lector, en el interior del personaje, lo que ocasiona una identificación del narrador con la intimidad de la figura:

> Y tragó para agregar:
> —Yo no.
> —Pero tú me debes plata y él no.
> Era cierto. Mejor no acordarse ahora… (39).

Es preciso también dejar establecido que a pesar de que hay un continuo cambio y alternancia de estos narradores personales —ya que por lo general los capítulos se concentran en un personaje, el que variará de acuerdo con la progresión del acontecer—, es en la Manuela donde se ubica el foco de la narración. En efecto, es a través de la conciencia de la Manuela, de la mente de este personaje y alrededor de su figura, que se realiza el conocimiento de las particularidades del pueblo y de las demás personas. Mediante el

---

[8] Cf. R. Jara, F. Moreno (129).

desplazamiento físico del personaje, el lector se va enterando en forma gradual de la visión del espacio y del ambiente, partiendo desde el ámbito particular del prostíbulo, hasta llegar a la consideración general del pueblo y de su estado actual de decadencia. Al mismo tiempo, el desarrollo progresivo de los pensamientos y de la conciencia de la Manuela permite la presentación y consideración de los deseos y actitudes de los demás personajes, aunque muchas veces la mirada del homosexual no baste para entender cabalmente sus actuaciones y anhelos, o no entregue aquellos elementos que permitan la explicación de sus reacciones.

Junto con lo anterior, resulta además importante señalar que se trata de la conciencia de un ser diferente, de un homosexual pobre —expresión de una humanidad distinta—, la que se encarga, en buena medida, de entregar la visión del mundo. Esto no es sino una manifestación, primero de lo disímil, también de la precariedad de la existencia y, por consiguiente, de la degradación y ocaso de un mundo, orientado hacia la destrucción irremediable.

Por otra parte, y siempre dentro de la caracterización de la actitud narrativa, es preciso indicar que la figura del narrador no representado, aquel que se encarga del aspecto literal del enunciado y, por lo tanto, de entregar los datos referentes al tiempo del relato y de señalar las características particulares del espacio y que guía la conciencia de los personajes, sobrepasa en algunas oportunidades el nivel de conocimiento de sus figuras. En ciertos casos se permite realizar ciertas comparaciones que lo alejan de la consideración de un mero narrador observador cercano a la materia que entrega, pasando a la categoría de un hablante que asume una actitud valorativa frente a lo narrado: "debajo del par de eucaliptos estrafalarios una máquina trilladora antediluviana entre cuyos fierros anaranjados por el orín jugaban los niños como con un saurio domesticado" (20).

Conviene también insistir en el hecho de que este narrador se convierta, más adelante, en un factor demostrativo de la decadencia de su mundo. En efecto, al mismo tiempo que se acerca el término del relato, cuando ya es casi evidente que toda esperanza está perdida, el narrador no manifiesta ya una confianza tan absoluta en cuanto a su conocimiento del mundo; de allí entonces que lo relatado aparezca como algo ambiguo, como algo inseguro e inestable. El hablante vacila, porque el mundo se pierde y porque la tragedia se avecina: "—Están inquietos esta noche. Es que hay luna, se dijo la Japonesita, o lo diría en voz alta, o tal vez don Céspedes inclinado sobre el brasero lo diría, o tal vez sólo lo pensara y ella lo sintió" (136).

Otro aspecto que merece ser considerado es el composicional. Ya hemos señalado que la novela está dividida en doce capítulos. En relación con esto conviene destacar que, al mismo tiempo que en la obra los recuerdos juegan un papel de especial importancia[9], estos recuerdos se concentran en un personaje en cada uno de los capítulos de una manera organizada y coherente[10], tal como lo resume el siguiente gráfico:

Cap.

Pasado	1	2	3	4	5	6	7	8	9	10	11	12
	+	+	—	^	+			—	+	—		
	++	++	——	^^	++			——	++	——		
	+++	+++	———	^^^	+++			———	+++	———		

Presente

[Espera   ]   Pasado   [Encuentro   ]

Recuerdos de la Manuela: +++; de Pancho Vega: ———— ; de la Japonesita: ^^^

---

[9] Véase más adelante.

[10] Hay también otros elementos que contribuyen a la configuración de un todo orgánico. Nos referimos a los indicios que funcionan como cohesionadores del mundo y entre los cuales destacamos la mención del tifus de Moniquita (hija de don Alejandro), el vestido colorado de la Manuela, los cuatro perros negros del señor, el depósito de dinero que todos los lunes efectúa la Japonesita en Talca, el camión colorado de Pancho Vega. Algunos de ellos serán evocados con posterioridad.

Junto con esta particular disposición de los recuerdos, hay otro hecho que resalta en el plano de composición de la obra: si se toma en cuenta que los capítulos centrales (sexto y séptimo) se ubican en el pasado, los diez restantes quedan automáticamente divididos en dos grupos de cinco capítulos cada uno, el primero de estos grupos organizado en torno a la espera de Pancho por parte de la Manuela, y el segundo, que tiene como eje el encuentro entre ambos personajes. Resulta entonces, de acuerdo con estas consideraciones, una simetría perfecta, signo inequívoco de la intención del hablante implícito de entregar una realidad cohesionada y orgánicamente dispuesta.

Unido con lo anterior llama la atención también que en los dos últimos capítulos, esto es cuando la obra finaliza y la posibilidad de salvación para los personajes es ya más que precaria, por no decir imposible, tampoco aparezcan los recuerdos. No hay, entonces, una presencia notoria de las rememoraciones. Es que el presente, con su tinte sórdido y desesperanzado, cubre todas las esferas de significación de la obra.

Luego de este rápido repaso sobre el acontecer de la novela, sobre la narración y el plano compositivo de la misma, podemos apreciar más claramente que ella está lejos de ser lo que llamaríamos una novela rural o de la tierra. Es evidente que algunos de sus elementos pueden ser considerados característicos del criollismo, sin embargo, las diferencias son notables. Esto podemos verlo a través de la estructura narrativa —que en casi nada se asemeja a la narración tradicional del tipo omnisciente que se detenía en la mostración de los lugares y costumbres peculiares de los habitantes de las zonas rurales— y a través del contenido del mundo, que en esta creación se centra en un prostíbulo, presentando como "héroe", más bien "antihéroe", a un homosexual, y como figuras centrales a un joven rebelde con ciertas inclinaciones particulares y a un señor dueño de la tierra con intenciones malsanas, que redundan en actos realizados exclusivamente para su propio beneficio.

Volvamos ahora a nuestro tema central. El aspecto de la inversión se encuentra expuesto a lo largo de toda la novela e incluye desde la caracterización de los personajes y su configuración como entes ficticios, hasta pequeñas actitudes y detalles del lenguaje, pasando también por la estructura compositiva y el aspecto temporal del relato.

Como hemos señalado, al comienzo de la narración se nos presenta a la Manuela. Sin lugar a dudas, el lector tiene la impresión de que se trata de un personaje de sexo femenino, idea que incluso se patentiza gracias a ciertas particularidades de la actitud narrativa: "Casi cinco minutos seguidos estaría tocando ronca e insistente, como para volver *loca* a cualquiera" (9)[11].

Esta noción resulta más adelante desvirtuada al entregarse la verdadera "identidad" sexual del personaje: "—A las dos me las voy a montar bien montadas, a la Japonesita y al *maricón* del papá [...]. La Manuela se levantó de la cama y comenzó a ponerse los pantalones" (10).

La inversión que se realiza en este personaje va más allá que un mero cambio en cuanto al elemento genérico. En efecto, aquélla se duplica en el episodio de la apuesta entre la Japonesa Grande y don Alejandro. La Manuela, el homosexual que ha llegado al pueblo a participar en una fiesta dedicada al señor, atrae a la Japonesa Grande por lo que de "hombre" hay en su persona —"no oyen que la Japonesa Grande me dice muy despacito al oído, *mijito*; es rico, no tenga miedo, si no vamos a hacer nada, si es pura comedia para que ellos crean *mijito* y no se preocupe *mijito*" (108)— pero sucede que este "hombre" es netamente pasivo en el acto sexual: "yo te estoy haciendo gozar porque *yo soy la macha y* tú la *hembra*,... y siento que el calor de ella me engulle" (109). Esta primera —temporalmente hablando— inversión doble (homosexual-macho; macho-pasivo) es básica y se relaciona directamente con el resto de inversiones que se concretan en las actitudes y comportamientos de los demás personajes; ella produce, en palabras de Sarduy, "una cadena metonímica" de inversiones (Sarduy 44).

---

[11] La cursiva es nuestra, en esta cita como en las posteriores.

Pero en cuanto a este personaje la inversión no se detiene allí. La Manuela se ve escindida paradójicamente entre dos fuerzas, una de miedo y de rechazo hacia Pancho Vega (a quien califica de "macho bruto") y otra de atracción irresistible hacia el mismo personaje[12] .

En efecto, cuando sabe que Pancho está en el pueblo siente miedo y lo único que desea es escapar de él o bien solicitar la intervención de don Alejandro, "Y tú pidiéndome que te proteja: si voy a salir corriendo como una gallina en cuanto llegue Pancho" (49); pero, al mismo tiempo, espera su arribo con ansiedad: "le entró la tentación de sacar su vestido otra vez" (11). Decide entonces arreglar lo mejor posible su viejo vestido de fiesta, el que la caracteriza, su vestido de española[13]: "Inútil negarlo. Su hija tiene razón. Pancho va a venir esta noche aunque llueva o truene. Tomó su vestido, la percala viejísima entibiada. Todo el santo día dele que te dele a la aguja, preparándolo, preparándose. Vamos a ver si es tan macho como dicen" (48).

Aunque se sabe demasiado vieja para bailar, la noche que llega Pancho piensa que debe hacerlo como nunca (112). Su deseo de "morir con las plumas puestas" equivale a una afirmación de sí misma, porque todavía, a pesar de todo, en ella sopla la vida.

Por otra parte, la inversión suma y sigue: desde hace mucho tiempo la Manuela ha querido marcharse de este lugar en el que se siente atada. Así se lo ha manifestado en reiteradas ocasiones a su hija. A pesar de todo, ella permanece allí, en ese "pueblo de porquería lleno de muertos de hambre". Esta actitud contradictoria la encontramos en una misma cita; el propio personaje se encarga de manifestarla elocuentemente: "te he pedido tantas veces que me des mi parte para irme, qué sé yo dónde, siempre habrá una casa

---

[12] Dentro del plano del acontecer es posible señalar que el punto de partida del relato lineal está motivado por el "insulto" que Pancho Vega ha proferido a la Manuela, lo que ocurrió, según lo señala, "el año pasado"; en esa ocasión la Manuela fue defendida por don Alejandro. Esta situación genera las relaciones esenciales entre los tres personajes y de los cuales cabe citar el deseo y el temor, la protección y la rebeldía.
[13] El vestido de la Manuela es uno de los elementos, que contribuye a la ilación y articulación del texto. Se encuentra en las páginas 10, 11, 14, 19, 22, 24, 25, 26, 44, 46, 47, 50, 53, 72, 93 y 111.

de putas donde trabajar por ahí... pero nunca has querido. Y yo tampoco" (50).

La inversión, como es lógico, también alcanza a la Japonesita. Según lo indica la Manuela, ella es "pura ambigüedad", pues quisiera ser madre, pero biológicamente todavía no puede procrear; más aún, a la Japonesita, dada su situación, le gustaría también ser prostituta, pero tampoco puede realizar este particular anhelo:

> ...empezaba a decir que le gustaría tener hijos. ¡Hijos! Pero si con sus dieciocho años bien cumplidos ni la regla le llegaba todavía. Y después decía que no. Que no quería que la anduvieran mandoneando. Que ya que era dueña de casa de putas mejor sería que ella también fuera puta. Pero la tocaba un hombre y salía corriendo (25).

Este aspecto de la inversión en la Japonesita también incluye sus actitudes hacia su padre ¿o madre? —"era un niño, la Manuela. Podía odiarlo, como hace un rato. Y no odiarlo"— y, por cierto, con respecto hacia Pancho Vega, al que, al igual que su progenitor, teme ("Usted me tiene que defender si viene Pancho"), pero también espera (62). Ella se esmera para poder presentarse ante él de la mejor manera posible; para ella Pancho significa la consumación de su vida, la posibilidad de poder salir, aunque solo sea por un momento, de la senda sin destino y esperanza que recorre: "Para saber quién eres Japonesita, ahora lo sabrás y esa mano y ese calor de su cuerpo pesado y entonces, aunque él se vaya, quedará algo siquiera de esta noche" (121).

Pero ni siquiera esto obtendrá: Pancho la dejará por la Manuela. Al igual que la Manuela, ella quisiera alejarse de aquel lugar, irse de ese pueblo, instalarse en otra ciudad, con otro tipo de comercio. Pero tampoco se decide a hacerlo, por comodidad, por acostumbramiento, para no crearse problemas: "Que claro que le gustaría irse a vivir a otra parte y poner otro negocio. Pero que no se iba porque la Estación El Olivo era tan chica y a nadie le llamaba la atención, tan acostumbrados estaban" (50).

Ella es la responsable de la marcha del negocio, ella se encarga del aspecto administrativo y financiero. Las ganancias las deposita —todos los lunes— en una cuenta corriente que tiene en un banco de la ciudad de Talca. ¿Para qué? Ni la misma Manuela lo sabe: "Y quién sabe qué iba a hacer con ella porque de gozarla no la gozaba. Jamás se compraba un vestido… Ni siquiera quería comprar otra cama para poder dormir cada una en la suya" (16). Es este otro síntoma de la inversión que tiñe de ambigüedad y contradicción el cosmos de la obra.

Para la Manuela, don Alejandro Cruz es una persona extremadamente bondadosa, pues gracias a sus cuidados y atenciones el pueblo puede vivir: "Y tan bueno don Alejo. ¿Qué sería de la gente de la Estación sin él?" (20).

Sin embargo, a pesar de todas estas notas positivas, a pesar de que don Alejo pertenece (políticamente) al "partido histórico", al partido tradicional, al partido "de la gente decente que paga las deudas" (68), lo que lo diferencia profundamente de Pancho Vega, la Manuela sabe que esta es solo una cara del señor, pues debajo de ese parecer benéfico se esconde su otra faz, la del aprovechador, la del individuo que mediante engaños y truculencias se aprovecha de quienes lo apoyan: "Lo conocía demasiado tiempo para no darse cuenta de que algo estaba tramando. Siempre había querido pillarlo en uno de esos negocios turbios de que lo acusaban sus enemigos políticos" (57).

En cuanto a Pancho Vega, podemos señalar que este personaje presenta también una doble faz bastante peculiar. Él es una especie de encarnación de la hombría, de la fuerza, de la reciedumbre; está rodeado de una aureola de virilidad expuesta en forma bastante clara —"ese hombrazo grandote y bigotudo" (26)— pero bajo estas características se esconde el individuo sexualmente inestable, con ciertas desviaciones nada propias en una figura como la suya —"y cuando me sujetó con los otros hombres me dio sus buenos agarrones, bien intencionados" (10)—. Esto se patentiza más aún en las páginas finales de la novela (especialmente 126-127), donde se manifiesta en forma evidente su atracción y deseo hacia el homo-sexual[14].

Una de las modalidades más difundidas en la novela hispano-americana actual la constituye el discurso paragramático, el que se realiza, en un caso particular, gracias a la utilización del correlato. En este caso la connotación se refiere a un discurso paralelo, sinó-nimo o antónimo, de carácter mitológico o literario.

En el caso de *El lugar sin límites* tenemos, en primer término, un correlato (cuyo indicador lo constituye el epígrafe con que se ini-cia la novela) con *La trágica historia del doctor Fausto*, de Marlowe. En esta obra, una vez que el pacto ha sido concertado y que el personaje ha vendido su alma al demonio, en su deseo de obtener grandeza, poder y consideración, Fausto inquiere a Mefistófeles (II, 2) por la ubicación del infierno:

> *Fausto*: Primero te interrogaré acerca del infierno.
> Dime, ¿dónde queda el lugar que los hombres llaman infierno?
> *Mefistófeles*: Debajo del cielo.
> *Fausto*: Sí, pero ¿en qué lugar?
> *Mefistófeles*: En las entrañas de estos elementos.
> Donde somos torturados y permanecemos siempre. El infierno
> no tiene límites, ni queda circunscrito a un solo lugar, porque el
> infierno *es aquí donde estamos y aquí donde es el infierno tenemos
> que permanecer...* (9).

Este epígrafe indica la situación particular no solo del infierno, sino también de la tierra misma, que en sí es un infierno; ya no existe el paraíso, ya no hay posibilidades de que el hombre pueda realizarse plenamente en este suelo. Las fuerzas demoníacas que conllevan la degradación hacen que toda esperanza sea inalcan-zable, hacen imposible toda posibilidad de salvación, de manera que los seres, atormentados o no, no tienen escapatoria, no hay

---

[14] La inversión también alcanza a un personaje como don Céspedes: a él le regalan el vino en el fundo del patrón, pero prefiere beberlo —y pagarlo— donde la Japonesita (114); a pesar de que es viejo y pobre, la Japonesita lo envidia (116).

solución y deben permanecer en este mundo degradado, que no ofrece ningún camino. Y esta es la situación de los personajes de la novela de Donoso.

Por otra parte, esta cita nos lleva a relacionar la figura de la Manuela con el personaje de Marlowe. El hecho de que entre ambos existan ciertas actitudes similares permite considerar al personaje de Donoso como la reactualización, muy particular por cierto, del hombre fáustico.

Fausto, mediante un pacto con el demonio y a cambio de su alma, obtiene fama y riquezas. Sin embargo, cada cierto tiempo él escucha la voz del ángel bueno, quien le insiste que aún es tiempo de arrepentirse y de solicitar el perdón divino. Fausto desatiende estas llamadas porque, una vez realizado el contrato se transformó en otro ser, pues lo único que entonces le interesa es poder lograr sus anhelos de grandeza. Estas dos fuerzas que pugnan en el interior de la figura de Fausto —dios y demonio— también se encuentran en la Manuela[15].

Ella ha establecido un pacto con la Japonesa Grande (indirectamente con don Alejandro), mediante el cual se convierte en codueña de la casa. Recordemos que don Alejandro apuesta a la Japonesa que esta no es capaz de atraer a la Manuela: "Ya está. Ya que te creís tan macanuda, te hago la apuesta. Trata de conseguir que el maricón se caliente contigo…" (82). Aunque en un principio el homosexual se resiste ante las palabras de la Japonesa, luego, con la promesa que esta le hace de convertirse en dueña de la casa y de sus enseres —"Vamos a medias en todo. Te firmo a medias; tú también como dueña de la casa cuando don Alejo me la ceda ante notario. Tú y yo, propietarias. La mitad de todo. De la casa y de los muebles y del negocio y de todo lo que vaya entrando" (87)— la Manuela se decide. Ante el ofrecimiento realizado por la Japonesa y ante la

---

[15] Esta similitud y otros aspectos de coincidencia con la obra de Marlowe han sido señalados por José Promis: "El mundo infernal del novelista José Donoso", en *Tierra y mundo en la novela hispanoamericana contemporánea*. Ediciones de la Universidad del Norte, 1969. Sin embargo, el autor no alude allí al pacto de la Manuela, hecho de gran significación y que permite relacionar más directamente a ambos personajes.

posibilidad de obtener tranquilidad, de cambiar radicalmente su forma de vida, de obtener lo que nunca ha poseído, ella acepta:

> ...y así, propietaria, nadie podría echarla, porque la casa sería suya. Podría mandar. La habían echado de tantas casas de putas porque se ponía tan loca cuando comenzaba la fiesta [...]. De una casa de putas a otra. Desde que tenía recuerdo [...]. Total. Era un rato. Los garbanzos no me gustan, pero cuando no hay más que comer... (87).

Debido a este pacto, mediante el cual la Manuela debe dejar por un momento su vida de "inversión" —lo que no es sino otra inversión—, el personaje permanecerá desde entonces en ese pueblo. Allí, y posteriormente, también estará dominado por dos fuerzas antagónicas: la de sus anhelos de protección ante el temor que le causa Pancho, la que le es ofrecida por don Alejandro y la atracción que siente hacia Pancho, a quien ella espera ansiosamente en el burdel, junto a su hija: "antes de que apagara, la Manuela alcanzó a ver que en la cara de su hija había una sonrisa tonta, no le tiene miedo a Pancho, seguro que quiere que venga, que lo espera, tiene ganas la tonta, y una también esperando" (62).

En la obra de Marlowe, cuando Fausto debe cumplir con su parte del trato, cuando llega la hora de entregar su alma ante la inminencia de la llegada del demonio, el personaje toma conciencia de la individualidad que había perdido, vuelve a considerar su existencia pasada. Esto lo conduce a tratar de deshacer el pacto. Pide e implora la bendición y el perdón de Dios, al mismo tiempo que trata de ocultarse para no ser ubicado por Mefistófeles.

Algo similar ocurre en el caso de la Manuela. Una vez que Pancho (el ángel-demonio) ha llegado al burdel, ella logra atraer su atención:

> ...eso que está bailando para él, él sabe que desea tocarlo y acariciarlo, desea que ese retorcerse no sea sólo allá en el centro sino contra su piel, y Pancho se deja mirar y acariciar desde allá...

el viejo maricón que baila para él y él se deja bailar y que ya no
da risa porque es como si él, también, estuviera anhelando (126).

Pero la victrola se descompone y la Manuela insiste en que vayan a continuar la fiesta en otros lugares. Nótese lo significativo de sus palabras: "…ya, vamos mijito, *lléveme que tengo el diablo en el cuerpo*. Me estoy muriendo de aburrimiento en este pueblo" (127).

Una vez que los tres han abandonado el prostíbulo y se dirigen al camión de Pancho para continuar la fiesta en otra parte, la Manuela trata de besar a este, lo cual produce de inmediato el rompimiento de la relación de camaradería. Octavio reconviene a Pancho, haciéndole ver la realidad de la situación: "Ya, pues, compadre, no sea maricón usted también" (129). Se produce entonces un altercado, del cual, como es lógico, saldrá perdiendo la Manuela. Ante el castigo inminente, del cual va a ser objeto por parte de los dos hombres, la Manuela, tal como Fausto, toma conciencia de sí, produciéndose de este modo una reactualización de su perdida personalidad: "Parada en el barro de la calzada mientras Octavio la paralizaba retorciéndole el brazo, la Manuela *despertó. No era la Manuela. Era él Manuel González Astica*. Y porque era él, iban a hacerle daño y Manuel González Astica sintió terror" (130).

Ante este peligro la Manuela, en forma desesperada, trata de salvarse, y perseguida por Pancho y Octavio, huye en busca de don Alejandro: "más allá del límite lo esperaba don Alejo, que era el único que podía salvarlo" (131). Mientras corre, recuerda la otra parte del pacto: "don Alejo le prometió que le iba a ir bien, que le convenía, que nunca más iba a sentir el peso de lo que sentía antes si se quedaba aquí donde estaba él; era promesa, juramento casi, y se había quedado, y ahora lo venían persiguiendo para matarlo", eleva también su plegaria, la que queda tan solo en su mente: "Decirle por favor defiéndame del miedo, usted me prometió que nunca me iba a pasar nada que siempre iba a protegerme y por eso me quedé en este pueblo y ahora tiene que cumplir su promesa y defenderme y sanarme y consolarme…" (131).

La Manuela trata de cruzar el canal que separa el pueblo de los viñedos de don Alejandro, pero, sin fuerzas, intenta ocultarse, solución que tampoco es efectiva porque los hombres la encuentran y con una furia inaudita e incontenible se abalanzan sobre ella.

A pesar de que hay otras situaciones similares con *La trágica historia del doctor Fausto*[16], se hace necesario señalar que, dada la particular configuración de la obra sustentada por la inversión, hay también un aspecto de diferenciación notorio. En efecto, si bien Fausto logró gracias al pacto con Mefistófeles la grandeza que deseaba, por el contrario, la Manuela ha tenido una compensación nimia. Ella ha perdido su libertad, cosa que intuyó en el momento mismo en que se consumaba el trato: "...claro que sentí que era una traición para apresarme y meterme para siempre en un calabozo..." (107).

Pero nada puede hacer. La Manuela, que podía haber sido "la reina de las fiestas", que podía haber llevado una vida distinta, de fama, de diversión, descubriendo nuevos lugares, yendo de un lado a otro cantando y bailando como solo ella lo sabe hacer, no ha obtenido sino una prisión, un lugar de encierro, de donde no puede salir y donde ni siquiera ha tenido compensaciones materiales, pues todo el dinero lo guarda su hija. La Manuela está consciente del engaño; se ha dado cuenta de que aquel pacto no le significó nada de lo que ella esperaba: "Haber creído que porque la Japonesa Grande lo hizo propietario y socio de la casa en la famosa apuesta que gracias a él ganó a don Alejo, las cosas iban a cambiar y su vida a mejorar" (60).

En definitiva, no hubo prosperidad, y al final lo único que ella desea es poder salir de allí para liberarse de esa tumba, en la que está encerrada en vida: "...yo tengo derecho a ver un poco de luz, yo que nunca he salido de este hoyo, porque me engañaron" (128), y

---

[16] Recordemos la expectante situación nocturna ante la llegada del demonio y de Pancho, los reiterados consejos del ángel y de la Japonesita —quien le insiste a la Manuela que no salga con Pancho—, y el anhelo de conocimiento de Fausto y de la Manuela, que quiere recorrer otros lugares de diversión.

cuando viene en su busca el ángel demoníaco, que espera con tanta ansiedad, el pacto llega a su término. Pero en vez de libertad solo obtendrá la destrucción y la muerte.

A partir del correlato con el mito del hombre fáustico es posible la comprensión del cosmos de *El lugar sin límites* como un mundo degradado, infernal y demoníaco, regido por las fuerzas del mal y donde se concreta, como hemos señalado al comienzo de estas páginas, la historia mítica de la rebelión de Luzbel, el ángel caído que se enfrenta con la figura del Dios creador. Esta visión complementa la anterior y permite una óptica más integral y adecuada de la materia narrativa.

Sin embargo, dada la particular perspectiva de la novela, la actualización del mito sufre importantes variaciones. Aquí el antagonismo esencial, la bipolaridad, no existe en términos absolutos. En otras palabras, la oposición Dios-demonio no es reductible a los términos de una lucha entre el bien y el mal, pues ambas fuerzas presentan, a su modo, ciertas características contrarias a lo que sería su calificación esencial. Se trata, en buenas cuentas, de un cielo al revés, principio estructural que encontramos también en *El Señor Presidente*, por ejemplo[17], pero con una realización diferente, por cierto.

En *El lugar sin límites*, la figura de don Alejandro Cruz, el latifundista, el terrateniente, irradia una imagen paternalista muy especial. Él es el dueño de todo el pueblo; lo ha creado, y de su persona dependen todas las demás existencias. Su poder económico es inmenso; es el generador no solo del espacio, sino también de la vida humana (recordemos que muchos de los habitantes tenían el color de sus ojos). Su figura está rodeada por una aureola de misticismo y religiosidad, la cual se ve reforzada por su apellido —Cruz—, por la denominación de su pueblo —El Olivo— y

---

[17] En la novela de Asturias aparece la figura de un dios malvado y cruel, "Señor" al revés de su "Paraíso", regido por el miedo y el terror; a su derecha, Miguel Cara de Ángel, correspondiente al arcángel bíblico, pero "bello y malo como Satán". Como Luzbel, este es lanzado a los infiernos cuando traiciona su pacto de confianza con el amo, prefiriendo el amor de Camila, en un acto de rebeldía que no prospera frente a la fuerza infernal y terrible del dios-demonio.

porque a él pertenecen los viñedos: son las "viñas del señor". Don Alejandro Cruz ha dado origen al pueblo, y bajo su mirada se desarrollan las actividades:

> Viñas y viñas y más viñas por todos lados hasta donde alcanzaba la vista, hasta la cordillera… El varillaje de las viñas convergía hasta las casas del fundo El Olivo, rodeadas de un parque no muy grande pero parque al fin, y por la aglomeración de herrerías, lecherías, tonelerías, galpones y bodegas de don Alejo… Tanta plata. Y tanto poder: don Alejo, cuando heredó hace más de medio siglo hizo construir la Estación El Olivo para que el tren se detuviera allí mismo y se llevara sus productos. Y tan bueno don Alejo (20).

La caracterización primera del personaje es entonces la de un padre bondadoso, que hace todo para el beneficio de sus hijos bien amados, los que, agradecidos, lo adoran como a un verdadero dios. Al comenzar la novela, la Manuela dice: "Tan bueno él. Si hasta cara de Tatita Dios tenía, con sus ojos como de loza azulina y sus bigotes y sus cejas de nieve", y no hace sino repetir lo que veinte años atrás le dijera la Japonesa Grande: "Aquí en el pueblo es como Dios" (74).

Esta caracterización de don Alejandro impone, en una ocasión dada, la utilización de un estilo que parodia el lenguaje bíblico: "Pero porque se trataba de una fiesta en honor del señor y porque cualquier cosa que se relacionara con el señor era buena… sí que cantaran juntos, que bailaran, que hicieran las mil y una, hoy no importaba con tal que las hicieran con el señor" (64-65). Con estas palabras, que se refieren a la fiesta antes aludida, el narrador no solo alude a la atmósfera religiosa y de bondad en la que se encuentra inmerso el personaje, sino que, por contraste, también alude al espacio degradado del cual el señor es amo. Significa una agria caricatura, una fuerte sátira a las celebraciones hechas en honor a don Alejandro, las que nada tienen de sagrado, sino que, por el contrario, son reuniones —orgías— realizadas en el nada santo prostíbulo de la Japonesa.

Don Alejandro es la representación del poder omnipotente; todo depende de él. Las vidas de los habitantes están limitadas a sus designios. Es la concreción de un poder esclavizador, que entrega una seguridad relativa, lo que no impide que, indudablemente, sea la encarnación de un sistema social represivo. Creador y conservador de las cosas, no es el Sumo Bien. También en él están presentes las fuerzas del mal, de la destrucción. Creador y devorador al mismo tiempo, la figura de don Alejandro implica conjuntamente las fuerzas de la génesis y de la destrucción. En efecto, una vez que se cerciora de que sus proyectos para hacer de El Olivo un lugar próspero y floreciente fracasan —"nos vamos a ir todos para arriba como la espuma" (74)— don Alejandro se propone acabar con todo lo que ha hecho: recuperar lo que le perteneció a costa de cualquier precio. Por eso quiere comprar todas las casas del pueblo; por eso quiere recuperar la casa de la Japonesita, perdida en una apuesta:

> Quiere que toda la gente se vaya del pueblo. Y como él es dueño de casi todas las casas, si no de todas, entonces, qué le cuesta echarle otra habladita al Intendente para que le ceda los terrenos de las calles que eran de él para empezar y entonces echar abajo todas las casas y arar el terreno del pueblo, abonado y descansado, y plantar más y más viñas como si el pueblo jamás hubiera existido (100).

Un elemento indicial que contribuye a esta configuración de don Alejandro como un dios maligno está constituido por los cuatro perros negros que siempre lo acompañan y que son mencionados a lo largo de toda la obra[18]. Estos animales tienen nombres relacionados con el mundo musulmán (Otelo, Moro, Negus, Sultán). Tradicionalmente se ha considerado que es opuesto a "lo cristiano", de manera que se produce la paradoja de que haya "moros" en la misa. Más aún: si recordamos que la figura del perro negro es representativa del demonio, resulta entonces que el señor se hace acompañar por demonios y que estos incluso entran con

---

[18] En las páginas 11, 16, 18, 27, 29, 33, 34, 38, 54, 58, 93, 94, 115, 118, 135 y 139.

él a la iglesia[19]. Finalmente, al concluir la novela, el señor suelta a su séquito infernal, el que se encargará de anunciar la destrucción y la muerte.

Frente a la figura de este dios se alza la del ángel rebelde, Pancho Vega, quien se opone a los designios de Alejandro Cruz. Desde niño dependió de la familia del hacendado; ellos lo criaron y lo enviaron a la escuela. Debe jugar con Moniquita, la hija del patrón. Su rebeldía se manifiesta desde temprana edad —"nunca pasaba de curso porque no se me antojaba" (92)— y, ya cansado de cuidar a la pequeña y de las bromas de sus amigos, en cierta ocasión decide esconderse; pero don Alejandro lo sorprende y lo obliga a continuar en su tarea (97).

Paradójicamente, la libertad y la dignidad personal que tan afanosamente busca Pancho (actitud que lo relaciona con la Manuela) se realiza gracias a un dinero prestado por el señor, con el cual puede comprar su camión colorado. Esta deuda lo mantiene atado siempre al antiguo lazo. Aunque la cancele, don Alejandro sabe que todavía lo tiene en su poder: "tengo muchos hilos en mi mano. Cuidado... Si te di la libertad fue para ver cómo reaccionabas..." (36). Sin embargo, Pancho, con la ayuda de Octavio, el extranjero en el pueblo, el que no está contaminado y que es capaz de enfrentarse con el patrón sin que necesariamente tenga que temerle, logrará su propósito: "No, no quería tener nada que ver con este pueblo de mierda... la libertad; él solo, sin tener que rendirle cuentas a nadie" (36-38). Pagará su deuda, pero de todas maneras su independencia será relativa, porque quedará atado a los recuerdos de don Alejandro y de su familia. Incluso él quisiera que el pueblo no sucumbiera para tener algo en que pensar, para poder recordarlo: "Me gustaría tener donde volver no para volver sino para tenerlo, nada más, y ahora no voy a tener. Porque don Alejo se va a morir" (101).

Y ante el inminente final del hacendado, Pancho, que ha tratado por todos los medios de cortar los lazos que lo ataban con el

---

[19] Es significativo además que el galpón, propiedad de don Alejandro, que es utilizado como iglesia, sea además usado los días de semana para las reuniones del partido.

señor, quedará desorientado, sin saber qué hacer ni adónde dirigirse: "La certidumbre de la muerte de don Alejo vació la noche y Pancho tuvo que aferrarse de su manubrio para no caer en ese abismo" (101).

Este ángel rebelde, que en realidad también es el demonio[20], que busca la libertad, pero que queda atado a los recuerdos de la infancia, a sus situaciones características y al terruño que lo vio crecer, celebrará su independencia en el burdel, lugar que para la Manuela es una prisión. Allí está el homosexual, que es para él el último recurso al que puede acudir para divertirse, para evitar el tedio, el aburrimiento y la inseguridad que lo corroe: "esa loca de la Manuela que venga a salvarnos, tiene que ser posible algo que no sea esto…" (123).

Para la Manuela, Pancho significa la posibilidad de poder escapar de su encierro, pero este personaje no le traerá sino el *mensaje* de la muerte.

Aunque es posible detectar otros elementos que inciden también en la conformación de este mundo infernal, regido por un dios diabólico[21], nos detendremos brevemente ahora en la consideración de dos aspectos que acentúan y ponen de relieve la inversión en una forma global y totalizadora.

El universo de las figuras de la novela es un mundo que vive de recuerdos y de ensoñaciones. Con respecto a esto último, resulta evidente que la mayor parte de los personajes han anhelado o desean en el presente obtener algún logro, alguna satisfacción personal. Los sueños y los pensamientos inherentes a esta actitud se instalan en la conciencia de las figuras. Así, por ejemplo, la Manuela sueña con ser famosa y con que doña Blanca (la esposa del hacendado) la cuide y la proteja ante un posible altercado con Pancho

---

[20] Su carácter diabólico se acentúa por las reiteradas alusiones a su camión *colorado* (9, 13, 22, 119). Incluso en una oportunidad el narrador expresa: "se irguió un *bocinazo caliente como una llama,* insistente, *colorado*" (62).

[21] Recordemos, por ejemplo, que la casa de la Manuela está hundiéndose y que el infierno está "en las entrañas de la tierra". Es significativo también que en el lugar no haya cementerio, pero *no* porque *no haya* lugar para la muerte, sino porque El Olivo es la muerte en vida (46).

Vega (26); ella también piensa que el pacto ya tantas veces aludido le traería beneficios y tranquilidad (87); la Japonesita desea fervientemente que el pueblo pueda contar con luz eléctrica para que el lugar vuelva a florecer, para que reviva y sea "otra vez lo que fue en tiempos de su madre" (43); don Alejandro soñó con el camino longitudinal, que, pasando por el pueblo, traería prosperidad a su creación (100); Pancho Vega anhela una casa para su esposa y sueña con poder educar a su hija (101). Sin embargo, como hemos visto, la mayoría de estos proyectos fracasa.

Por otra parte, tenemos la gravitación del pasado. El pasado aflora constantemente sobre el presente en la medida en que las figuras viven recordando. La Manuela recuerda su encuentro anterior con Pancho y las épocas mejores del pueblo; lo mismo hace la Japonesita. Por su parte, Pancho rememora su infancia insistentemente. Además hay un acontecimiento del pasado, cuyo relato ocupa la parte central de la novela. Pero lo más característico de este pasado que se trae al presente y que se recuerda en forma reiterada es que, de acuerdo con él, el lugar evocado viene a constituirse en una suerte de "paraíso perdido". Esta idea resulta innegable si nos detenemos un tanto y nos fijamos en lo que dicen los personajes:

> La Japonesa Grande recordaba, hacia el final, que en otra época la misa de doce en el verano atraía a los *breaks* y a las victorias más encopetados de la región, y la juventud elegante… se reunía al atardecer, en caballos escogidos, a la puerta del correo que traía el tren. Los muchachos, tan comedidos de día como acompañantes de sus hermanas, primas o novias, de noche se soltaban el pelo en la casa de la Japonesa, que no cerraba nunca (45).

Pero con el paso del tiempo, y poco a poco, esta época floreciente se convierte en una era opaca y descolorida. La decadencia inevitable adviene y el pueblo, y la casa de la Manuela, se sumen en la miseria y en la soledad:

> Después llegaban sólo los obreros del camino longitudinal, que hacían a pie los dos kilómetros hasta su casa, y después ni siquiera

ellos, sólo los obreros habituales de la comarca, los inquilinos, los peones, los afuerinos que venían a la vendimia. Otra clase de gente. Y más tarde ni ellos (45).

El lugar se desmorona, se derrumba inexorablemente. Nada puede hacerse para evitar la destrucción, la que, finalmente, se apoderará del pueblo y de sus habitantes. La noción de un pasado fértil contrasta notablemente con la de la actualidad, donde nada ya tiene vida: "Claro que en épocas mejores el centro fue esto, la estación. Ahora no era más que un potrero cruzado por la línea, un semáforo inválido, un andén de concreto resquebrajado..." (20).

Este paraíso que se añora nostálgicamente, que se recrea para evadir el presente, no es tal sin embargo. La inversión una vez más hace de las suyas. En efecto, el tiempo pretérito no está exento de culpa, el paraíso no es puro; en realidad es en el pasado donde están las raíces del mal que aquejan al presente. Son esas celebraciones, esos ritos donde se rinde pleitesía al dios satánico, las que provocan la caída. En esas fiestas, donde la Japonesa Grande viene a ser un equivalente de la sacerdotisa del gran señor, encontramos el fundamento del universo degradado que en el presente ha llegado a su punto culminante. Allí se unen el sentimiento de religiosidad que provoca don Alejandro y la aceptación, por parte de los habitantes, de su control de la libertad. En otras palabras, dichas celebraciones significan adoración al señor, pero adoración que lleva implícita la absoluta dependencia de las figuras con respecto de su dios, quien maneja los hilos de sus vidas de acuerdo a todo aquello que implique la obtención de beneficios personales. Por otra parte, el hecho de que el narrador no representado no haga distinción alguna entre pasado y presente (su actitud para relatar los acontecimientos actuales y lejanos es idéntica) configura, a su modo, la idea de que ambos tiempos son semejantes: no hay un "paraíso perdido" porque en realidad nunca hubo paraíso.

Este mundo infernal, este mundo caído, es un universo de oscuridad y de tinieblas. Su salvación depende de la luz. Esa luz no es la que irradiaría un dios bondadoso, sino la energía eléctrica.

Pero como sabemos, ello no sucede. Y cuando don Alejandro le comunica la noticia a la Japonesita, el narrador señala que "Ella y el pueblo entero quedaron en tinieblas" (58-59). Luego de esto, nada interesa, lo que predominará será un estatismo esencial en la conciencia de la Japonesita, sumergiéndose más aún en ese espacio degradado, para esperar la muerte, para perder la conciencia de sí. Liquidadas las esperanzas, el personaje no vivirá, sino que dejará que la vida pase por su lado hasta que la abandone definitivamente: "Qué importaba que todo se viniera abajo, daba lo mismo con tal que ella no tuviera necesidad de moverse ni de cambiar. No, aquí se quedaría rodeada de esta oscuridad donde nada podía suceder que no fuera una muerte imperceptible, rodeada de las cosas de siempre" (59).

Para finalizar estas notas diremos que la perspectiva de la novela (esto es, la estructura profunda de la obra, determinada por la especial configuración que entrega el hablante implícito) nos pone frente a una situación amarga y desalentadora.

A través de esta perspectiva se quiere expresar la visión de un mundo cuyas notas esenciales están constituidas por la presencia de lo sórdido y lo grotesco. Es un mundo degradado, donde los valores se han trastrocado (de allí la importancia de la inversión como norma estructuradora) y donde los personajes viven una existencia vacía, sin libertad, sin caminos, sin salvación. En este mundo no existe el amor, él no forma parte de las relaciones humanas, pues este sentimiento implicaría la superación de la precariedad de la existencia; solo cobra forma el deseo sexual, el acoplamiento, las relaciones falseadas, los afectos atenuados o desaparecidos.

En *El lugar sin límites*, la situación particular de un pequeño villorio campesino se ilumina y universaliza a través de la incorporación de los correlatos —el mito del hombre fáustico y la historia bíblica de la rebelión de Luzbel—, los que entregan la imagen subyacente de un infierno, de un cielo al revés, de un universo regido por las fuerzas del mal. Este infierno no tiene límites; es un territorio inabarcable al que pertenecen todos los hombres. Allí, a pesar de las diferencias sociales, en gran medida causantes del mal, todos son iguales, un mismo destino los une y los conduce a la destrucción.

Aunque los seres que habitan dicho mundo son capaces de soñar, de anhelar, de sentir y de luchar, la presión que sobre ellos ejercen las condiciones concretas en las que realizan sus vidas o en las que se han formado, les impide salir de aquella situación. La imagen última es la de un universo cerrado, un infierno donde, solitarias, sin destino y sin esperanzas, las figuras se entregan a lo irremediable porque, como ha dicho la Japonesita en algún momento: "Todo iba a continuar así como ahora, como antes, como siempre" (59).

Obras citadas

Bianchiotti, Héctor, Sarduy, Severo. (1972). "Le roman? Un instrument pour se connaître". *La Quinzaine Littéraire*, 136, marzo.
Donoso, José. (1966). *El lugar sin límites*. Joaquín Mortiz.
—. (1966). *Este domingo*. Zig-Zag.
—. (1970). *El obsceno pájaro de la noche*. Seix Barral.
Jara, René y Fernando Moreno. (1973). *Anatomía de la novela*. Ediciones Universitarias de Valparaíso.
Promis, José. (1969). "El mundo infernal del novelista José Donoso". *Tierra y mundo en la novela hispanoamericana contemporánea*. Ediciones de la Universidad del Norte.
Sarduy, Severo. (1969). "Escritura/Travestismo". *Escrito sobre un cuerpo*. Buenos Aires: Sudamericana.

EL LUGAR SIN LÍMITES:
LÍMITES, CENTROS Y DISCURSO

Sharon Magnarelli

Fachada de casa rural hacia 1950.
Archivo fotográfico del Museo Histórico Nacional.

El lugar sin límites: límites, centros y discurso[1]

Sharon Magnarelli
Traducción de Ángela San Martín Vásquez

En 1966 Donoso escribió *El lugar sin límites* mientras residía en la casa del autor mexicano Carlos Fuentes y su esposa, Rita Macedo[2]. En esa época, Donoso estaba obsesionado con lo que sería su obra maestra, *El obsceno pájaro de la noche*, trabajo que parecía que no podía terminar. Además, él sentía la presión (aparentemente autoinfligida) de producir un manuscrito para la editorial chilena Zig-Zag, que le había adelantado U$ 1.000 por una novela inespecífica. Para superar el bloqueo del escritor que le impedía completar *El obsceno pájaro de la noche* y para liquidar su deuda con la editorial, optó por escribir una novela corta. El resultado fue *El lugar sin límites*, en la que desarrolló una escena de *El obsceno pájaro de la noche*: Jerónimo y sus cuatro perros negros se convirtieron en Alejo y sus cuatro perros negros en *El lugar sin límites*. La novela fue publicada ese mismo año por la prestigiosa editorial Joaquín Mortiz, y más tarde Donoso terminó *Este domingo* para pagar su deuda con Zig-Zag. De este

---

[1] Nota del editor: "Hell Has no Limits: Limits, Centers, and Discourse" es el título original. Corresponde al quinto capítulo del libro *Understanding José Donoso* publicado en University of North Carolina Press en 1993.

[2] Carlos Fuentes es uno de los principales novelistas mexicanos. La mayoría de sus novelas tienen que ver con la situación social e histórica de la gente mexicana hoy. Sus obras más conocidas incluyen *La muerte de Artemio Cruz* (1964), *La región más transparente* (1958) y *Gringo viejo* (1985), la cual fue hecha película en Estados Unidos.

modo, *El lugar sin límites* marca en muchas formas la línea divisoria entre lo que las/os críticas/os frecuentemente han etiquetado como los trabajos tempranos y tardíos de Donoso. Cronológicamente, se relaciona con las historias *Coronación* y *Este domingo*. Sin embargo, en términos de preocupaciones técnicas y temáticas, ambas novelas socavan el *statu quo* al cuestionar las prácticas significantes de moda, quizás esta línea está más estrechamente conectada a *El obsceno pájaro de la noche* y los últimos trabajos, aunque las semillas de esos trabajos tardíos ya estaban presente en sus primeros cuentos.

El lugar sin límites ha atraído más atención crítica que los primeros trabajos de Donoso y ha sido leída como una alegoría de la Creación y la Caída así como una alegoría de la "muerte" de Dios en el siglo veinte. Otros/as críticos/as han interpretado la novela como una sátira del sistema latinoamericano socioeconómico del latifundio, controlado por la burguesía y perpetuado desde el tiempo de la Conquista (de ahí la insistencia en los ojos azules de Alejo, puesto que él representa al conquistador español tal como el vestido de flamenco de Manuela evoca la imposición del arte y la cultura española)[3]. Adicionalmente, la novela ha sido leída como una dramatización de inversiones ritualistas y de carnaval y como una serie de sustituciones e inversiones efectuadas por el bien de sustituir e invertir. Al mismo tiempo, la novela puede ser leída como un espectáculo visual, como literatura que se presenta a sí misma como espectáculo y teatro. Mientras todas estas son lecturas válidas de la novela, las lecturas que propongo aquí tal vez están más en armonía (aunque difieren significativamente) con las de Hernán Vidal y Kirsten Nigro, quienes han visto la novela como una reacción literaria a los ideales utópicos y positivistas y a los mitos sustentados por las escuelas literarias del criollismo y el realismo mimético, y la de Hortensia Morell, quien ha leído la novela como un intento de Donoso de representar un mundo que está continuamente cambiando, siempre moviéndose hacia su

---

[3] El latifundio es una hacienda grande, poseída por un terrateniente rico pero trabajada por las/os campesinas/os locales.

otro[4]. Mis lecturas de la novela aquí se enfocan en el texto como una obra de arte que cuestiona la cosmovisión utópica del arte mimético, realista y como un producto discursivo que continuamente debilita su propio instrumento de creación. Además, demostraré que, por medio de la técnica del encuadre e incrustado, el texto ilustra que los personajes (productos de comunicación lingüística) así como también el instrumento de esa comunicación (el lenguaje, la palabra) ya están envueltos en capas ilimitadas de máscara —cuadros dentro de cuadros, textos dentro de textos que están dentro de textos— o como Sarduy lo ha expresado, inversiones dentro de inversiones (73).

Trama y técnica: repetición, inversión, sustitución

El cuadro de acción de *El lugar sin límites* se centra en lo que probablemente es el día final en la vida de Manuela, un travesti de edad que ha asumido la vestimenta, el rol y las características lingüísticas de una mujer al punto de referirse a sí mismo/misma con adjetivos femeninos[5]. Comienza con él/ella despertando cinco minutos para las diez en una mañana de domingo justo después de la cosecha. Así la novela abre con la simultánea finalización de tres ciclos que están a punto de empezar de nuevo —el del día (o noche), el de la semana y el de la naturaleza, crecimiento de plantas, o agricultura— mientras Donoso repite el motivo del domingo como un punto de inflexión (como en *Este domingo*)[6]. Tanto la

---

[4] Ver Hernán Vidal, *José Donoso: Surrealismo y rebelión de los instintos* (1972); Kirsten Nigro, "From *Criollismo* to the Grotesque: Approaches to José Donoso" (1975) y Hortensia Morell, *Composición expresionista en "El lugar sin límites" de José Donoso* (1986).

[5] A lo largo de este capítulo me refiero a Manuela con pronombres que simultáneamente evocan ambos géneros —él/ella— para enfatizar la dualidad del personaje, la cual es fundamental para el mensaje de Donoso, y para evitar privilegiar ya sea la faceta masculina o femenina de su caracterización.

[6] Aunque el pensamiento y uso contemporáneo, como lo evidencian los calendarios, marcan al domingo como el primer día de la semana, bíblicamente es el séptimo día o el último día de la

trama como la novela terminan temprano a la mañana siguiente en que Manuela ha sido muy golpeada, probablemente por el macho local, Pancho Vega, y su cuñado, Octavio. La novela es vaga sobre este detalle, como lo es sobre muchos, y solo afirma que "Octavio, o *quizás* fuera Pancho el primero, azotándolo [a la Manuela] con los puños… *tal vez* no fueran ellos, sino otros hombres" (132; énfasis añadido). Entonces, al igual que el pedazo de carne o la cosa (objeto inanimado) como él/ella era percibida al comienzo del texto, él/ella es dejada en los campos para morir o ser devorada por los perros sanguinarios de Alejo. En este sentido, la novela marca la ultimación de otro ciclo de vida: el de Manuela. Adicionalmente, para el final de la novela, el/la lector/a sabe que Alejo, el cacique local que parece gobernar el pueblo con una mano de hierro mientras lo vigila continuamente (generalmente desde lejos, como un dios), está muriendo o quizás ha muerto (solo sabemos que sus perros no están siendo atendidos), e incluso el mismo pueblo parece destinado a desaparecer de la faz de la tierra, porque no obtendrá electricidad y el camino lo ha pasado de largo.

Aunque los trabajos de Donoso están consistentemente en diálogo con sus otros trabajos, *El lugar sin límites* es más abierto en este diálogo así como también en sus lazos con ciertos trabajos de otros novelistas. Incuestionablemente *El lugar sin límites* presagia a *El obsceno pájaro de la noche* con su quiebre de voz narrativa y máscara literaria. Al mismo tiempo responde a los temas y técnicas de *La región más transparente* (1958) y *La muerte de Artemio Cruz* (1962) de Carlos Fuentes, puesto que propone lo que puede ser considerado como una representación alternativa de Artemio Cruz en Alejo Cruz[7]. Además de las obvias similitudes de nombre, ambos personajes son caciques poderosos quienes, en el análisis

---

semana, el día en cual Dios descansó. Esta analogía puede ser llevada un paso más allá al punto en que la novela puede ser leída (como ha sido) como una alegoría de la Creación y la Caída. Al igual que Dios descansó en el séptimo día, Alejo (la figura endiosada en la Estación El Olivo) "descansa" y fracasa en volver al rescate de Manuela (aunque la ironía es que para cuando él/ella está muriendo, es lunes, no domingo).

[7] Donoso había leído y admirado ambas novelas para cuando escribió *El lugar sin límites*.

final, son hombres infelices, frustrados por sus propias limitaciones y mortalidad. Las dos novelas varían en técnica y en el hecho de que Fuentes lleva al lector/a *adentro* de Artemio Cruz al revelar sus pensamientos así como también su presente, pasado y futuro. Lo totalmente opuesto es cierto en el caso de Alejo, quien es siempre visto desde lejos, como máscara, distante de e impenetrable por el/la lector/a —una creación lingüística en el sentido más completo de la palabra, pero una cuya palabra e influencia parece penetrar todo—. Cuando en una rara ocasión Alejo es presentado directamente más que encuadrado dentro y a través de sus palabras o las palabras de otro personaje, él es luego parcialmente ocultado en las sombras[8]. Tampoco sería inapropiado ver la perspectiva múltiple y la proyección apocalíptica para el futuro del pueblo de la novela chilena como una prefiguración de *Cien años de soledad* (1967)[9] del colombiano Gabriel García Márquez.

Aun así, lo que es únicamente característico de Donoso en *El lugar sin límites* y lo que distingue a la novela de otras con las que dialoga, no es solo el juego entre lo abierto y lo cerrado, límites y centros, sino también la correlación cercana entre violencia y erotismo (una correspondencia latente en los trabajos más tempranos de Donoso). La violencia de "macho" gratuita y exagerada de Pancho hacia Manuela es tensada con erotismo —homosexual en este caso— mientras sus gestos externos revelan una falta de cohesión interna (la cual, Donoso plantea, siempre está faltando) como es tradicionalmente definida. En contradicción con esta exagerada imagen/máscara masculina, Pancho había estado eróticamente atraído hacia Manuela durante su danza y de hecho había tratado de besarlo/a incluso antes de la violencia/violación (y su trato con Manuela es ciertamente una forma de violación)[10]. La escena

---

[8] Por ejemplo, cuando Alejo está a punto de despedirse del burdel, donde recién ha intentado engañar a la Japonesita, se levanta solo para que la sombra de su sombrero le esconda parcialmente la cara (58).

[9] El colombiano Gabriel García Márquez ganó el Premio Nobel de Literatura en 1982. Su novela más conocida, *Cien años de soledad*, alegoriza la historia de Latinoamérica en una mezcla maestra de realismo y fantasía.

[10] Donoso se ha mostrado firme en el hecho de que la novela concluye con la violación de Manuela,

del ataque mismo es descrita con un lenguaje figurativo que pone en primer plano lo erótico: "se abalanzaron [los hombres] sobre él como hambrientos...", "penetraron la mora y lo encontraron y se lanzaron sobre él...", "los cuerpos calientes retorciéndose sobre la Manuela... los cuerpos pesados, rígidos... unidos los tres... aullar... bocas calientes, manos calientes, cuerpos babientos y duros hiriendo el suyo" (132-33).

Puede haber poca duda de que la violencia de Pancho es el producto de una serie de sustituciones, eróticas y otras, comparable con las de *Este domingo*. La caída anterior, también durante el tiempo de cosecha, cuando se hace el nuevo vino y el pueblo entero hiede a vino y residuos de uva pudriéndose (ambos simbólicos de vida y muerte, las cuales en esta novela no son mutuamente excluyentes), "el infierno" de Pancho había sido frustrado por las limitaciones impuestas por el divino Alejo. Pancho había jurado volver, no para vengarse de Alejo, como puede esperarse lógicamente, sino más bien para "montar" "A las dos... a la Japonesita y al maricón del papá..." (10), una afirmación que destaca una sustitución significativa (Japonesita y Manuela para Alejo) mientras revela la inclinación homosexual disfrazada debajo de la máscara de lo masculino, la agresión erótica[11]. Él hará violencia para violar, "montar" (es decir, para ubicar en una posición inferior físicamente), no a Alejo, quien es el objeto directo de su rabia y frustración, sino más bien a los objetos indirectos Japonesita (de alguna manera la hija vicaria de Alejo) y a su padre, Manuela, en definitiva hombre y así quizás un sustituto más adecuado para Alejo.

---

pero críticos/as desde Sarduy han tendido a ver la violencia de Pancho Vega hacia Manuela como una sustitución del acto de la posesión física (72).

[11] La expresión usada en español, *montar*, deshumaniza a Manuela y a Japonesita puesto que es generalmente usada con animales. De hecho, es el verbo que don Céspedes usa en el capítulo diez en referencia a los cuatro perros y su reproducción repetitiva (118), una descripción que tiene una similitud significativa con la descripción del ataque de Pancho y Octavio a Manuela. El verbo también pone en primer plano las nociones de espacio tan prominentes en el texto así como también las jerarquías insinuadas por estas nociones: el que monta está arriba o sobre y es superior o preferible a aquellos/as que están abajo, una posición que es inferior o menos deseable en el pensamiento occidental.

Además, este único día profético del cuadro de la acción es presentado no solo como inevitable, predestinado (la conclusión "natural" de un ciclo "natural" de violencia y erotismo), sino también como el resultado de la ausencia o "muerte" de la figura "dios" de Alejo. A diferencia del año anterior cuando Alejo impidió, frustró (tanto en los sentidos eróticos como no eróticos de la palabra), y puso limitaciones en el deseo y acciones de Pancho, este año Alejo no aparece "milagrosamente" para imponer su voluntad y orden (de nuevo porque él ha "muerto" tanto literal como figurativamente). Después de la violencia/violación, Manuela no puede llegar al otro lado, cruzar el Canal de los Palos donde él/ella está segura (erróneamente, sin duda) que "Alejo espera, benevolente" (133) con sus ojos celestes (que significa "celestial" o "divino") para mantener su palabra (132)[12]. Irónicamente, Manuela ya ha visto que Alejo no cumple su palabra, que miente; pero aquí, como en el resto de la novela, el personaje tiende a percibir y creer solamente lo que la máscara superficial del constructo revela, como discutiremos abajo.

De este modo Pancho ataca a Manuela, al menos en parte porque él no puede hacer el amor con Manuela puesto que él/ella es físicamente un hombre, un hecho subrayado durante la golpiza: "la Manuela despertó. No era la Manuela. Era él Manuel González Astica. Él. Y porque era él ellos iban a hacerle daño" (130). La violencia es también motivada en parte porque Pancho no puede ni atacar a Alejo ni reemplazarlo en la jerarquía establecida del mundo. Como fue el caso en *Coronación* y *Este domingo*, la posesión material es confundida con la posesión erótica. El erotismo, los roles de género, y esta necesidad de sustitución fueron también los factores estructurales primarios en la copulación teatral entre

---

[12] Varios/as críticos/as han señalado la significancia del nombre del canal, Palos, el cual se traduce en inglés como "*sticks*", un homónimo de Styx (Estigia o Estix en español), uno de los cinco ríos del infierno. Lo que aún no ha sido observado, sin embargo, es que Estix es específicamente el río del odio (del griego *stugein*). Al mismo tiempo este era también el medio para tomar juramento. Un juramento hecho en el Estix era considerado inviolable. En algunos mitos el río también está conectado al dios del vino, Baco, cuya madre fue destruida como resultado del juramento inviolable que su padre tomó en el río.

Manuela y la Japonesa veinte años antes. En ese tiempo, la Japonesa estaba motivada a aceptar la apuesta de Alejo porque quería poseer el burdel así como también, al menos en parte, porque Alejo había dudado de su feminidad y poderes seductores (roles de género). Adicionalmente, metafóricamente, el guion de esta "obra" (el "espectáculo" de la copulación) fue escrito y dirigido por Alejo, quien determinó lo que sería el teatro, cuándo y dónde. Sin embargo en una reduplicación de roles reveladora, Alejo también era el espectador: miraba desde la ventana (justo más allá del "límite") mientras ellos "performaban" (tanto en el sentido erótico como no erótico de la palabra) para él. Y, como muchas veces pasa en los trabajos de Donoso, la Japonesa y Manuela se ensimismaron tanto en sus roles que su *performance* (el teatro, la máscara) se volvió su "realidad"; en vez de fingir copular, como era el plan, lo hicieron. Pero este teatro de representaciones era el producto de y en su lugar produjo una serie de sustituciones —roles que pueden haber sido jugados por otros actores—. Manuela no solo sustituye para Alejo en varios niveles, sino también proyecta sus propias series de sustituciones: él/ella estaba "enamorada de" y le habría gustado tener relaciones sexuales con Alejo, al igual que le gustaría tenerlas con Pancho. En realidad, al principio de la novela, Manuela sueña despierta y fantasea con que Pancho la/lo ataca. No puede ser irrelevante, sin embargo, que en su fantasía Alejo aparezca a tiempo para "salvarlo/a" (a diferencia de los momentos finales del texto) y entregarla/o a Blanca, quien cuidará de él/ella. Así, de alguna manera el deseo de Manuela de ser atacada/o por Pancho es declarado primero al ser salvada/o por Alejo —quien es como un caballero en una armadura brillante— nuevamente el texto dialoga con textos y motivos tempranos) y luego al ser "cuidada/o" por Blanca y reemplazarla en su cama rosada, la cual es presumiblemente frecuentada por Alejo. Esto es, como resultado de una serie de inversiones y sustituciones fantaseadas (reconocidas como tales), la violencia de Pancho le otorgaría a Manuela el rol femenino que él/ella añora subsumir y la/lo ubica en la posición (la cama) del objeto del deseo de Alejo (Blanca). Sin embargo, la violencia/violación de Pancho tiene justo el efecto contrario; hace a Manuela inescapablemente consciente de su masculinidad.

No solo son los protagonistas de este drama erótico intercambiables (como sus roles eróticos y de género), sus gestos eróticos también son intercambiables con aquellos de violencia. La agresión de Pancho es un intento evidente de "probar su masculinidad". De hecho, él ha notado que Octavio no deja que Alejo lo "monte" (traducido al inglés como "*run all over him*" / "correr sobre él") como él (Pancho) sí se lo permite (96), una observación que lingüísticamente revela el sentido que Pancho tiene de su masculinidad inadecuada, puesto que él se ve a sí mismo en la posición "femenina" (montado, violado). Además, Alejo lo ha hecho sentir "un poco hombre" al regañarlo en público, mientras Octavio ha cuestionado su masculinidad primero al llamarlo "poco hombre" (94), traducido al inglés como "*coward*" / "cobarde," pero la expresión literalmente significa "no mucho de un hombre") cuando no salía de la camioneta y más tarde al llamarlo "maricón" cuando Manuela lo besó (un momento que hace eco de la experiencia de niñez de Pancho cuando otros niños lo acusan de lo mismo porque el "jugó a la casa" con Moniquita)[13].

Irónicamente, alrededor del mismo tiempo en que Manuela está quizás muriendo en la rivera del Canal de los Palos (el mismo cuerpo de agua en el cual son ahogados los cachorros indeseables de Alejo), la Japonesita, inconsciente de la situación de Manuela, se rinde ante un futuro de tedio (la "vida" de Manuela es cualquier cosa menos aburrida en ese momento). Como los sueños sobre la electricidad de la Japonesita (la luz metafórica) "mueren", ella se prepara para repetir el ya a menudo repetido ciclo de la semana con sus visitas rituales de los lunes a Talca y se va a la cama alrededor de las cinco en punto de la mañana siguiente (el lunes) sin siquiera

---

[13] Las similitudes entre estos dos momentos son más aparentes en el español, puesto que epítetos similares, *marica* o *maricón* (ambos se refieren a homosexuales u hombres afeminados), son usados en vez de las traducciones en inglés como "*sissy*/niñita" en un punto y "*fag*/maricón" en otro (lo cual sugiere una diferenciación casi inexistente en español).

encender una vela. A través de esta imagen visual Donoso refuerza la noción temática de que no hay luz para iluminar la oscuridad del mundo novelístico, no hay esperanza, nada para ver, no hay "dios" que venerar. La vida y la muerte, el cielo y el infierno, son indistinguibles, porque las líneas entre las antítesis aparentes son borradas.

Aunque el cuadro de acción de la novela se limita a un domingo, como el de *Este domingo*, aquí Donoso usa *flashbacks* dentro de la conciencia de varios personajes o el narrador omnisciente para revelar eventos que preceden este día. Escenas retrospectivas aparecen temprano en el primer capítulo cuando Manuela recuerda la noche anterior (sábado) con sus sonidos molestosos: el ladrido de los perros de Alejo y el bocinar de la bocina. Estos estímulos —o el recuerdo de ellos, porque de hecho ahora "existen" solo en la memoria de Manuela— la/lo conducen a recordar la visita de Pancho el año anterior cuando él y sus amigos desgarraron (violaron) el vestido "famoso" de Manuela[14]. Estructuralmente, el/la lector/a es de este modo presentado con un recuerdo distante encuadrado dentro de uno más reciente, a su vez encuadrado dentro de eventos presentes. Paralelamente, en el Capítulo VIII Pancho recuerda, no su visita al burdel el año pasado (la cual es tan significativa para Manuela y Japonesita), sino su juventud como un peón en la hacienda de Alejo y su relación con la familia, especialmente la hija, Moniquita, con quien jugó y a quien aparentemente infectó con tifus del cual ella murió[15].

El Capítulo VIII, con sus connotaciones eróticas, inmediatamente sigue a los dos capítulos que llevan en retrospectiva al supuesto "paraíso" (el cual no era paradisíaco como los/as lectores/as

---

[14] En términos retóricos, el vestido de Manuela es desgarrado, violado, como lo será él/ella.

[15] La naturaleza de la enfermedad de Moniquita es ambigua. Pancho le llama tifus, pero hay insinuaciones sexuales, especialmente en el español, que traduzco al inglés aquí: "*I approach and I touch her and from the tip of my body, with which I was* penetrating *the forest of* maleza [el cual puede ser entendido como matorrales y de este modo simbolizarla o lo que puede ser traducido como "pus" o "sustancia podrida"] *fleeing, that* tip of my body drips *something and* wets me *and then I get typhus and she does too*" (nuevamente esta es mi traducción de las páginas 97-98 de la edición en español y mi énfasis; una traducción ligeramente diferente puede ser encontrada en la página 204 de la edición en inglés generalmente citada en este capítulo).

están acostumbrados a creer) que existía unos veinte años antes del domingo de la acción encuadrada. Ese momento de encuadramiento de percepción positiva (más que negativa), de optimismo más que pesimismo, estaba marcado por la celebración ritual de la victoria política de Alejo (con sus tonos de erotismo, carnaval, teatro y exceso), justo como el marco del domingo está marcado por la victoria "política" de Pancho sobre Alejo (él le ha pagado de vuelta el dinero, y Octavio lo ha desafiado verbalmente)[16]. Adicionalmente, esa celebración inicial ocasionó la llegada de Manuela a la Estación El Olivo, la apuesta entre Alejo y la Japonesa, y la cópula teatral entre ella y Manuela que condujo a esta última a ganar el burdel (el cual ella prometió compartir con Manuela) y a dar a luz a la Japonesita (descendencia de la potencia imprevista durante el "teatro"). En la medida en que la novela va en retrospectiva a estos momentos (así como cuando la novela va al "paraíso" de la infancia de Pancho, antes de la "caída," el pecado, y la muerte de Moniquita), ese pasado es presentado a los/as lectores/as en el mismo modo que el "presente" del cuadro de acción (también presentado como pasado). Esto es, en ambos momentos lo que predomina es el teatro, el espectáculo, dirigido y orquestado (a un gran punto "encuadrado") por la mirada del hombre (Alejo o sus sustitutos Pancho y Octavio), como será discutido abajo.

Al mismo tiempo, el posicionamiento de los *flashbacks* de Pancho es relevante. En el capítulo ocho, con la visita de Octavio y Pancho a la hacienda de Alejo, dentro de la cual está encuadrado el recuerdo de Pancho, es a su vez encuadrado por o incrustado dentro de la escena en que Manuela es seducida por la Japonesa. En ese capítulo el recuerdo de la niñez de Pancho es estimulado por su "viaje" a través del tiempo y espacio, en su camioneta, "de regreso"

[16] El juego de palabras de Octavio en la conclusión de la conversación con Alejo se pierde en la traducción al inglés. Sus enunciaciones, "Con tanto fresco... frescos... tres..." (99), las cuales son traducidas al inglés como "*There's a lot of fresh air here... Tons... of fresh air...*" (204-05), también son una referencia a la sinvergüenzura de Alejo y un vínculo con Octavio y Pancho —como un *fresco*, una persona descarada o sinvergüenza que desafía las costumbres sociales y la decencia y se comporta mal en una forma audaz—.

a la hacienda de Alejo y "de regreso" a su sentido de impotencia juvenil (de ser *poco hombre*) en relación a Alejo. A lo largo de éste, Pancho está preocupado con la cuestión de ser capaz de volver, ya sea al paraíso de su infancia, la hacienda de Alejo, El Olivo, o el burdel. Y en ambos el presente y el pasado, él teme ser devorado o desaparecer, situaciones indeseables que son imaginadas como afeminamiento o impotencia. Este miedo es una constante que estructura muchos de los textos de Donoso, pero también puede ser entendido como una metáfora discreta para lectores/as "tradicionales" que insisten en ser capaces de volver a la realidad (o a su imagen o invención de la misma), aquellos/as que temen ser "tragados" por la ficción o discurso del texto. Como Pancho, esos/as lectores/as tienen la voluntad de entrar en ese otro mundo solo parcialmente, siempre simultáneamente relacionados/as con una cuerda salvavidas para volver desde donde vinieron.

Es pertinente para esta discusión, también, que los *flashbacks* de Pancho a su juventud son estimulados por su observación, a través de la ventana, de Misia Blanca, ahora mayor, ya que ella está en el comedor rodeada de comida. Esta escena evoca la cocina abundante de su niñez, cuando podía comer en vez de preocuparse de ser metafóricamente devorado. Este último tema pone varias de las escenas "en perspectiva," por así decirlo, y está atado al tema mayor de la seducción de Manuela, la cual encuadra el capítulo ocho y a su vez es encuadrada por el momento "presente" en el burdel el domingo en la noche cuando Manuela y la Japonesita escuchan la bocina de la camioneta de Pancho (63 y 103). En cada caso, para probar su masculinidad —y como los perros y Alejo— Pancho debe devorar más que ser devorado. (Los perros de Alejo menos agresivos son ahogados, "alimentaron" el Canal Palos). Recordemos también que la escena de la copulación es análogamente salpicada con expresiones que reflejan el miedo de Manuela a ser devorada[17].

---

[17] Algunos de los términos del engullimiento o la anulación incluyen "*warm body surrounding me... me smothered in that flesh... woman's mouth searching... the way a pig roots... hunger for my mouth... biting... her heat devouring me... mutilated, bleeding inside of her...[that 'you' no longer*

La técnica del encuadre en la cual los eventos del pasado más remoto son incrustados dentro de aquellos que son más recientes es repetida visualmente múltiples veces cuando los personajes miran a través de ventanas o puertas. Ejemplos de ello son momentos como cuando Pancho observa a Blanca a través de la ventana, Manuela observa a Pancho a través de la ventana, Alejo observa a Japonesa y Manuela a través de la ventana, y Pancho mira a Manuela performar en el centro de la habitación dentro del marco visual de las velas (mientras él pide más comida y Céspedes "ve" que todos ellos van a ser "devorados" por el tiempo). Como la palabra, la ventana o puerta limita la escena y da una apariencia de coherencia que no puede tener, porque seguramente tanto las limitaciones como la coherencia de las escenas son ilusiones; la escena siempre está cambiando dentro y afuera. Uno/a necesita moverse solo ligeramente para que la escena completa cambie al igual que la luz de esa escena dentro inevitablemente "se derrama" en la oscuridad de afuera y viceversa. Lo que parece ser un límite (el cuadro que simultáneamente marca un centro, que es encuadrado), como la autoridad artística en el arte mimético, es precario y siempre cambiante, un producto de la perspectiva y posición del espectador/a (tanto espacial, como temporal).

Al mismo tiempo la técnica del encuadre, incrustación (engullimiento) evoca en imágenes la preocupación de los personajes en una existencia afirmada en no ser devorado, engullido, eliminado por la acción de encuadre (mayormente lingüística). El *flashback* y otras técnicas de encuadre son usadas en la novela al nivel del párrafo y la oración. Al nivel de la oración, enunciaciones o pensamientos iniciales (citas directas e indirectas), ya sean aquellas del personaje narrador u otro, están incrustadas dentro de una enunciación más reciente, muchas veces sin marcadores para indicar el cambio de momento o de hablante (tiempo o espacio)[18]. De este

---

exists]" (208-210); las palabras en paréntesis son mi traducción del español, omitidas en la versión en inglés).

[18] Este proceso de encuadre que distancia la fuente y por implicación la autoridad es ejemplificado en la descripción que la Japonesa le hace de los hechos actuales a Manuela: "dicen que decían" (75), no traducido en la traducción al inglés (190) pero literalmente "*they say that they said*".

modo, las técnicas de incrustación y encuadre funcionan al nivel de *énoncé* y *énonciation*[19].

LÍMITES, CENTROS Y EL UTOPISMO DE LA MÍMESIS

El lugar sin límites demuestra una reacción evidente y tenaz a las formas de arte y literatura mimética de moda en la época que Donoso comenzó a escribir. Dentro de esos modos (manifestados en Chile por el criollismo), la novela y otras formas de arte fueron propuestas como medios para delimitar y encontrar orden en un mundo que puede de otro modo ser percibido como caótico. A diferencia de la teoría contemporánea (a la cual suscribe Donoso), los soportes filosóficos de estas formas de arte nunca cuestionan la coherencia final y el orden del mundo. Al contrario, esa coherencia, simetría, y orden se cree que preexisten a los materiales y productos de arte (el lenguaje y el texto, en el caso de la literatura). El "trabajo" del artista es simplemente encontrarlos y representarlos. De acuerdo a esta visión, el arte toma un segmento del mundo, lo disecciona, descubre su coherencia, y lo hace manejable para el/la lector/a, todo basado en la perspectiva superior del artista. En este sentido la obra de arte ofrece lo que denomino un sentido utópico (y de este modo paradójicamente irrealista) de la estabilidad (permanencia) y la supremacía humana sobre lo desconocido y caótico. Es precisamente este concepto tradicional de arte el que socava los trabajos de Donoso. Como he notado en capítulos anteriores[20], lo desconocido, caótico, yace justo bajo la superficie del discurso en sus trabajos y a menudo estalla para engullir el mundo limitado,

---

[19] Uso los términos franceses *énoncé* y *énonciation* para distinguir entre el acto lingüístico y el producto de ese acto. *Énoncé* se refiere a lo que es dicho, el mensaje comunicado, mientras *énonciation* se refiere al acto de expresar ese mensaje y a los términos usados para comunicar ese mensaje.

[20] Nota de la editora: El capítulo traducido es precedido por tres capítulos (la traducción es mía): "Cómo leer a José Donoso", "Cuentos", "Coronación" y "Este domingo".

artificial, utópico y el sentido de seguridad inventado e impuesto por el arte y la sociedad. Aun así, en gran parte, el orden vuelve (o es reimpuesto) en sus primeros trabajos, al menos superficialmente, para que las demarcaciones sociales y artísticas sean restauradas después de una breve erupción de lo caótico e irracional. La confianza de los/as lectores/as es esencialmente restaurada (aunque yo argumentaría que estos/as son inevitablemente dejados con una sensación de inquietud), porque ellos/as "saben" donde termina el mundo ficticio y comienza el "real" y tácitamente aceptan que este primero refleja y es reflejado por el último. En *El lugar sin límites* y *El obsceno pájaro de la noche* lo ilimitado, descontrolado e incontrolable amenaza de punta a cabo, y la cosmovisión ilusoria y utópica de algún orden y estructura definitiva nunca recobra una primacía que no sea cuestionada. Al negarle al lector/a la ilusión de completamiento, Donoso rechaza participar en el juego de la literatura como ha sido planteado —esto es, en la invención de utopías que fingen reflejar la "realidad—".

Seguramente todos los trabajos de Donoso desafían la autocomplacencia que resulta de la imposición de limitaciones e ilusiones artísticas, pero quizás en ninguna parte este reto sea tan obvio como en *El lugar sin límites*, cuyo título ya pone en primer plano el problema de los límites. Aunque la traducción al inglés (la cual se basa en el epígrafe de Marlowe) mantiene la alusión titular a los límites [*The Place Without Limits*] no solo se refiere a la cuestión de estos, sino que también destaca la vaguedad de este sitio —el lugar que simultáneamente es y no es un lugar, puesto que desafía la definición de "lugar" como un espacio delimitado—[21]. Sin la presencia de las demarcaciones externas para definir el ser (la existencia ontológica de los personajes involucrados y la existencia literaria del trabajo), surge la cuestión del centro. Al carecer de límites exteriores para mantener las partes juntas (los campos de Alejo parecen

---

[21] El epígrafe de *El lugar sin límites* cita algunas líneas de *El doctor Fausto* de Marlowe. En ellas Mefistófeles afirma: "El infierno no tiene límites, ni queda circunscrito/ a un solo lugar; porque el infierno/ es aquí donde estamos/ y aquí donde es el infierno, tenemos que permanecer..." (149).

ser inacabables, ¿dónde terminan?) y crear un todo cohesionado, la búsqueda de una fuerza unificadora se vuelca al centro. Tal es el movimiento en *El lugar sin límites*, aunque la búsqueda sea frustrada, porque tal como el infierno no tiene límites, tampoco tiene centro.

La primera limitación tradicional y el elemento centralizador que le falta patentemente a la novela es el de una voz narrativa sola, única, o identificable. Como Humberto en *El obsceno pájaro de la noche*, cuya voz narrativa está en todas y en ninguna parte y rechaza ser encarnado en una sola identidad o pronombre personal, la voz narrativa en *El lugar sin límites* también deambula, resistiendo tanto la contención en algún pronombre personal o conciencia del personaje como la limitación a un modo narrativo único. Por definición, una novela (particularmente la novela mimética, realista a la cual está respondiendo Donoso) está estructurada por una voz narrativa o posición narrativa desde donde el mundo ficcional es presentado ("visto", por así decirlo). Los/as teóricos/as no se han puesto de acuerdo en el número posible de voces o en las variadas posiciones desde la cual el cuento puede ser contado, pero generalmente han estado de acuerdo en que este es para ser narrado desde una posición temporal y física, una que es implícitamente superior. En este sentido, la voz narrativa sirve como un medio para delimitar un trabajo y como un centro alrededor del cual gira la obra. Donoso rechaza esta limitación narrativa en *El lugar sin límites*, la cual comienza con lo que el/la lector/a asume (debido a la convención narrativa) es la tercera persona, una limitada narración omnisciente en tiempo pasado que presenta a Manuela interna y externamente. Pero la voz narrativa repentinamente se vuelve *Yo*, Manuela, quien habla en presente y cuyo discurso (como el de la voz de la tercera persona) incluye citas directas e indirectas de sí misma/o y otros en ambos tiempos verbales y personas. La voz vuelve a una tercera persona, omnisciencia aparentemente limitada (limitada a las clases bajas de la sociedad, porque el "narrador" nunca ve o entiende lo que pasa en la mente de Alejo), solo para seguir estallando en primera persona, tiempo presente, el cual algunas veces es de Manuela, de la Japonesita, y algunas veces incluso de Pancho Vega, pero siempre mezclando el tiempo, el lugar y las palabras de un personaje con las de otro, cuando un personaje asume y encuadra (engulle, devora) el discurso (el *Yo*) de otro, a menudo sin dar crédito al otro personaje por esas palabras. Como Morell ha demostrado convincentemente, incluso el cambio de persona narrativa no marca de forma efectiva la voz (la "fuente" ficcionalizada de las palabras), porque las palabras de otros son absorbidas por varios personajes[22]. Nuevamente, los "límites" de la palabra se rompen cuando la palabra de uno es incorporada, poseída, devorada por otro. De hecho, uno de los *leitmotivs* de la novela es la capacidad de estas palabras para controlar, cambiar, subsumir y devorar al personaje, que no difiere de la de sus significantes paradigmáticos, la camioneta y el vestido rojo, los cuales serán abordados más adelante. En un momento, Manuela siente que la Japonesita está "ahogándolo con palabras, cercándolo lentamente" (60) —una imagen que recuerda las viñas que cercan y eventualmente eliminarán (devorarán) al pueblo—. La capacidad del lenguaje para encuadrar y engullir también será discutida a continuación, pero quizás el aspecto más importante de esta voz narrativa siempre cambiante, que desafía los principios de los límites y centros narrativos, es que disputa la premisa de la autoridad narrativa.

A diferencia de la novela mimética, tradicional, *El lugar sin límites* no propone una posición narrativa de autoridad definitiva desde la cual se le presenta al lector/a una interpretación "correcta" o superior. No hay autoridad definitiva, confiable, implícita o explícita, a la que pueda volcarse el lector/a, porque incluso la noción de persona artística es desacreditada (una técnica que augura las de *El obsceno pájaro de la noche* y *Casa de campo*). La artista de la novela, Manuela, no "ve" mejor que otros personajes (dentro o fuera de la novela) constituyendo una serie de súper-imposiciones y máscaras, un artificio lingüístico que queda al descubierto. Todo lo que le queda al lector/a en la novela es una serie de mundos incrustados dentro de palabras sin confiabilidad o autoridad. ¿Es

---

[22] Ver *Composición expresionista.*

Manuela asesinada o no? ¿Está muerto o muriendo Alejo? ¿Intentó Alejo traer electricidad al pueblo? ¿O es que el artificio lingüístico incluso está al nivel de la *énonciation*, esto es, dentro del artificio lingüístico que es la novela?

Aun así, esta oscilación entre los pronombres en primera y tercera persona define a Manuela, la Japonesita y Pancho como objetos y sujetos del discurso, mientras proporciona lo que puede ser pensado como un movimiento ilusorio hacia y desde un centro (sin duda, siempre cambiante y artificial). Obviamente la cuestión de los centros y los límites se conecta intrincadamente a la máscara (límite exterior, superficie) y personalidad esencial o el ser (el núcleo, el centro, muchas veces escondido de la vista), los cuales están marcados en lo que respecta a género y sexo y dependen en gran medida del lenguaje[23]. Manuela es biológicamente hombre, pero él/ella es un homosexual que ha asumido el rol de género femenino (y características lingüísticas); la máscara de la feminidad: "Esas [Japonesita y las prostitutas] no son mujeres. Ella va a demostrarles quién es mujer y cómo se es mujer" (111), indistintamente de cómo la Japonesa le "mostró" a Alejo quién es mujer. Pancho Vega también es hombre biológicamente, pero él ha asumido un rol que es el espejo inverso de Manuela —el del súper macho, otra manifestación de la máscara, y una que puede bien ocultar su cobardía e inseguridad (presumiblemente rasgos femeninos) o su homosexualidad latente (él se siente atraído por hombres como Octavio y Alejo)—. Como Manuela dice, "Vamos a ver si es tan macho como *dice*" (48); énfasis añadido), una afirmación que destaca la base lingüística de su máscara. Finalmente, la Japonesita es biológicamente mujer (teóricamente, aunque ella no ha llegado a la pubertad), ella aún no ha asumido el rol de la feminidad: no se viste o actúa como una mujer y no muestra interés en los hombres. Al mismo tiempo, aunque ella es la hija de una prostituta y la madame de un burdel, es virgen.

---

[23] Aquí hago la distinción estándar entre género y sexo. El sexo es biológico y se revela por sus genitales. El género es social, aprendido y a menudo revelado por la vestimenta externa o manierismos, todos los cuales son alterables con relativa facilidad.

De este modo las limitaciones novelísticas son incluso más rechazadas debido a que los personajes principales, al igual que el Mudito de *El obsceno pájaro de la noche*, son claramente ni masculinos ni femeninos sino más bien una yuxtaposición de ambos. Por ejemplo, el nombre femenino de Manuela, los adjetivos con los cuales él/ella se refiere sí misma/o y la falta de un pronombre personal (lo cual no siempre es necesario en español) conduce a las/los lectores a concebirla/o como mujer hasta que él/ella es directamente llamado el padre de Japonesita —una designación que él/ella objeta vehementemente: "no me digas papá" (50); "que no me llame, que no me llame así otra vez" (106)—. Nuevamente es el lenguaje lo que está en discusión aquí, porque es la palabra que crea e impone realidades y sueños. Como los personajes, el lector/a es también engañado/a por la palabra, el adjetivo femenino que parece denotar un personaje femenino pero que eficientemente "enmascara" un personaje masculino.

En general, una palabra o nombre como un signo en lenguaje no literario crea una percepción limitada; uno tiende a percibir solo la característica dominante indicada por el signo más que la totalidad o complejidad. Las designaciones Manuela y padre, cuando son usadas en circunstancias ordinarias, se refieren a lo femenino y masculino respectivamente; de este modo cuando los encontramos por primera vez en una obra literaria, nuestras percepciones tienden a limitarse a las respectivas percepciones de feminidad y masculinidad. Sin embargo, el hecho de que el signo "Manuela" no se refiera a una mujer y que sea usado para referirse al mismo personaje designado por "padre" crea, en las palabras de Shklovsky y los formalistas rusos, una "desfamiliarización" que enfatiza y se burla de esta visión limitada al unísono, dejando al lector/a sin un sentido de coherencia y estabilidad, sin saber dónde se encuentran el centro o los límites[24]. En este sentido los signos rompen con las limitaciones lingüísticas tradicionales en el texto

---

[24] Ver "Art as Technique" de Victor Shklovsky en *Russian Formalist Criticism: Four Essays*, trans. y ed. por Lee T. Lemon y Marion J. Reis. University of Nebraska Press (1965).

de Donoso. Manuela no es ni hombre ni mujer, madre ni padre, mientras simultáneamente es ambos[25].

En *El lugar sin límites* los problemas hasta ahora latentes o secundarios de jugar roles y de la máscara social, los cuales disfrazan o dirigen la mirada lejos de la inconsistencia y la desunión de la personalidad, resurgen en toda su complejidad. Manuela y Pancho han asumido lo que parecen ser roles diametralmente opuestos, pero estos son roles que en realidad se reflejan el uno al otro, aunque sus máscaras frágiles continuamente amenacen con agrietar y exponer las contradicciones y la desunión que están solo semi enmascaradas. De hecho, incluso las máscaras escogidas por Manuela y Pancho demuestran similitudes significativas, porque ambos han escogido objetos signos únicos (posesiones) que funcionan algo así como nombres escogidos o asumidos y con los cuales ellos esperan significarse a sí mismos. Además, y en lo que es una manifestación de numerosas instancias de personajes "mintiéndose" a sí mismos, estos objetos signos funcionan como mantas de seguridad metafóricas para reafirmarle a Pancho y Manuela que ellos son lo que les gustaría ser: súper masculino en el caso de Pancho, femenino en el de Manuela[26]. Estas son las dos posesiones rojas: la camioneta que "simboliza" la masculinidad de Pancho y el vestido que "simboliza" la feminidad de Manuela. La camioneta de Pancho está destinada a señalar su masculinidad al evocar alboroto (a través de su bocinar; los hombres son tradicionalmente considerados más ruidosos que las mujeres), sustento (los hombres son los que se ganan el pan; él usa su camioneta para trabajar), independencia (físicamente lo lleva lejos de El Olivo y le proporciona independencia financiera; los "hombres de verdad" son estereotípicamente vistos como independientes).

---

[25] De hecho, la relación de Manuela con la Japonesita es más como la de una madre que la de un padre. Ellas duermen juntas (una situación que la sociedad consideraría intolerable si Manuela fuera un padre "normal"), él/ella arregla el pelo de su hija y quiere que "encuentre a un hombre", etc.

[26] Si el lector/a acepta las palabras de la Japonesita en el capítulo final (aunque probablemente no hay razón alguna para privilegiar sus palabras sobre las de otros), Manuela ha mentido (a otros y a sí misma/o) sobre estar atrapada en El Olivo y nunca irse de ahí. Su percepción sobre si él/ella es dominada/o por Japonesita puede ser tan poco confiable como la percepción que Pancho tiene de sí mismo como un macho y la que tiene Manuela de sí misma como una mujer.

Adicionalmente, la camioneta es descrita en términos fálicos o en relación al erotismo masculino: la bocina es suficiente para volver loca a una mujer (9); la camioneta roja de frente chato con doble neumático en la parte trasera (9, 62) ha sido vista como un símbolo fálico por varios críticos/as. Aunque estas imágenes están incrustadas en la percepción de Manuela, ya erotizada con respecto a Pancho, las percepciones y reacciones a la camioneta de este último también lo vinculan al erotismo. Él mentalmente acaricia su camioneta roja (la cual es *suya*, nuevamente la cuestión de la posesión y la intercambiabilidad de la posesión material y erótica) en vez de a Japonesita (119); él puede correr en su camioneta por el camino recto y "penetrar hasta el fondo de la noche" (119). Además, la camioneta pretende evocar la violencia y naturaleza violenta con la cual Pancho enmascararía su ansiedad. Y desde su perspectiva, la bocina derribará y destruirá lo que es de Alejo (94).

Pero en toda esta fanfarria y desviación de la mirada, la distracción del centro imaginado o el interno (Pancho está a salvo *dentro* de la camioneta), paradójicamente solo puede disfrazar y proteger parcialmente, porque la cobardía de Pancho y su homosexualidad latente salen a flote en múltiples ocasiones, enfatizando repetidamente que él no es lo que él u otros dicen que es. Por ejemplo, en un gesto que socava mucha de la bravuconería de Pancho, Manuela recuerda que Pancho intentó golpearla/o el año pasado, él/ella lo había sentido encima y descubrió que él no tenía el cuchillo que se le atribuía llevar (25-26). Así mucha de su masculinidad es invención discursiva, engendrada por lo que él y otros *dicen*. Paralelamente, él recuerda jugar a la "casa" con Moniquita y sus muñecas y reaccionar fuertemente a los otros niños que lo llamaban *marica* (nuevamente, en español "marica" o "maricón" con el significado de "homosexual"), un epíteto que es irónico puesto que estaba jugando al epítome del rol masculino —el del padre—. Aun así, su descripción de la capa de Alejo, cuando Alejo lo había recogido y lo estaba llevando, forzándolo a hacer algo (exactamente *qué* nunca queda claro), es tensada con términos eróticos: está resbalosa y caliente, suave y caliente (97). Más tarde él está más preocupado de si Octavio puede o no percibir su deseo homosexual por Manuela que con el hecho de haberlo experimentado, una situación que nuevamente llama la atención de las/los lectores/as hacia la discrepancia entre lo que él es y lo que parece ser (o quiere parecer) y el hecho que los dos inexorablemente se superponen y están siempre en influjo, nunca aquí ni allá[27]. Esa discrepancia se destaca incluso más por el hecho que Alejo repetidamente lo llama mentiroso y Pancho nunca protesta la apelación; al contrario, la internaliza. Al citarse a sí mismo (sin duda, indirectamente), "eres un mentiroso" (97), él reconoce la validez de la designación o psicológicamente la acepta y de este modo hace propio lo que puede ser una versión inauténtica de su personalidad. Nuevamente, en algún nivel la palabra hace esto al siempre perseguir pero fallar en asir ese referente fluido, ilimitado. Con respecto al lenguaje, la diferencia significativa entre Pancho y Alejo es que Alejo se las ha arreglado para imponer su palabra (veraz o no) en los otros (Pancho entre ellos), en tanto Pancho no lo ha logrado; veraz o no, la palabra de Pancho es percibida como falsa, como una mentira (incapaz de comprender y limitar hechos), y así es rechazada o al menos cuestionada ("Vamos a ver si es tan macho como dice" (48). La dicotomía dentro/fuera, máscara/ser uno mismo (aunque pueda ser fluida) también es enfatizada en el hecho que Pancho sufre de una úlcera que lo roe por dentro ("un animal que hoza y me muerde y sorbe y chupa" (37), una dolencia que sugiere la tensión producida por la discrepancia entre varios aspectos de la máscara o autopercepción y una metáfora literaria que señala lo interno (en este caso, lo animal) que puede estallar, comer a través de la máscara, en cualquier momento.

El vestido rojo de flamenco de Manuela funciona en la misma forma que la camioneta de Pancho; indica las cualidades con las cuales a ella le gustaría ser asociada: estrellato artístico, pasión,

---

[27] Estoy de acuerdo con Antonio Cornejo Polar en que en esta novela la confusión permanente entre la apariencia y la realidad vuelve absurda la dicotomía. Ver Cornejo Polar, "José Donoso y los problemas de la nueva narrativa hispanoamericana", *Acta litteraria Academiae Scientiarium Hungaricae*, núm. 17, 1975, p. 19.

feminidad, juventud. En realidad, la personalidad de Manuela cambia cuando se pone su vestido (como quizás Pancho lo hace cuando está a salvo dentro de su camioneta). En las páginas finales y en directa contradicción con lo que el lector/a ha sido llevado a creer desde la perspectiva de Manuela, la Japonesita le dice a Céspedes que Manuela bailaba frecuentemente, se volvía loca y se iba con hombres (138). Ella atribuye esta reacción al vino que bebía, pero el vestido es también siempre una constante en estas situaciones. De hecho, aunque después de su última borrachera, Manuela había jurado botar el vestido a fin de no repetir la aventura (aparentemente reconocía la conexión entre el vestido y las aventuras), no se deshizo de él pero lo guardó en su maleta por un año. La observación de la Japonesita de que Manuela no había actuado así hacía más de un año, señala el vínculo entre el vestido y su comportamiento. Al mismo tiempo, el objeto signo de Manuela puede también servir como un instrumento de destrucción. Al igual que Pancho percibía a la camioneta como capaz de destruir elementos de la hacienda de Alejo, Manuela puede matar a Pancho con el vestido, ahorcándolo con él (110). Sin embargo, puesto que él/ella nunca usa el vestido de esa manera (excepto cuando inadvertidamente "mata" al macho en él y le permite al homoerotismo salir a flote), el vestido, como todo lo demás, permanece en la categoría de "lo que puede haber sido".

Pese a su potencial como instrumentos de destrucción, ambos símbolos son dañados en el curso de la acción de la novela. Durante la visita de Pancho a la casa de Alejo, los perros atacan la camioneta roja, dejándola rayada y enlodada. Durante la visita previa de Pancho al burdel, él y sus amigos rasgaron el vestido de Manuela[28]. Aunque el vestido es reparado al inicio de la novela, la implicación es que la máscara nunca volverá a ser la misma, que será incluso más frágil. Y en las escenas finales, el vestido es enlodado y roto nuevamente cuando es desgarrado del cuerpo de Manuela.

---

[28] En español el verbo usado es *rajar*, "rasgar, partir o dividir," un verbo que llama la atención a la cuestión de la personalidad divida y resquebrajada máscara.

Estos reflejos de espejo inversos (Manuela/Pancho, vestido rojo/camioneta roja) mantienen una compleja relación entre ellos. De alguna manera cada personaje necesita al otro para validar la máscara escogida. Manuela necesita la mirada de Pancho y su deseo para confirmar su máscara de feminidad, al igual que Pancho necesita la feminidad y vulnerabilidad de Manuela para autentificar su masculinidad. Sin embargo, es la hombría biológica de Manuela y la atracción de Pancho hacia esta/ella lo que lo conduce a su destrucción, porque Pancho finalmente confirma la hombría de Manuela, y como el texto deja en claro, eso es lo que debe destruir[29].

El uso específico de roles sexuales y de género por parte de Donoso para representar máscaras y juegos de roles en general, es revelador y sea quizás usado intencionalmente para señalar la artificialidad de los roles de género.

Aunque las costumbres sociales del mundo externo a la novela pueden alentar a los/as lectores/as a ver la actitud de Pancho Vega como "natural", puesto que él es biológicamente hombre, y la actitud femenina de Manuela como "antinatural", puesto que él/ella no es biológicamente mujer, la novela representa los dos roles como comparables[30]. Ambos son mostrados como artificio, máscaras superpuestas, y constructos lingüísticos. Al mismo tiempo, ambos personajes son deshumanizados por el juego de roles de género. Pancho ve a Manuela como un objeto y quiere golpearlo/a hasta que sea una cosa aplastada, inofensiva (127), sugiriendo que en su estado presente (de ambigüedad, sin límites claramente definidos) puede herir a Pancho. Al mismo tiempo, tanto Pancho como Manuela deben ser vistos como análogos a los pedazos de carne que los perros de Alejo devoran. Alejo no solo incita a sus perros a atacar a Pancho y lo intimida con ellos, sino que imagina

---

[29] Como Kirsten Nigro observa, Pancho es amenazado por la conciencia de que detrás de la máscara femenina de Manuela "hay un hombre tan potente como él" (224).
[30] Concuerdo con Morell (*Composición expresionista*) en que el infierno del epígrafe no es una condena moral de la homosexualidad. En cambio, el término evoca la estructura social dentro de la cual todos los seres humanos funcionan. Obviamente, la identificación de género es un aspecto de esa estructura.

a Pancho como un perro: "vienes con la cola entre las piernas" (35). Manuela no puede dormir por sus ladridos y más tarde (o quizás durante) su golpiza —esto es, después de que Pancho y Octavio (probablemente) "se abalanzaran sobre él como *hambrientos*" (132); énfasis añadido)— él/ella es dejada probablemente desangrada como un pedazo de carne, pero todo lo que es escuchado desde el punto de vista del burdel son los perros (heraldos de la muerte) ladrando. Similarmente, cerca del principio del texto, la analogía entre las prostitutas (y por implicación Manuela) y la carne es sutilmente establecida: "Aunque en la noche, embrutecidos por el vino y con la piel hambrienta de otra piel, de cualquier piel con tal que fuera caliente y se pudiera morder y apretar y lamer, los hombres no se daban cuenta ni con qué se acostaban, perro, vieja, cualquier cosa" (13).

En otra manifestación de juego de roles e inversión, las escenas de violencia y agresión (tanto de los perros con la carne como de la golpiza de Manuela) son paradójicamente imaginadas en términos eróticos, pero la escena ostensiblemente erótica entre la Japonesita y Pancho Vega (quien la iba a violar, "hacerla mujer") es cualquier cosa menos erótica. Aunque Pancho y la Japonesita se supone están respondiendo el uno al otro física y eróticamente, cada uno casi no se da cuenta del otro, porque cada uno está sumergido en sus propios pensamientos pues cada cual recuerda un paraíso perdido: él la plenitud de la casa de los Cruz, ella la plenitud de su madre. Él recuerda su cocina y comidas; ella recuerda la fragancia y el calor de su madre. En cada caso, el objeto de deseo es definitivamente no heterosexual sino más bien del mismo sexo y género: él piensa en Alejo y quiere acariciar su camioneta roja; ella piensa en el calor de su madre en la cama (119-20).

Así, tanto las limitaciones sexuales como las temporales son rotas o refutadas, porque una se desborda en la otra; el pasado, que es ritualmente (aunque no idénticamente) repetido en el presente, es y no es ese presente, y viceversa. Tradicionalmente el tiempo presente se usa en una novela para indicar el momento narrativo, mientras el pasado se usa para contar la historia, informar lo que

245

pasó. Pero en esta novela los tiempos fallan o se rehúsan a servir lo que ha sido considerado como sus funciones "normales". Frecuentemente hay poca distinción temporal entre el tiempo pasado y el presente. La función de los tiempos verbales en esta novela es tanto narrativa como temporal. Los tiempos aquí distinguen la posición narrativa y así marcan el espacio (enmascaran) tanto como el tiempo, porque el tiempo presente se usa para marcar la perspectiva limitada del personaje cuya consciencia está siendo informada. Puesto que el tiempo presente aquí principalmente expresa las fantasías individuales de los personajes, al apuntar a algo de un presente mítico —fuera del tiempo, ilimitado y continuo al punto en que una fantasía humana puede ser continua—. Roland Barthes ha notado que el tiempo pasado narrativo es un mecanismo que indica un sistema de seguridad inherente a la literatura en la medida que "expresa un acto sustantivo, cerrado y bien definido"; y, como resultado, "la novela tiene un nombre, escapa el terror de una expresión sin leyes" (32). Una traducción más literal de los comentarios de Barthes en el francés original dejaría a la última frase "el terror de una palabra sin límite" en vez "de una expresión sin leyes" y nos permitiría plantear que "el lugar sin límites" del título en español es precisamente el lugar de la palabra.

Incluso el escenario de la novela destaca el desafío continuo de Donoso a las nociones tradicionales de límites, centros y utopías. El burdel figurativa y literalmente descansa en la frontera de la sociedad; representa la desviación máxima permisible de la norma social. No se extiende más allá de las limitaciones de la sociedad —existe con la aprobación tácita de la sociedad, pero sí representa el último punto antes de que los límites sociales sean sobrepasados—. También, en El Olivo, el burdel está físicamente ubicado en el borde exterior de un pueblo que está ubicado al borde de la "civilización," a kilómetros desde la carretera. El sitio del burdel una vez estuvo cerca del centro del pueblo, pero ese centro se ha cambiado, al igual que la carretera que se suponía había pasado y se unió al mundo exterior: "en épocas mejores el centro fue esto, la estación. Ahora no era más que un potrero cruzado por la línea"

(20)[31]. Por esta razón, el último ataque a Manuela, el que indica un paso más allá del comportamiento aceptado, no ocurre en el burdel, donde a Manuela se le permite vivir en una paz relativa, sino afuera en las viñas, más allá de los límites del pueblo, en el área de las uvas, vino, sangre sacrificial simbólica, al límite (del canal Palos) que marca el "lugar" de Alejo. Pero esta línea de agua (nuevamente una imagen de fluidez) lo señala irónicamente porque esto es solo la percepción de Manuela. El "lugar" de Alejo (como el infierno) está simultáneamente en todas y en ninguna parte: en todas partes puesto que él controla todo; en ninguna parte pues en este momento, cuando Manuela lo necesita, él no puede ser encontrado en ningún lugar. Solo sus perros están físicamente presentes (aunque incluso su presencia está significada apenas por un sonido, como la palabra), pero ellos probablemente atacarán a Manuela y devorarán lo que sea que quede de él/ella.

Las cuestiones de la sangre sacrificial y el nombre de Manuela, el cual tanto en forma masculina como femenina evoca el de Emmanuel, Cristo, subraya el simbolismo religioso tan prominente en la novela, que indica el ritual cíclico y ha alentado a los/as críticos/as a leer la novela como una alegoría de la Creación, la Caída y la muerte de Dios. En *El lugar sin límites* Alejo Cruz es descrito como una figura endiosada: "cuando llegó don Alejo, como por milagro, como si lo hubieran invocado. Tan bueno él. Si hasta cara de Tatita Dios tenía" (11). En otro punto el texto nota que Manuela "sabía que, gracias a Dios Pancho Vega tenía otra querencia ahora, por el rumbo de Pelarco, donde estaba haciendo unos fletes de orujo muy buenos" (9). Como el lector/a pronto descubre, sin embargo, Alejo le había conseguido trabajo a Pancho, y por lo tanto, él es el "dios" al que agradecer. Alejo parece controlar a los habitantes de El Olivo como un centro irónico; era él quien les daba (o les vendía) la tierra, el pueblo y era él quien ahora estaba en el proceso de quitársela, como Dios da

---

[31] La palabra en español que significa *downtown* también significa centro.

y quita. El nombre Cruz, además de su evocación de Cristo, connota los cuatro puntos cardinales y sus cruces, su centro. Alejo ostensiblemente controla los cuatro puntos, el mundo, de El Olivo. Como le dice a Pancho, quien trata de escapar a su poder, "tengo muchos hilos en mi mano," (36) y, "si te di libertad fue para ver cómo reaccionabas, aunque con lo que te conozco, ya debía saber" (36). Paradójicamente, como será demostrado abajo, gran parte de su poder solamente descansa en la palabra y en lo que la gente del pueblo ha decidido creer pese a los discursos que muestran lo contrario, porque Alejo es en definitiva tan importante como el resto de los personajes. Aunque Ricardo Gutiérrez Mouat ha observado correctamente que Alejo es un inventor de ilusiones y su pueblo una ficción, en gran medida Alejo mismo es una ilusión, la ficción principal del texto, creada con discursos contradictorios incrustados uno dentro de otro (133). Una ilusión ficticia refleja y engendra otra, porque durante el marco del presente de la novela, domingo, el poder de Alejo ya ha sido disminuido. El centro del universo como se sabe en El Olivo es corrupto e ineficaz. Él está físicamente enfermo y pronto a morir. Sus asuntos políticos han fracasado y El Olivo nunca se convertirá en el pueblo que les había prometido a sus habitantes. No ha cumplido su palabra y ha sido incapaz de traer luz y calor en la forma de electricidad. El pueblo se sumergirá en la oscuridad eterna; es más un infierno que el paraíso que Alejo había prometido. El año anterior Alejo llegó justo a tiempo para salvar a Manuela; este año él/ella no puede cruzar, dejar la oscuridad y el infierno atrás, y alcanzar la luz ilusoria y la beneficencia de Alejo y su paraíso. La paradoja es que incluso si él/ella fuera a cruzar, el otro lado probablemente no es diferente. Como el epígrafe deja claro, el infierno está en todas partes; va con uno. Así Pancho se sitúa fuera del círculo de luz de la Cruz y lo idealiza, mientras Manuela más tarde decide unirse al "centro", el círculo de luz que observa a través de la puerta de su desagradable vista del gallinero; pero ninguno escapa de él/ella.

Aunque Georg Lukács ha definido la novela como un género, como "un proceso de convertirse", *El lugar sin límites* desafía esa definición, porque los personajes viajan en círculos interminables o espirales, siempre haciendo las mismas cosas al mismo tiempo pero nunca llegando a alguna parte (72). El comienzo y el final de la novela no son lo que Lukács ha llamado "puntos de referencia significativos a lo largo de un camino claramente trazado" (81). El camino es claramente tan desmarcado y circular como las aperturas y los cierres de los episodios son arbitrarios en términos del "desarrollo" de los personajes. El frío, la oscuridad, el pueblo infernal, cuyo centro ya se ha movido, será lentamente devorado por las viñas (naturaleza, pero naturaleza bajo el control del hombre). Los límites y los centros (los cuales dan el aura de estabilidad y coherencia) son creados y luego borrados en El Olivo, al igual que estas mismas cualidades, las que dan estabilidad y coherencia a una obra de arte mimético, son desfamiliarizadas. Todo lo que quedará es el lenguaje, los nombres de los personajes, tallados en piedra sobre sus tumbas. Incluso Manuela reconoce que un día ellos la/o enterrarán bajo una piedra en que se leerá: "Manuel González Astica" (hombre) (61) y eventualmente nadie recordará a "la gran Manuela" (mujer) (62). El nombre, el signo, la palabra tiene el poder de destruir el yo creado por el nombre, el signo, la palabra.

El lugar del logos

Cuidadosamente considerado, los personajes de *El lugar sin límites* solo existen en un mundo de palabras, tanto a nivel figurativo como literal, en la énoncé y la énonciation (hasta el punto en que incluso esa demarcación existe). "El lugar sin límites" o bordes es el lugar del lenguaje, el locus del logos. A lo largo del texto es el lenguaje o la palabra lo que establece límites e identidad y luego se muestra inadecuado al sobrepasar o borrar esos límites. Así la palabra tiende a limitar la percepción al distraer del centro (en términos de Donoso, el yo, la cara o personalidad), el cual en definitiva

249

carece de la unidad inequívoca y cohesión que el lector/a tradicional espera y en las cuales está basado el realismo mimético[32]. Como el semáforo en el centro del pueblo que no funciona, todos los signos y señales fallan al funcionar de una forma simple, transparente en este texto. Nada puede ser inequívocamente clasificado en El Olivo, porque todo existe pluralistamente y en flujo, aunque de hecho solo en palabras, mientras todo es uno y su opuesto, en parte porque la palabra nunca es adecuada para nombrar la pluralidad. Por ejemplo, Manuela es el epítome de un ser que no puede ser apropiadamente etiquetado y quien indica tanto X como no X. Él/ella es ambos y alternativamente hombre y mujer; su vestimenta y maneras femeninas disfrazan o distraen la mirada de su marca grande y potente de hombre, pero el significante fálico se visibiliza de vez en cuando. De manera similar, Pancho asume la postura del hombre potente y es etiquetado por Manuela como un "macho bruto", pero a veces él es casi tan homoerótico como Manuela. La Japonesita es la madame de un burdel pero una virgen. Al mismo tiempo, su nombre, "pequeña mujer japonesa", es completamente inapropiado. El diminutivo del nombre de su madre, designa algo que ella no es: una mujer japonesa. Como pre púber, ella no es una mujer; y tampoco es oriental. De hecho, ella incluso carece de los ojos rasgados que le dieron el apodo a su madre. Y los ojos rasgados de su madre no eran "naturales", anatómicos, genéticos, sino superpuestos, creados, parte de su apariencia: como se veían sus ojos después de volverse obesa y que dibujara sus cejas. En la imposición del apodo de la madre, la Japonesa, una característica —y una inauténtica en eso, el producto de la apariencia y el artificio— es enfatizado sobre los otros y tomados como un signo de orientalismo mientras otras marcas identificadoras son suprimidas por este nombre/máscara. Los ojos de Japonesita, como todo lo

---

[32] Aunque muchos de los textos de Donoso preceden aquellos de muchos/as teóricos/as posestructuralistas y posmodernos, él comparte con ellos/as su rechazo al concepto humanista del sujeto o subjetividad (el sí mismo), el cual presupone "una esencia al centro del individuo que es única, fija, y coherente" [*an essence at the heart of the individual which is unique, fixed, and coherent*]. Chris Weedon, *Feminist Practice and Poststructuralist Theory*. Basil Blackwell, 1987, p. 32.

otro, son notables por su desemejanza de los de Japonesa; como nota Pancho, los ojos de la Japonesita son más como los de Manuela. De este modo el significante es temporal y espacialmente removido de su significado y este debe engañar al sugerir una coherencia, una unidad y una motivación lingüística (opuesta a la arbitrariedad lingüística), todo lo cual, Donoso propone, no existe. En algún aspecto, entonces, volvemos a la cuestión de la visión limitada y miopía como se discute en el capítulo tres, porque no solo los ojos de la Japonesa parecen ser rasgados, ellos también son miopes (67). Los personajes (como los/as lectores/as) permiten que esta "visión" sea encuadrada o limitada por la palabra.

Las incongruencias entre la palabra y el referente son rampantes en el texto. El indicador para el pueblo creado y presumiblemente nombrado por Alejo, Estación El Olivo, denota un árbol de olivo, pero aparentemente no hay árboles de olivo en el pueblo —al menos nunca se hace referencia a alguno—. Las casas de El Olivo están rodeadas de robles y un pino alto (132); hay una arboleda de álamos (19); hay un par de árboles de eucaliptos (20); también un par de árboles de plátano oriental, una avenida de palmeras y una encina gigante (93)[33]. Pero no hay árbol de olivo, cuya rama es un emblema de paz (de la cual parece haber poco en El Olivo). En cambio hay una multitud de viñas, simbólicas del vino, el cual a su vez simboliza sangre sacrificial para ser ofrecida al dios, el creador proyectado o imaginado, Alejo.

En una confusión similar de indicadores verbales, la Japonesa es una prostituta, supuestamente definida por su atracción a lo masculino y su habilidad de atraer lo masculino, pero en el espectáculo erótico que ella performa con Manuela asume el rol del hombre y le hace el amor a otra "mujer". Como es el caso a lo largo de la novela, lo anatómico, los roles sexuales no pueden cambiar, pero en esa escena erótica la Japonesa es la perseguidora, la seductora (un

---

[33] La alameda española, la cual es traducida como "arboleda de álamos," también puede haber sido traducida como "parque de la ciudad" o "paseo".

rol de género masculino)[34]. Y se las arregla para seducir a Manuela (la/o hace performar, en el sentido erótico), solo una vez la/o arroja a un rol femenino y reacciona hacia él/ella *como si* fuera mujer. Al comienzo del evento teatral la Japonesa no tiene éxito excitando a Manuela; la excitación empieza solo una vez que ella lo/a llama *mijita* (femenino) en vez de *mijito* (masculino) y le asegura, "tú eres la mujer, Manuela, yo soy la macha" (109). No solo está este teatro dentro del teatro, sino ambos "teatros" (su performance para Alejo y la performance de la Japonesa para Manuela, la cual sonsaca su "performance" sexual) son declarados en el lenguaje, la palabra. En parte, al menos, las palabras seducen a Manuela, tal como las palabras "sedujeron" a la Japonesa para aceptar la apuesta. En primer lugar, ella aceptó la apuesta porque no creía la afirmación que Manuela le había hecho a los otros hombres "Y dice que no le sirve más que para mear" (81) —una afirmación que ya es discurso incrustado, repetición, cita de la cita—. En segundo lugar, también aceptó la apuesta porque Alejo *dijo* que ella no podía seducir a Manuela (82). Al mismo tiempo, los términos de la apuesta son declarados en un juego o manipulación de palabras: lo que Alejo "puede" darle a Japonesa a diferencia de lo que él está "dispuesto" o "quiere" darle (82), un juego de palabras que es imaginado como una barrera que ella no puede superar (82)[35]. Notemos también que Alejo finalmente acepta la apuesta en los términos de la Japonesa (que ya han sido formados por los suyos) cuando afirma "Mire que aquí tengo testigos, y después pueden decir por ahí que usted no cumple sus promesas. Que da mucha esperanza y después, nada…" (83). Esto efectivamente resume las prácticas discursivas de Alejo a lo largo de la novela.

Como los otros personajes, tanto Manuela como la Japonesa son motivadas por el lenguaje. La palabra las motiva a actuar y

---

[34] Nuevamente le recuerdo al lector/a que los roles de género son aprendidos, no innatos. En la sociedad occidental al hombre se le enseña a perseguir y seducir a la mujer.

[35] Aunque la traducción afirma, "*There was no way of breaking him down. Forget it*" (194), el español dice, "*There was no way to* break the barrier. *Better not to think*" (83, mi traducción, énfasis añadido).

reaccionar (en el sentido de acción y teatro). En el caso de Pancho, la palabra lo mueve a la acción en varias ocasiones, incluyendo su violencia contra Manuela, como es discutido arriba, es *maricón* o cualquier expresión comparable que denigre su masculinidad asumida. De manera inversa pero paralela, Manuela no encuentra nada ofensivo en la palabra *maricón* pero se ofende por y reacciona fuertemente contra la etiqueta de "degenerado" (73) y, como es observado arriba, frecuentemente reacciona mal a la palabra *papá* en la boca de la Japonesita. Morell ha notado que en *El lugar sin límites* las mismas palabras cambian de valor de acuerdo al personaje que las pronuncia, pero ellas también cambian de valor de acuerdo al personaje al que van dirigidas, como resultado de la forma en la cual están interiorizadas y encuadradas o incrustadas (37).

Quizás la cuestión del lenguaje y su inadecuación para designar es más notable en el personaje de Alejo. Como se sugiere arriba, al lector/a, como a los personajes, se le propone un discurso que es significativamente contradictorio en referencia a Alejo. Aunque por un lado él es visto como un dios benevolente o salvador, por otro es imaginado como maléfico, como un político turbio determinado a destruir el pueblo y como una persona que no cumple su palabra. La cuestión de si intenta destruir el pueblo destaca el estatus de todo conocimiento en el texto —creación lingüística que está siempre en un estado de flujo y autocontradicción—. Por ejemplo, cuando la Japonesa le describe por primera vez Alejo a Manuela, ella reconoce (aunque sin querer) la naturaleza dudosa de su discurso: "Proyectos, siempre. Ahora nos está vendiendo terrenos… pero yo lo conozco y no he caído todavía. Que todo se va a ir para arriba" (74). Sin embargo, su propio discurso mantiene un nivel comparable de ambigüedad. Primero, ella ofrece las posibilidades: "Es bueno o no tiene tiempo de preocuparse de gente como nosotros" (74); luego, abiertamente se contradice a sí misma: "Pero no se deja agarrar. Claro que tiene señora" (74). Aun así, es este hombre que no pueden categorizar quien esperan los salve. Como Manuela declara al comienzo en el texto a Alejo, "Si me muero… usted tiene la culpa" (29).

Como un ejemplo final de este interminable encuadramiento e incrustación que engulle y devora la coherencia mítica y la fuerza central, vamos a examinar la base de las expectativas de Manuela con respecto a Alejo. Durante los últimos momentos de conciencia de Manuela, él/ella demanda que Alejo cumpla su palabra y la/o proteja (131). Si examinamos el texto, descubrimos que su "palabra", su promesa de proteger a Manuela, que aparece temprano en el texto, en realidad viene de Misia Blanca, no de Alejo: "Alejo, vas a ver, va a echar a toda la gente mala del pueblo" (27). Alejo mismo, en la misma página, simplemente le dice a Manuela que tenga cuidado con Pancho porque "dicen" que él/ella lo ha hechizado. Por supuesto, el "dicen" resulta ser "él dice", pero incluso más importante es el hecho que la promesa de ayuda y salvación que ostensiblemente viene de Blanca sea encuadrada dentro del fantaseo de Manuela y sea de hecho su propia creación; un guion imaginado el cual él/ella escribe y dirige y en el cual Alejo también le habla a Pancho, para decirle que deje a Manuela sola.

De este modo *El lugar sin límites* acumula capas de palabras sobre capas de palabras de una manera que socava la autoridad tradicional y la confiabilidad de la palabra (y a su vez de la literatura en general) y que sutilmente inquiere, "¿dice quién?". Tanto los límites como los centros son borrados en la medida que Donoso propone que las máscaras lingüísticas que engullen y devoran el yo son nuestro infierno.

LISTA DE OBRAS CITADAS

Barthes, Roland. (1967). *Writing Degree Zero and Elements of Semiology*. Traducido por Annette Lavers y Colin Smith, Beacon.

Cornejo Polar, Antonio. (1975). "José Donoso y los problemas de la nueva narrativa hispanoamericana". *Acta litteraria Academiae Scientiarium Hungaricae*, núm. 17, pp. 215-26.

Donoso, José. (1966). *El lugar sin límites*. Joquín Mortiz.

—. (1966). *Este domingo*. Zig-Zag.

—. (1970). *El obsceno pájaro de la noche*. Seix Barral.

Gutiérrez Mouat, Ricardo. (1983). *José Donoso: Impostura e impostación*. Hispamérica.

Lukács, Georg. (1971). *The Theory of the Novel*. Traducido por Anna Bostock. MIT Press.

Morell, Hortensia. (1986). *Composición expresionista en "El lugar sin límites" de José Donoso*. Universidad de Puerto Rico.

Nigro, Kirsten. (1975). "From *Criollismo* to the Grotesque: Approaches to José Donoso". *Tradition and Renewal: Essays in Twentieth-Century Latin American Literature and Culture*, editado por. Merlin H. Forster. University of Illinois Press, pp. 208-32.

Sarduy, Severo. (1968). "Escritura / travestismo". *Mundo Nuevo*, núm. 20, febrero, pp. 72-74.

Shklovsky, Victor. (1965). "Art as Technique". *Russian Formalist Criticism: Four Essays*. Traducido y editado por Lee T. Lemon y Marion J. Reis. University of Nebraska Press, pp. 3-24.

Vidal, Hernán. (1972). *José Donoso: Surrealismo y rebelión de los instintos*. Aubi.

Weedon, Chris. (1987). *Feminist Practice and Poststructuralist Theory*. Basil Blackwell, p. 32.

Espacio y sexualidad en *El lugar sin límites* de José Donoso

Andrea Ostrov

Línea de ferrocarril hacia 1930.
Archivo fotográfico del Museo Histórico Nacional.

Espacio y sexualidad
en *El lugar sin límites* de José Donoso

Andrea Ostrov

El lugar sin límites ha sido frecuentemente abordado por la crítica donosiana principalmente en relación con su protagonista, la Manuela. A partir del travestismo de este personaje, algunos críticos proponen la noción de *inversión* como eje estructurante fundamental de la novela. El influyente trabajo de Severo Sarduy "Escritura/ travestismo" marca el inicio de este recorrido crítico. Teniendo en cuenta esto, es mi propósito indagar en este capítulo las implicancias ideológicas que esta línea de lectura presupone en cuanto a la identidad sexual y genérica y proponer una lectura que, desprendiéndose de la idea de inversión, ilumine nuevas zonas textuales, como por ejemplo la vinculación estrecha que en el texto mantienen la configuración espacial latifundista y la represión del travesti.

En el artículo mencionado, Sarduy se refiere a la Manuela de la siguiente manera: "Reina y espantapájaros, en Manuela lo falso aflora [...] puesto que se trata de un travesti, de alguien que ha llevado la experiencia de la inversión hasta sus límites" (258). Esta caracterización del personaje central pasa a constituir el principio constructivo del texto y desencadena, según Sarduy, toda una serie de inversiones cuya sucesión estructura la novela que, de esta manera, entrega una versión (o una in-versión) del mundo al revés (259). La idea es retomada y desplegada exhaustivamente por Fernando Moreno Turner, en un sugerente artículo llamado precisamente "La inversión como norma". Dice Moreno Turner: "En *El lugar sin límites* aparece como norma estructuradora, como eje organizador de su materia narrativa lo que llamaremos la *inversión*" (76)[1]. A su vez, la inversión pensada como oxímoron, es decir, como coexistencia de contrarios, da lugar a un conjunto de aproximaciones críticas que, desde una óptica bajtiniana, leen la novela como expresión del discurso carnavalesco[2].

Ahora bien, la postulación de la categoría de *inversión* presupone necesariamente la aceptación a priori de una polarización "verdadera", es decir, la existencia de una organización "natural" —o al menos naturalizada— de los opuestos, que el texto invertiría y, dentro del texto, el personaje de la Manuela. Por consiguiente, la postulación de la inversión sexual como núcleo estructurante de la novela implicaría la plena vigencia de la ecuación que —según Judith Butler— ha sostenido la concepción dominante de la sexualidad en nuestra cultura: esto es, la presunción de que a determinado cuerpo biológico —macho o hembra— corresponde una identidad que se define como masculina o femenina respectivamente, y de esta masculinidad o feminidad se deriva un determinado tipo de práctica sexual —la heterosexualidad— que se considera "natural", "de acuerdo con las leyes de la naturaleza" (Butler, 16).

Es cierto que bajo estos supuestos resulta posible pensar a la Manuela como paradigma de la inversión, ya que por un lado transgrede la "naturalidad" de la preferencia heterosexual y por otro desafía la vinculación directa entre el cuerpo biológico y la identidad psicosexual. Sin embargo, la inversión pierde su fuerza interpretativa cuando la novela es abordada desde una perspectiva de género en tanto categoría que rompe la correlación entre los términos de la mencionada ecuación (sexo = género = práctica sexual)

---

[1] Con diferentes matices, la idea de inversión se encuentra también en la lectura de Isis Quinteros (*Donoso: una insurrección contra la realidad*, 1978) y en Philip Swanson ("*El lugar sin límites*: A Metaphor of Malaise", 1988).

[2] Por ejemplo, Ricardo Gutiérrez Mouat trabaja con esta perspectiva en *José Donoso: Impostura e impostación. La modelización lúdica y carnavalesca de una producción literaria* (1983), especialmente entre las páginas 69 y 189.

y, al establecer un hiato entre los componentes de la misma, pone en cuestión la concepción esencialista de la identidad genérica y la determinación mecánica de lo biológico sobre esta última. Desde esta perspectiva, el género ya no será considerado como "expresión natural" de las diferencias anatómicas sino, por el contrario, como una construcción cultural fundamentalmente reguladora y normativa, ya que las mismas prácticas reguladoras de formación y división dual del género habilitan determinadas formas de subjetividad y proscriben otras. En la medida en que la cultura atribuye normativamente el género "correspondiente" a los seres humanos de acuerdo con la posesión de un cuerpo de hombre o de mujer, las personas devienen culturalmente inteligibles solo en la medida en que se constituyen como sujetos generizados, es decir, *congruentemente* generizados (Butler, 16). De acuerdo con esto, toda subjetividad que no se ajuste a los términos de la coherencia prescrita entre el sexo, el género y la práctica sexual resultará, para nuestra lógica cultural, ininteligible, inquietante y cuestionadora. La misma Manuela es capaz de enunciar esto cuando dice: "No sé por qué siempre me hacen esto o algo parecido cuando bailo, es *como si me tuvieran miedo*" (47); y hacia el final: "Don Alejo, don Alejo. Él puede ayudarme. Una palabra suya basta para que estos rotos se den a la razón porque *sólo a mí me tienen miedo*" (73, subrayados míos)[3].

Ahora bien, en tanto la concepción del género como construcción cultural de la identidad rompe la relación mimética entre el dato biológico y la subjetividad genérica, esta deberá concebirse en términos dinámicos, es decir, no ya como identidad, sino como *identificación*. Sarduy señala como una inversión dentro de la inversión el hecho de que "la Manuela, que novelística (gramaticalmente) *se significa* como mujer —primera inversión—, funciona como hombre" (259). Sin embargo, esta sucesión de inversiones se desmorona si se considera que la identidad genérica

---

[3] David William Foster también señala esta percepción de la misma Manuela de constituir una amenaza para el código genérico en "The Sociopolitical Matrix", *Gay and Lesbian Themes in Latin American Writing* (1991). (Donoso, José. El lugar sin límites [1966]. Caracas, Biblioteca Ayacucho, 1990).

no es unívoca e inamovible sino que se construye como identificación. En el Capítulo IX, la Manuela, escondida en el gallinero, rememora las palabras que le dijera la Japonesa durante el acto sexual que tuvo lugar entre ambas veinte años atrás:

> …no, no, tú eres la mujer Manuela, yo soy la macha, ves cómo te estoy bajando los calzones y cómo te quito el sostén para que tus pechos queden desnudos y yo gozártelos, sí tienes Manuela, no llores, sí tienes pechos, chiquitos como los de una niña, pero tienes y por eso te quiero (…). Yo soñaba mis senos acariciados, y algo sucedía mientras ella me decía sí, mijita, yo te estoy haciendo gozar porque yo soy la macha y tú la hembra (60).

El goce de la Manuela es posible precisamente porque la Japonesa es capaz de significarla como mujer, y no a pesar de ello[4]. Del mismo modo, la protagonista considera "amigos" a don Alejo y la Ludo porque también la significan en femenino y la ratifican en su identificación genérica:

> Pero la pelada era mujer como ella y como la Ludo, y entre mujeres una siempre se las puede arreglar. Con algunas mujeres por lo menos, como la Ludo, que siempre la habían tratado así, sin ambigüedades, como debía ser (11).

---

[4] Ben Sifuentes Jáuregui propone que la Japonesa apelaría a una erótica lesbiana para lograr la respuesta sexual de la Manuela. La expresión "yo soy la macha y tú la hembra" en boca de la Japonesa autoriza esta lectura si se entiende la relación en términos de "*butch-femme*" ("Gender Without Limits. Transvestism and Subjectivity in *El lugar sin límites*", *Sex and Sexuality in Latin America*, 1977). Aunque la hipótesis es interesante me inclino a sostener que, en tanto se trata de una escena *biológicamente* heterosexual, el género gramatical de "macha" alude a una materialidad corporal irreductible. Significativamente, esta escena constituye el único momento textual en que la Manuela se refiere a sí misma en masculino, al narrar los procesos corporales que experimenta: "y yo allí, muerto en sus brazos" (59), "hasta estremecerme y quedar mutilado, desangrándome dentro de ella" (60). Hay, en todo el texto, una sola enunciación más en primera persona donde la Manuela utiliza la forma masculina: "Maricón seré pero degenerado no" (41). Sin embargo, la desinencia masculina se explicaría en este caso como marca de heterogeneidad enunciativa, ya que es evidente que no se trata aquí de su propio discurso sino de una cita de la palabra del otro. En cambio, creo que Sifuentes acierta al afirmar que las categorías *heterosexual*, *lesbiano*, etc., dejan de ser operativas para la descripción de esta escena sexual (48). En efecto, los procesos identificatorios, actuaciones, posicionamientos y desempeños que aquí se ponen en juego configuran un entretejido sumamente complejo y dinámico que rechaza cualquier posibilidad de categorización.

En cambio, cada vez que la Japonesita lo llama "papá" su imagen cae, se diluye, se borronea, poniendo de relieve precisamente el carácter imaginario de la identidad y la inestabilidad de la identificación:

> Porque cuando la Japonesita le decía papá, su vestido de española tendido encima del lavatorio se ponía más viejo, la percala gastada, el rojo desteñido, los zurcidos a la vista, horrible, ineficaz y la noche oscura y fría y larga extendiéndose por las viñas, apretando y venciendo esta chispita que había sido posible fabricar en el despoblado, no me digái papá, chiquilla huevona. Dime Manuela, como todos (27).
>
> Pero de pronto la Japonesita le decía esa palabra y su propia imagen se borroneaba como si le hubiera caído encima una gota de agua y él entonces, se perdía de vista a sí misma, mismo, yo misma no sé, él no sabe ni ve a la Manuela y no quedaba nada, esta pena, esta incapacidad, nada más, este gran borrón de agua en que naufraga (28)[5].

Así, el texto propone una concepción dinámica y oscilatoria de la subjetividad genérica que tendría anclaje en la inestabilidad de las identificaciones habilitadas por la palabra del Otro[6].

Pero además, la subjetividad generizada se plantea en el texto como puesta en acto —puesta en escena— de esa misma identificación significante. En este sentido, resulta elocuente el hecho de que la Manuela se proponga dedicar todo el domingo en que transcurre

---

[5] Este pasaje hace evidente cómo el derrumbe de la identidad genérica de la Manuela va acompañado por una marcada oscilación en el género gramatical. La falta de concordancia de género en el plano gramatical literaliza la ruptura entre el sexo y el género en el plano identitario.

[6] Sharon Magnarelli establece claramente la distinción sexo/género y destaca muy especialmente el valor determinante de la palabra y el lenguaje en la construcción de la identidad de la protagonista ("*Hell Has No Limits*: Limits, Centers and Discourse", *Understanding José Donoso*, 1993). Tal vez a partir de esta concepción de la identidad como ilusoria, imaginaria e inesencial, se puede explicar la tendencia que muestran los personajes de la novela a crear identidades, igualdades, repeticiones y rituales, en un afán de fijar, de detener una identidad que se escabulle, oscilatoria, ambivalente, escindida. Basten algunos ejemplos: la Japonesita va a Talca todos los lunes (7, 77); los perros de don Alejo son siempre cuatro y llevan siempre los mismos nombres (65); la Nelly llora todas las madrugadas alrededor de las cinco (78). Y por sobre todo, la fijación, el aferramiento al lugar, principalmente de la Japonesita.

la novela a remendar su vestido de bailarina española, a remendar precisamente un *género*:

> ...componerlo. Pasar la tarde de hoy domingo cosiendo al lado de la cocina para no entumirme. Jugar con los faldones y la cola, probármelo para que las chiquillas me digan de donde tengo que entrarlo porque el año pasado enflaquecí tres kilos. Pero no tengo hilo (4).

La reconstrucción, el remiendo, la costura del vestido durante el día en que transcurre la novela no solo representa sino que *es* el intento, la tarea misma de construcción, de costura/sutura de la identificación genérica femenina de Manuela. El vestido *es* el género —tanto en sentido material como identitario— e interviene en el proceso mismo de construcción subjetiva: "Pero en la pista, con una flor detrás de la oreja, vieja y patuleca como estaba, ella era más mujer que todas las Lucys y las Clotys y las Japonesitas de la tierra" (61).

De este modo, el texto pone en evidencia que la identidad de género se construye performativamente, desde, a través y en virtud de las mismas prácticas significantes que la definen. Precisamente, Sharon Magnarelli señala cómo la personalidad de la Manuela se modifica cuando se pone su traje de española (81).

Ahora bien, la Manuela no tiene hilo para remendar su vestido o, lo que es lo mismo en otro nivel de lectura, para suturar su identidad de género. En cambio, los "hilos" están en poder de don Alejo: "Tengo muchos hilos en mi mano", le dice a Pancho (18); y luego este piensa: "Tenía los hilos de todo el mundo en sus dedos" (54). Además, tiene y se guarda otros hilos: los hilos de la electrificación prometida y nunca cumplida y, como señala Isis Quinteros, los hilos del destino de Estación El Olivo (145). Por consiguiente, la imposibilidad inicial de la Manuela de remendar el vestido se traduce, a lo largo del texto, en la imposibilidad de sostener una identidad genérica que resulta ininteligible dentro de un espacio en que los hilos —del poder y del sentido— confluyen en las manos patriarcales de Alejo. El hecho de que el vestido remendado se destroza precisamente cuando Manuela cruza el alambrado que delimita el fundo de aquel sugiere que es precisamente allí, en el latifundio regido por el poder patriarcal, donde el lugar del travesti se torna imposible, donde la proliferación genérica debe ser brutalmente reprimida porque la identidad de género debe ser congruente y respetar la correspondencia con el sexo biológico.

El poder de Alejandro Cruz se hace visible en el texto, en la particular configuración espacial del lugar: "Viñas y viñas y más viñas por todos lados hasta donde alcanzaba la vista, hasta la cordillera" (9). Efectivamente, las viñas de don Alejo parecen avanzar sin interrupción, ocupando progresiva pero definitivamente el espacio. Constituyen literalmente la amenaza de desaparición del pueblo Estación El Olivo. La misma Manuela…

> …vio claro que don Alejo, tal como había creado este pueblo tenía ahora otros designios y para llevarlos a cabo necesitaba eliminar la Estación El Olivo. Echaría abajo todas las casas. Borraría las calles ásperas de barro y boñigas, volvería a unir los adobes de los paredones a la tierra de donde surgieron y araría esa tierra (33).

Por su parte, dice Octavio:

> Quiere que toda la gente se vaya del pueblo. Y como él es dueño de casi todas las casas, si no de todas, entonces, qué le cuesta echarle otra habladita al Intendente para que le ceda los terrenos de las calles que eran de él para empezar y entonces echar abajo todas las casas y arar el terreno del pueblo, abonado y descansado, y plantar más y más viñas como si el pueblo jamás hubiera existido (55).

En función de esto, el canal y el alambrado que separan el fundo El Olivo (la propiedad de don Alejandro) de Estación El Olivo (el pequeño pueblo) se revelan como límite ilusorio: la homonimia entre el pueblo y el fundo traduce la labilidad de esta frontera, discrecionalmente móvil, que remite a la voluntad unilateral de don Alejo. Precisamente, en la fiesta que tiene lugar en su honor por haber sido electo diputado, este "mandó que cortaran los alambrados, que al fin y al cabo eran suyos" (44), para que los comensales pudieran divertirse arrojando a la Manuela al canal. Pero el límite entre el fundo y el pueblo desenmascara su carácter ficticio, principalmente en la medida en que resulta ineficaz para impedir el brutal castigo que Pancho y Octavio infligen a la Manuela. Cuando esta intenta escapar de la persecución de los dos hombres, el texto dice:

> Tenía que correr hacia allá, hacia la estación, hacia el fundo El Olivo porque más allá del límite lo esperaba don Alejo, que era el único que podía salvarlo [...]. Al fundo El Olivo [...]. Decirle por favor defiéndame del miedo usted me prometió que nunca me iba a pasar nada que siempre iba a protegerme y por eso me quedé en este pueblo y ahora tiene que cumplir su promesa de defenderme y sanarme y consolarme (73).

Efectivamente, la Manuela "cruza el alambrado cubierto de zarzamora sin ver que las púas destrozan su vestido. Y se agazapó al otro lado, junto al canal" (73). Sin embargo, el pacto de protección que el señor feudal debe a sus súbditos no se cumple: don Alejo no "la espera" como ella supone y Pancho y Octavio traspasan también el alambrado. El crimen tiene lugar, precisamente, en el latifundio y es en ese espacio donde confluyen y se concretan dos amenazas que recorren el texto en forma paralela. La amenaza que encarna Alejo se vincula, de acuerdo con lo anteriormente dicho, con la borradura de los límites, con un poder sin límites, que se traduce en la apropiación progresiva de las tierras mediante la plantación de viñas. La otra amenaza presente en la novela encarna en la figura de Pancho y constituye la otra cara del poder patriarcal puesto que también se refiere apropiación, ya no de las tierras sino de los cuerpos de la Japonesita y la Manuela: "A las dos me las voy a montar bien montadas, a la Japonesita y al maricón del papá..." (4). Se trata en ambos casos de un mismo gesto de apropiación y disposición de "lo otro" que produce y reproduce el espacio *apropiado* para la perpetuación de un sistema de poder que se sostiene en un entramado de relaciones complejas y transversales de clase y de género.

Por este motivo, cuando Pancho se acerca tocando la bocina de su camión en dirección al prostíbulo, el narrador dice: "La bocina se acerca a través de la noche y llega clara, como si en toda la llanura estriada de viñas no hubiera nada que se interpusiera" (35). En tanto la ordenación de viñas no opone ningún obstáculo para el avance del camión de Pancho, el texto parece sugerir que la amenaza machista es facilitada por la estructuración misma del espacio ocupado por el poder patriarcal de don Alejo. Más aun, la configuración del espacio latifundista y patriarcal es, en la novela, la condición de posibilidad para la concreción de la amenaza que recae tanto sobre las casas del pueblo como sobre el cuerpo de la Manuela.

En función de esto, se impone repensar las relaciones de oposición que la crítica ha establecido entre Pancho Vega y Alejandro Cruz. Pancho ha sido recurrentemente caracterizado, a partir de su lucha por lograr la independencia respecto de don Alejo, como el ángel rebelde que retorna al pueblo para enfrentarse con el terrateniente y cortar sus últimos lazos de dependencia[7]. Sin embargo, la puesta en relación de lo sexual con lo político-económico permite descubrir alianzas e identificaciones fuertes entre ambos personajes. Los indicios textuales en este sentido son múltiples. En el primer capítulo, por ejemplo, se establece una vinculación explícita entre los perros de don Alejo —que sin duda representan un aspecto amenazador de su dueño— y los bocinazos del camión de Pancho, desde el punto de vista de la Manuela: "Anoche por ejemplo. No durmió nada. Tal vez por los perros de don Alejandro ladrando en la viña. ¿O soñaría? Y los bocinazos" (7). En el capítulo siguiente aparece exactamente la misma asociación, el camión de Pancho vinculado con los perros de don Alejo: "...ni un camión, ni un auto en todo el pueblo [...]. Y los perros. No tenían por qué andar sueltos en la viña en este tiempo, cuando ya no quedaba ni un racimo que robarse (8).

---

[7] Hernán Vidal analiza el fracaso de la lucha de Pancho (y de Manuela) por su independencia desde una perspectiva junguiana en *José Donoso: Surrealismo y rebelión de los instintos* (151). Sin embargo, predomina la lectura del enfrentamiento entre Pancho y Alejo como una reelaboración del mito cristiano del ángel rebelde en Isis Quinteros (143); Philip Swanson (51); Moreno Turner (78) y José Promis Ojeda (27).

Pero la vinculación entre Pancho y los perros culmina en el paralelismo evidente entre la escena del Capítulo III en que los perros de Alejo se abalanzan salvajemente sobre la carne que les ofrece don Céspedes en el galpón del correo, y la escena final en que Pancho y Octavio se abalanzan sobre el cuerpo de la travesti:

> La piltrafa sanguinolenta voló y los perros saltaron tras ella y después los cuatro juntos cayeron hechos un nudo al suelo, disputándose el trozo de carne caliente aún, casi viva. Lo desgarraron, revolcándolo por la tierra y ladrándole, babosos los hocicos colorados y los paladares granujientos, los ojos amarillos fulgurando en sus rostros estrechos (20).

Y así se narra el final de la Manuela:

> No alcanzó a moverse antes que los hombres brotados de la zarzamora se abalanzaran sobre él como hambrientos. Octavio, o quizás fuera Pancho el primero, azotándolo con los puños [...] se lanzaron sobre él y lo patearon y le pegaron y lo retorcieron, jadeando sobre él, los cuerpos calientes retorciéndose sobre la Manuela que ya no podía ni gritar, los cuerpos pesados, rígidos, los tres una sola masa viscosa retorciéndose como un animal fantástico de tres cabezas y múltiples extremidades heridas e hirientes [...] bocas calientes, manos calientes, cuerpos babientos y duros hiriendo el suyo y que ríen y que insultan y que buscan romper y quebrar y destrozar y reconocer ese monstruo de tres cuerpos retorciéndose (73-4).

Las notables similitudes entre ambas escenas habilitan a pensar que en realidad es Pancho quien finalmente lleva a cabo la amenaza representada por los perros de don Alejo: el ataque físico, la desgarradura de la carne. Casualmente, cuando el ataque se ha cumplido y la Manuela yace destrozada junto al alambrado, los perros andan sueltos en la viña (63)[8].

---

[8] Ricardo Gutiérrez Mouat señala el paralelismo entre los párrafos citados y postula que los perros "desmandados y temidos que nadie puede ubicar se transforman en Pancho y Octavio, igualmente

Por otra parte, si bien Alejo se define fundamentalmente por la posesión de tierras mientras que Pancho carece de ellas, este último está sesgadamente ligado a la tierra a través de su nombre: Vega. Es cierto que la relación de oposición y enfrentamiento entre estos dos personajes constituye una dimensión evidente y explícita en la novela. Sin embargo, las coincidencias entre ambos revelan una estrecha vinculación entre el poder latifundista/patriarcal y una determinada concepción de la identidad y de la sexualidad que le es correlativa. La configuración espacial que se describe en la novela —el ordenamiento de viñas— implica y constituye precisamente un orden económico, social, político y simbólico que regula la construcción de la identidad y la práctica de la sexualidad en función de oposiciones excluyentes. Por lo tanto, el espacio del latifundio establece un ordenamiento también jurídico donde el cuerpo travesti, resistente a la normalización identitaria, no encuentra lugar.

Lista de obras citadas

Butler, Judith. (1990). *Gender Trouble. Feminism and the Subversion of Identity*. Routledge.

Donoso, José. (1990). *El lugar sin límites* [1966]. Caracas, Biblioteca Ayacucho.

Foster, David William. (1991). "The Sociopolitical Matrix". *Gay and Lesbian Themes in Latin American Writing*. Austin, University of Texas Press.

Gutiérrez Mouat, Ricardo. (1983). *José Donoso: Impostura e impostación. La modelización lúdica y carnavalesca de una producción literaria*. Gaithersburg, Hispamérica.

Magnarelli, Sharon. (1993). "Hell Has No Limits: Limits, Centers, and Discourse". *Understanding José Donoso*. Columbia, University of South Carolina Press, pp. 68-92.

móviles y desmandados por el campo en persecución de la Manuela" (131). Por su parte, Foster sostiene que la restauración del orden patriarcal a partir del castigo de la Manuela es confirmada por los perros de don Alejo, que este deja deliberadamente sueltos "como sintiendo la necesidad de contribuir" a la destrucción de la travesti (89).

Moreno Turner, Fernando. (1975). "La inversión como norma: a propósito de *El lugar sin límites*". *José Donoso. La destrucción de un mundo*. Antonio Cornejo Polar comp., Buenos Aires, Fernando García Cambeiro, pp. 19-42.

Promis Ojeda, José. (1975). "La desintegración del orden en la novela de José Donoso". *José Donoso. La destrucción de un mundo*. Antonio Cornejo Polar comp. Fernando García Cambeiro.

Quinteros, Isis. (1978). *José Donoso: una insurrección contra la realidad*. Madrid, Hispanova Ediciones, pp. 141-185.

Sarduy, Severo. (1987). "Escritura/Travestismo". *Ensayos generales sobre el barroco*. México, Fondo de Cultura Económica, pp. 258-263.

Sifuentes Jáuregui, Ben. (1977). "Gender Without Limits. Transvestism and Subjectivity in *El lugar sin límites*", *Sex and Sexuality in Latin America*, Daniel Balderston y Donna J. Guy comps., New York and London, New York University Press, pp. 44-61.

Solotorevsky, Myrna. (1983). *José Donoso: Incursiones en su producción novelesca*, Valparaíso, Ediciones Universitarias de Valparaíso.

Swanson, Philip. (1988). "*El lugar sin límites*: A Metaphor of Malaise". *José Donoso: The Boom and Beyond*, Liverpool, Francis Cairns Publications, pp. 48-66.

José Donoso
Y LAS MASCULINIDADES MONSTRUOSAS
DE LA REFORMA AGRARIA CHILENA

Carl Fischer

Fachada de casa rural.
Archivo fotográfico del Museo Histórico Nacional.

José Donoso y las masculinidades monstruosas de la reforma agraria chilena

Carl Fischer

Introducción
La modernidad inestable

La reforma agraria de Eduardo Frei Montalva ubicó la masculinidad reproductiva en el centro de la modernización económica del campo chileno. Bajo presión para evitar un levantamiento popular en ciertos sectores de la izquierda, y consciente de la revolución que había ocurrido en Cuba poco antes, Frei fue elegido presidente en 1964 después de una campaña por la "Revolución en libertad". La campaña fue concebida para cooptar los sentimientos revolucionarios e izquierdistas en el país, sin llegar a ser verdaderamente marxista. El análisis de la historiadora Heidi Tinsman muestra hasta qué punto esta reforma agraria estaba basada en la heterosexualidad masculina y normativa[1]. La reforma se concentraba en

---

[1] Tinsman explica el sistema de inquilinaje en términos que lo asemejan al semipeonaje. Los inquilinos casados —casi todos hombres— componían el foco más importante de los esfuerzos de sindicalización que hacía el estado, ya que eran los que predominaban en los fundos más grandes (30-4), y también porque, según los patrones, "los trabajadores con familia serían más leales y dóciles" (Tinsman, 45). Si bien en 1962 se promulgó una ley de reforma agraria bajo el gobierno de Jorge Alessandri (Nº 15.020), esta fue más bien superficial, ya que se implementó "bajo el persuasivo y combinado influjo de la Revolución cubana, de la radicalización social que de ella se

la sindicalización de inquilinos casados, cuya "esencia masculina era definida por el juicio que los hombres tenían *sobre* las mujeres y, en particular, por el poder de estos a acceder sexualmente al cuerpo femenino" (128): si estaban casados, tenían mayor credibilidad. Un hombre con dicha "esencia" supuestamente era un candidato idóneo para el sindicato, porque el dominio patriarcal que tuviera en su hogar legitimaría y fortalecería la autoridad que asumiera en el trabajo, al momento de enfrentarse al patrón. Dado que la implementación rápida de esta reforma en Chile hizo que el país fuera, según los Estados Unidos al menos, "el principal molde en la aplicación de la Alianza para el Progreso, su nuevo programa de seguridad y desarrollo para América Latina" (Tinsman, 97), el lugar de Chile como un modelo de modernización económica latinoamericana en aquella época se puede vincular, intrínsecamente, a las prácticas reproductivas masculinas y heterosexuales.

Al mismo tiempo, en la esfera literaria latinoamericana, se estaban llevando a cabo debates sobre la modernidad estética. Aquellos debates asumían la masculinidad heteronormativa como tan central a la literatura como los políticos y economistas asumían esa masculinidad como el centro de la reforma agraria. Como ha argumentado Diana Sorensen, "se acortaban las distancias entre los latinoamericanos y las culturas metropolitanas", gracias al salto cualitativo experimentado por la literatura latinoamericana a manos de los escritores del *boom*. Esto permitió que la literatura latinoamericana y la del "mundo metropolitano" pudieran "verse 'compartiendo un presente cultural'" (Sorensen, 146)[2]. Sin embargo, estos mismos escritores sentían la necesidad de reconciliar este "avance" literario con la sensación de haber extraviado su pertenen-

---

derivó, y de la política estadounidense de la Alianza para el Progreso" (Pinto, 110) en vez de un ímpetu verdadero de reforma; de hecho, Julio Pinto la llama la "reforma del macetero" (110) por la naturaleza limitada de su alcance. Sigue Pinto: "El ritmo expropiatorio y modernizador se agilizó significativamente bajo el gobierno demócratacristiano de Eduardo Frei Montalva, uno de cuyos principales compromisos programáticos era justamente profundizar y consolidar las transformaciones del sector [agro]" (111).

[2] Las citas de textos que no han sido traducidos al castellano han sido traducidas del inglés por el autor.

cia a Latinoamérica misma, ahora que habían entrado al panteón de la "literatura mundial" (Avelar, 54; Sorensen, 146). Se debatían, entonces, sobre la posibilidad de dejar atrás sus afiliaciones literarias con los círculos intelectuales más pequeños y provincianos de sus países respectivos —y con las novelas de la tierra que los habían antecedido[3], con todo el "parricidio" que esto pudiera implicar (Sorensen, 147)— a favor de afiliaciones más cosmopolitas que pudieran armar entre sí y con escritores no latinoamericanos. Como Sorensen y Manuel Puig[4], entre otros, han demostrado, la modernidad literaria latinoamericana de los sesenta era tanto un asunto de masculinidad patriarcal como uno estético.

Irónicamente, a pesar de haber expresado el deseo de romper con la tradición de personajes masculinos y oligárquicos que habían sido tan comunes en las novelas de la tierra[5], José Donoso creó dos patrones de fundo memorables en su obra: Jerónimo de Azcoitía en *El obsceno pájaro de la noche* y Alejandro Cruz en *El lugar sin límites*. En 1966, publicó esta última novela, el primer documento cultural y literario latinoamericano de esa época en llamar la atención sobre —y cuestionar— la heteronormatividad implícita de la modernización económica y estética chilena (y latinoamericana). De hecho, José Amícola se refiere a *El lugar sin límites* como bastante adelantado con relación a los movimientos globales de la liberación

---

[3] Véase el análisis excelente de la "modernidad" compleja de algunas de las novelas de la tierra que hace Carlos Alonso en su volumen *The Spanish American Regional Novel: Modernity and Autochthony* (1990). No es mi intención, sin embargo, generalizar sobre los lugares agrarios como más "simples" que los centros del comercio y de la cultura. En este sentido, estoy de acuerdo con la aseveración de Ericka Beckman de que los espacios rurales "representados en novelas regionalistas no estaban de ninguna manera afuera de las relaciones sociales capitalistas, sino que al centro mismo de los regímenes de la exportación de mercancías" (xxvi).

[4] Manuel Puig parodió la naturaleza masculinista del *boom* en una carta que sugirió que las ansiedades de los autores del *boom* sobre las tradiciones literarias a las cuales pertenecían estaban ligadas a ansiedades sobre el género. De manera juguetona, Puig comparaba las figuras principales de aquel movimiento con divas del cine de los años 40: "*Borges was Norma Shearer ('Oh, so dignified'), Carpentier was Joan Crawford ('Oh, so finery!'), Asturias was Greta Garbo ('Only because of the Nobel flavor'). Rulfo was Greer Garson; Cortázar, Hedy Lamarr; Lezama Lima was Lana Turner; Carlos Fuentes was Ava Gardner (explanation: 'Glamour surrounds her, but can she act?')*" (Cabrera Infante, 184).

[5] En *Historia personal del "boom"* (1972), Donoso enfatizó su intención de alejarse del "machismo chauvinista a toda prueba" de las novelas "costumbristas, regionalistas y criollistas" (21).

social y sexual de los sesenta, "tan temprano en su expresión de las cuestiones de *gender*" (26). *El lugar sin límites*, por lo tanto, serviría como una intervención contundente y novedosa en los debates estéticos, económicos y sexuales que ocurrían en América Latina en aquella época, los cuales en su mayoría giraban en torno a la heteronormatividad.

En lo que sigue, me centraré en *El lugar sin límites* como uno de los principales artefactos culturales en los que los atributos discursivamente patriarcales de la modernización agraria chilena se manifiestan y se disputan de manera más patente. Extendiendo del siglo XIX al XX el análisis de Ericka Beckman sobre el vínculo que existe entre las modernidades literaria y económica en Latinoamérica, argumentaré que las inestabilidades económicas que resultaban de la integración de Chile con las corrientes económicas globales, a través de la modernización agraria, se prestaron a inestabilidades en la representación literaria, las cuales pueden resultar productivas. *El lugar sin límites* contiene personajes que perturban las nociones normativas —tanto en el sentido económico como sexual— alrededor de las cuales la economía chilena se personificaba. La novela denuncia el hecho de que la modernización se sexúa de manera que excluye a los cuerpos *cuir*[6] y no reproductivos de la visibilidad política y económica. Propongo, en cambio, formas más amplias y más estetizadas de la modernidad. Abordo no solo la larga tradición de sexualizar las retóricas latinoamericanas de modernización[7], sino

---

[6] Al referirme a lo *cuir* estoy invocando una corriente de los estudios de género que abarca el cuestionamiento de todo tipo de norma sexual, y un énfasis en lo raro, lo extraño, y lo inclasificable. Si bien este término es un préstamo del inglés, y de la teoría metropolitana del Atlántico Norte, quisiera insistir en las posibilidades liberadoras de esta corriente de pensamiento sin dejar de estar consciente de las implicaciones neocoloniales de usarla en el contexto latinoamericano. Siguiendo a Felipe Rivas San Martín (2011), quien escribe de manera elocuente sobre las promesas y los problemas de pensar lo *cuir* desde el contexto chileno, yo quisiera evitar "un excesivo localismo latinoamericano que rechace de plano cualquier uso de 'lo *queer*'" pero también "la celebración acrítica de su traspaso disciplinario literal Norte/Sur" (70). En este sentido, estoy haciendo eco de una incipiente y selectiva recuperación de las pautas liberadoras de lo *queer* —y su conversión en lo *cuir*, o incluso (incorporando el quechua) en lo *cuyr*— para el contexto latinoamericano, iniciada por teóricxs como Licia Fiol-Matta, Diego Falconí, Héctor Domínguez Ruvalcaba, y David Foster.
[7] Véase el cuarto capítulo de la monografía de Beckman, *Capital Fictions: The Literature of Latin America's Export Age* (2013) para otro ejemplo de cómo esta tradición ha sido leída y criticada.

también el lugar problemático que ocupa Donoso en el *ethos* masculinista del *boom* —un lugar que él mismo exploró en su *Historia personal del "boom"*, y que Sorensen también ha analizado (152-3)—. ¿Hasta qué punto se vincula la modernidad económica del mundo agrario chileno con la modernidad estética de la literatura chilena? El hecho de que estas formas de la modernidad están encarnizadas, o personificadas, en figuras masculinas relacionadas con la reproducción heterosexual ¿significa que aquellos que disputan las concepciones heterosexuales de la modernidad económica también tienen que deshacerse del "llamado de sirena" de la modernidad literaria y cultural, que se planteaba discursivamente en esa época como heterosexual?

LO CUIR, LA EXCEPCIÓN Y LA MONSTRUOSIDAD

Los esfuerzos chilenos por modernizarse económica y literariamente en los sesenta estaban vinculados con lo que Marshall Berman define como la modernidad, es decir, la "vorágine" de procesos orientados hacia un ideal de la progresión temporal, el progreso material y la transformación (1). Sin embargo, cabe preguntarse si esta modernidad, tal y como la plantea Berman al menos, es una empresa inherentemente sexista y heterosexista, en tanto se relaciona con legados, linajes, y acumulación material: conceptos teleológicos que están fuertemente vinculados con las cronologías de la heterosexualidad. La pregunta por el sexismo de la modernidad está en la médula de la crítica feminista que hace Rita Felski (1995) del trabajo de Berman. Mientras que Berman cita la idea del "hombre moderno" de Marx y Nietzsche, en tanto "'el hombre de mañana y pasado mañana'—quien, 'en oposición a su hoy', tendrá el valor y la imaginación para 'crear nuevos valores' necesarios para que los hombres y las mujeres modernas se abran camino a través de los peligrosos infinitos en que viven" (9), Felski argumenta:

>...los héroes ejemplares del texto [de Berman] —Faust, Marx,
>Baudelaire— son símbolos no solo de la modernidad, sino
>también de la masculinidad, referentes históricos de la emergencia
>de nuevas formas de subjetividades masculinas burguesas y
>proletarias. En los análisis que hace Berman... se supone que el
>individuo moderno es un varón autónomo, liberado de todo tipo
>de atados, ya sean familiares o comunitarios (2).

Aquí, Felski critica el hecho de que en los análisis históricos de
la modernidad, como el de Berman, esta última es personificada,
ejemplificada, y sexuada como masculina. Además, Felski muestra
hasta qué punto la modernidad puede y debe estar identificada con
lo femenino. Por lo tanto, sienta las bases también para las críticas del *heterosexismo* de la modernidad. Según Felski, entonces, las
narrativas históricas existentes de la modernización chilena de los
60 —pobladas por, e imaginadas con, hombres heterosexuales—
tendrían que ser revisadas. Esto es particularmente relevante para
El lugar sin límites. Al congelar, interrumpir, o derechamente negar
la progresión aparentemente inexorable de los conceptos heteronormativos del linaje, la novela cuestiona la idoneidad económica
de los hombres chilenos heterosexuales para protagonizar la modernidad. Las representaciones estéticas no solo del rechazo a la
reproducción, sino también de las prácticas sexuales cuir, pueden
subvertir ideas convencionales sobre la modernidad económica. Estas representaciones muestran, entre otras cosas, que los padres no
tienen por qué traspasar su patrimonio, u otras formas de influencia, a sus hijos —al menos no de manera convencional—. Es cierto
que Donoso estaba afiliado con las corrientes estéticas del *boom*,
cuya "modernidad" estaba tan vinculada con la masculinidad normativa, y que algunos de los sujetos a quienes Donoso representa
están implicados en los proyectos modernizadores heteronormativos y masculinos del Estado chileno. Sin embargo, su obra también
dialoga con formas de identidad y performance de género que son
más cosmopolitas[8], menos patriarcales y más cuir.

---

[8] Estoy empleando el término "cosmopolita" aquí de la misma manera en la que Jacqueline Loss
(2005) ha invocado el discurso estético "discrepante" como un modo en que los escritores y artis-

Propongo, por lo tanto, que el *topos* de la monstruosidad es la mejor forma de leer la manera en que Donoso interroga la modernidad supuestamente heterosexual y masculina de las políticas de reforma agraria del gobierno chileno. La monstruosidad ha sido un aparato literario común desde la época de la novela gótica anglófona[9], y ofrece un camino hacia una forma cuir de pensar la modernidad. De hecho, la reproducción sexual es tan clave para entender la masculinidad heterosexual como lo es para entender la monstruosidad: esta última se define como el producto de una reproducción "contra natura", mientras que la masculinidad convencional se define a partir de la capacidad de un hombre de reproducirse de manera "natural".

El análisis de Michel Foucault de la monstruosidad constituye una manera particularmente útil de examinar hasta qué punto aquellos que personifican masculinidades "monstruosas" pueden subvertir los supuestos políticos y económicos de aquellos que practican la masculinidad heterosexual y convencional. En *Los anormales*, Foucault delinea la genealogía del término titular a lo largo de los siglos XVIII y XIX como una manera de clasificar a las personas que "diferían" de las estructuras sociales, biológicas y legales existentes, incluyendo las prácticas de la reproducción aceptadas como normales (61-4). Su modelo por excelencia de la anormalidad es el monstruo: el producto de "la mixtura de dos individuos... de dos sexos [...]. Transgresión... de los límites naturales, transgresión de las clasificaciones, transgresión del marco, transgresión de la ley como marco" (68). Las figuras de la obra de Donoso que cuestionan la modernización agraria chilena de manera más contundente son todos partícipes en prácticas sexuales que "pone[n] en cuestión" la ley (Foucault, 69).

---

tas han desafiado los límites de sus orígenes nacionales al mismo tiempo que vinculan su estatura global con su contexto local. Me parece que estas "discrepancias" pueden ser tan sexuales como nacionales o regionales.

[9] En *Skin Shows* (1995), Jack Halberstam señala cómo los monstruos en las novelas góticas condensan, en un solo cuerpo, "varias amenazas raciales *y sexuales* a la nación, al capitalismo y a la burguesía" (3, énfasis agregado).

La concepción foucaultiana de la monstruosidad, citada anteriormente, también utiliza el término "transgresión", un concepto clave en la filosofía de la excepción y de la excepcionalidad. Esto se ve en el trabajo sobre los estados políticos de excepción de Giorgio Agamben, quien escribe sobre las formas en las que los Estados extienden sus poderes soberanos más allá de los límites previos que se les imponían. El trabajo de Agamben sería particularmente relevante más tarde para el Chile de la dictadura de Augusto Pinochet, en la cual frecuentemente se empleaba el estado de excepción para limitar las libertades de los ciudadanos chilenos. Aquí estoy empleando el término "excepcionalidad" como una forma productivamente contradictoria de pensar la retórica que posiciona ciertos Estados, personas, productos culturales, y mercancías como particularmente aptos para el reconocimiento, el consumo o la emulación. De la misma manera en que una mercancía, un sistema económico o un país buscan destacarse como únicos, explotando su ventaja comparativa y resguardando su lugar prominente en un cierto grupo de pares, la retórica de la excepcionalidad también puede aplicarse a la performance de género de una' persona[10]. Es decir, el deseo, que muchas veces se encuentra en el meollo de la masculinidad heterosexual, de *distinguirse* de, y ejercer poder sobre, los demás, se lleva a *la conformidad y la normatividad* de género. De ahí la contradicción anteriormente mencionada: la excepcionalidad se consigue no solo imponiendo la conformidad, sino también (a veces, al menos) ejerciendo un estado de excepción que asegure que solo algunos puedan cometer ciertas transgresiones[11]. El hecho de

---

[10] Véase mi monografía *Queering the Chilean Way* (2016), la cual critica el hecho de que, entre los años 1965 y 2015, un hombre heterosexual ha solido ser el protagonista "modelo" de las varias economías "modelo" de Chile —ya sea el campesino casado en la época de Frei Montalva, el militante barbudo del marxismo únicamente democrático de Allende, el hombre de familia en la época rigurosamente neoliberal de Pinochet, o el buen consumidor del "milagro" posdictatorial—. Mi trabajo analiza un archivo de producción cultural cuir de aquellos mismos años, el cual logra subvertir esta retórica de la excepcionalidad, no solo cuestionando la idoneidad de los hombres heterosexuales para personificarla, sino también cuestionando la excepcionalidad económica misma.

[11] Hay rastros de esta retórica de la excepcionalidad en el discurso nacionalista de casi todos los países, como han señalado —en el contexto norteamericano— teóricxs tales como Daniel Rodgers, Jasbir Puar y Donald Pease. En el contexto chileno, la excepcionalidad ha sido expresada en muchos

que Chile se logró conformar de manera tan rigurosa al modelo de reforma agraria propuesto por la Alianza para el Progreso fue lo que lo hizo destacarse como excepcional en América Latina: una excepcionalidad que seguiría resaltando en años posteriores, por razones diferentes.

El hecho de que un monstruo pueda encarnar la desviación a la vez que servir como un nexo de significación alrededor del cual se normaliza socialmente esa desviación, le da a ese monstruo el poder de contradecir ciertas nociones aceptadas de la modernidad (y los presupuestos de género sobre los cuales ella está basada). También produce significados que recapturan la desviación bajo el alero de la modernidad. Foucault llama a esta idea la "inteligibilidad tautológica":

> [E]l monstruo es, en cierto modo, la forma espontánea, la forma brutal, pero, por consiguiente, la forma natural de la contranaturaleza. Es el *modelo* en aumento, la forma desplegada por los juegos de la naturaleza misma en todas las pequeñas irregularidades posibles. Y en ese sentido, podemos decir que el monstruo es el gran *modelo* de todas las pequeñas diferencias. Es el principio de inteligibilidad de todas las formas —que circulan como dinero suelto— de la anomalía [...]. Paradójicamente, el monstruo —pese a la posición límite que ocupa, aunque sea a la vez lo imposible y lo prohibido— es un principio de inteligibilidad. Y no obstante, ese principio de inteligibilidad es un principio verdaderamente tautológico, porque la propiedad del monstruo consiste precisamente en afirmarse como tal, explicar en sí mismo todas las desviaciones que pueden derivar de él, pero ser en sí mismo ininteligible (62-3, énfasis agregado).

---

contextos. Benjamín Subercaseaux invoca la diferencia del país de otras topografías más "cuerdas" en *Chile, o una loca geografía* (1941); muchos economistas se han referido a la excepcionalidad económica actual (neoliberal) del país al mencionar el "milagro" chileno. Cuando Brian Loveman (1993) se refiere a la larga tradición democrática del país —otro aspecto que lo apartaba de sus vecinos latinoamericanos, hasta el quiebre que implicó el golpe de 1973— menciona que ha sido gracias, paradójicamente, a la larga tradición portaliana del estado de excepción. Es decir, la excepcional estabilidad democrática chilena fue debida a las interrupciones de esa misma democracia. En este sentido, la excepcionalidad chilena se asemeja a la transgresión contradictoria inherente a la monstruosidad, tal y como la analiza Foucault.

En el siglo XVIII, la anormalidad y la monstruosidad eran términos que se empleaban para describir y diagnosticar las discapacidades mentales y físicas, produciendo discursos nuevos que incorporaban las "anormalidades" dentro de las instituciones médicas, la doctrina eclesiástica, y los tratados legales. El proceso de designar a ciertos individuos como "anormales" y luego de intentar "normalizar" la anormalidad (con grados diferentes de éxito, por supuesto), es, para Foucault, la señal decisiva de que una sociedad haya logrado lo que él llama "la síntesis" (28), "la transformación" (82) y "el pasaje" (108), si no la modernidad. Las excepciones a la modernidad han sentado la base, paradójicamente, para esa misma modernidad. El ideal (masculino, reproductivo) alrededor del cual se estructura la modernización supuestamente excepcional de Chile en los sesenta es desafiado, por tanto, por las apropiaciones de la "monstruosidad" (lo cuir, la reproducción atípica o la no reproductividad) que cuestionan y tal vez extienden lo que significa ser un "sujeto ideal" de la modernidad.

Así como Felski desafía los presupuestos masculinistas del trabajo de Berman, cabe preguntarse si a partir de las formas monstruosas de la reproducción y del género, incluyendo lo cuir, que son representadas en *El lugar sin límites*, la modernidad estética de Chile será capaz de abrirse, discursivamente, a influencias más cosmopolitas. El cosmopolitismo de agentes culturales como Donoso y también de personajes que desafían el provincianismo de su alrededor al definirse en términos más globales, logra esquivar a los sujetos ideales de la modernidad económica tan deseados por los arquitectos de la reforma agraria chilena. Al mismo tiempo, sin embargo, los "monstruos" en *El lugar sin límites* utilizan la sexualidad para disputar los proyectos estatales de la modernidad aun cuando sean parte de esos proyectos. El hecho de que *El lugar sin límites* amplió la inclusividad de la modernización agraria y de la estética del *boom* ¿sienta un precedente para las formas venideras, y más radicales, en que los textos culturales cuir han desafiado los presupuestos heteronormativos de la modernización, tanto en Chile como en el extranjero?

EL *LUGAR SIN LÍMITES*: ERIGIENDO Y TRASGREDIENDO LAS FRONTERAS DE LA REPRODUCCIÓN

La acción de *El lugar sin límites* transcurre a lo largo de un día en la vida de la Manuela, una persona trans (nacida con el nombre de Manuel González Astica) que es codueña de un prostíbulo en el pueblo rural de El Olivo. Desde el comienzo de la novela, Pancho Vega —al que Severo Sarduy, en una crítica temprana de la novela, llama "el macho oficial del caserío" (72)— ha estado amenazando con retornar al pueblo. Un año antes, él y unos amigos habían levantado algún tipo de alboroto en el prostíbulo; antes de irse, violentaron a la Manuela, rajando su vestido rojo: "mientras uno le retorcía el brazo, los otros le sacaron la ropa y poniéndole su famoso vestido de española a la fuerza se lo rajaron entero". Don Alejo Cruz, el patrón de las tierras locales y el senador por la región, sin embargo, les exigió "portarse en forma comedida", y tuvieron que irse. Pancho prometió vengarse por este hecho, aunque no con don Alejo, sino con la Manuela y su hija, la Japonesita, porque la Manuela lo llamó un peón (12-13). Y efectivamente, llega Pancho al prostíbulo al final del día en el que transcurre casi toda la acción de la novela, buscando desquitarse.

Las complejas implicaciones económicas y sexuales de las relaciones entre estos tres personajes principales de la novela —la Manuela, Pancho y don Alejo— se pueden leer a través del prisma temático de la producción y la reproducción. Cada unx ha participado en la reproducción heterosexual, pero cada instancia de esta participación ha arrojado resultados diferentes dentro de la economía de la novela, con implicaciones varias para la modernización de su alrededor. A pesar de ser el único dueño de las tierras de El Olivo, un padre de familia, y el senador conservador de la zona —y por lo tanto una figura económica poderosa— don Alejo también está asociado con la decadencia, la pérdida y la influencia menguante. No solo se ha dado cuenta hace poco de que se va a morir pronto (97) y que El Olivo está destinado a desaparecer (53-54) ahora que la carretera más próxima se construyó lejos de ahí (44); además, ya no tiene descendencia legítima.

Mientras tanto, dos erecciones específicas que ocurren durante la novela —una de la Manuela y la otra de Pancho— trasgreden la reproducción heterosexual, las pretensiones que tiene el estado chileno a la modernidad económica, las metas estéticas del *boom* y el *statu quo* masculino que representa don Alejo. Este desafío está en sincronía con tendencias históricas de los años sesenta, relacionadas con la decreciente influencia económica de los grandes patrones de fundo, debido a las reformas agrarias. Es decir, un vacío de poder se ha abierto para que nuevos actores encarnen el nuevo ideal que tiene el estado para su modernización reproductiva y económica.

Las aspiraciones económicas de Pancho siempre han estado entrelazadas con la heterosexualidad reproductiva. Su sustento económico ha sido posible gracias a una alianza matrimonial, ya que su cuñado Octavio, el dueño de una gasolinera en la carretera en los alrededores de El Olivo, le ha prestado el dinero para saldar la deuda que tiene con don Alejo. Octavio representa una prosperidad más urbana, sin el peso de los lazos familiares del campo que se extienden por generaciones. Con esta alianza, Pancho puede aspirar a una vida con su propia familia, alejada del fundo y de la familia Cruz. Es por eso que la erección de Pancho, causada por su deseo por la Manuela —a quien ve como un hombre— se constituye como una amenaza tan descomunal a sus aspiraciones económicas. Hacia el final de la novela, Pancho llega al prostíbulo para desquitarse con la Manuela, pretendiendo violarse a la hija de esta, la Japonesita. Para distraer a Pancho y evitar que esto ocurra, la Manuela se arma de valor y se pone a bailar frente a él. Pronto, Pancho se encuentra excitado por la Manuela, tal y como se evidencia en este fluir de consciencia, construido desde la perspectiva de Pancho:

> [E]l viejo maricón que baila para él y él se deja bailar y que ya no da risa porque es como si él, también, estuviera anhelando. Que Octavio no sepa. No se dé cuenta. Que nadie se dé cuenta. Que no lo vean dejándose tocar y sobar por las contorsiones y las

> manos histéricas de la Manuela que no lo tocan… nadie ve lo que
> le sucede debajo de la mesa, pero que no puede ser… y toma una
> mano dormida de la Lucy y la pone ahí, donde arde (121).

Pancho intenta desplazar a la Manuela como la causa de su erección en ese momento, al ponerse la mano de otra prostituta sobre el pene. Escondida su erección debajo de la mesa, Pancho logra de alguna manera no tomársela en serio. Pero acto seguido, la victrola, a cuyo ritmo bailaba la Manuela, se rompe y —dado que no hay electricidad para enchufarse una eléctrica, por la renuencia de don Alejo de modernizar El Olivo— Pancho, Octavio y la Manuela deciden llevar la fiesta a otro prostíbulo más grande, en Talca. Lo que empieza como un regodeo borracho y feliz, sin embargo, se pone amargo cuando la Manuela trata de besar a Pancho: "Iban uno a cada lado de la Manuela, agarrando su cintura. La Manuela se inclinó hacia Pancho y trató de besarlo en la boca mientras reía. Octavio lo vio y soltó a la Manuela. 'Ya pues compadre, no sea maricón usted también'" (124). Al explicitarse la atracción entre la Manuela y Pancho, el frágil intento de Pancho de aparentar la masculinidad normativa se pone en aprietos. Pancho tiene que denegar su atracción por la Manuela, culpándola enteramente por el beso, y Octavio y Pancho terminan golpeándola mortalmente. Ben Sifuentes-Jáuregui ha leído esta golpiza como un intento de los dos "machos" de parar cualquier intimación de ambigüedad sexual de su parte, "afirmando su sentido de 'integridad'" para que "una sola historia se pueda contar sobre ellos" (118). Esto, a pesar de que la golpiza se describe en el texto como monstruosa y múltiple, con "los tres una sola masa viscosa retorciéndose como un animal fantástico de tres cabezas y múltiples extremidades heridas e hirientes" (126). La erección termina, por lo tanto, con la muerte de la Manuela, y la aseguración del lugar de Pancho como un avatar de "integridad" (un término también usado por Tinsman) sexual y de modernidad económica. Y sin embargo, tal y como se han sembrado dudas acerca de la heterosexualidad de Pancho en la mente de Octavio, Donoso también siembra dudas sobre la modernización de Chile: ya no es un fenómeno netamente heterosexual y masculino, pues también incursiona en lo cuir, y en lo monstruoso.

La de Pancho es la segunda de dos erecciones que cuirean12 la modernidad económica "modelo" de Chile en la novela de Donoso; la primera es de la Manuela. La novela hace un *flashback* a la época en la que la Manuela y la jefa original del prostíbulo, la Japonesa Grande, se aliaron para quitarle a don Alejo la tierra en donde el burdel se ubica. Esto sucede una noche en que la Japonesa Grande hace una fiesta para don Alejo, quien ha ganado las elecciones en el Senado. La Japonesa ha invitado a una banda de Talca, liderada por la Manuela, para bailar y cantar. Don Alejo, sintiéndose magnánimo después de algunos tragos, hace una apuesta con la Japonesa Grande: si esta logra que la Manuela tenga sexo con ella mientras don Alejo mira, le dará el prostíbulo, el cual ella todavía arrienda (80). La Japonesa le propone esta idea a la Manuela, ofreciéndole, a cambio, la mitad del prostíbulo.

El acto sexual entre ellas —un "cuadro plástico" de proporciones— tiene muchas implicaciones narrativas: la Japonesita es concebida; don Alejo sufre una pérdida grave de influencias y control en El Olivo, ya que deja de ser el único dueño de las tierras de la zona; y es el punto clave sobre el que descansan las complejas aspiraciones a la modernidad que tiene la Manuela. Su erección le trae un cierto grado de poder, en la forma de la paternidad y la posesión de la tierra, pero también funciona como un recordatorio de lo monstruosa que puede parecer su práctica ambigua de género, particularmente a su hija: "cuando la Japonesita le decía papá, su vestido de española tendido encima del lavatorio se ponía más viejo, la percala gastada, el rojo desteñido, los zurcidos a la vista, horrible, ineficaz" (49). Es Rubí Carreño quien ha señalado la ambigüedad central de la protección de la Manuela a la Japonesita,

---

[12] Mi uso del verbo *cuirear* describe la manera en que la disidencia sexual incide en un contexto determinado para complicarlo, desviarlo, o torcerlo. El verbo se suele utilizar, dentro de la tradición disciplinaria de los estudios queer/cuir, para criticar y desbaratar los supuestos heterosexuales que muchas veces subyacen a ciertas grandes metanarrativas sociales (como, en este caso, la modernidad).

cuando Pancho intenta violarla: al intentar distraer a Pancho seduciéndolo, la Manuela performa la paternidad normativa a la vez que deniega los aspectos sexuados de esa paternidad. Como observa Carreño, "¿cuántos padres estarían dispuestos a ocupar el lugar de la hija en caso de violencia sexual? ¿Cuánto heroísmo y valentía se requiere para asumirse como homosexual?" (135). La performance inclasificable de género de la Manuela —en la que obliga a todos a su alrededor a enfrentarse con una combinación "monstruosa" de masculinidad y feminidad que a la vez deniega y amplía lo que significa ser padre— indica el poder de lo cuir para afectar las narrativas económicas de la modernidad chilena.

Que sus respectivas erecciones, tan claves para el progreso de la narrativa, transgredan a la vez que amplíen el discurso de la modernización chilena, no es lo único que tienen en común la Manuela y Pancho. El beso de esta a aquel recuerda a todos los presentes que la modernidad que tanto desean no puede ser sexualmente cosmopolita *y también* económicamente excepcional; es decir, no puede ser *tan* moderna. La "revolución en libertad" modernizadora que la Manuela representa —en la que la tierra se puede redistribuir y las afiliaciones al patrón local se pueden disputar, aunque sin deshacerse por completo— re-significa, aunque sin subvertir, la modernidad. La vía de Pancho a la modernidad, mientras tanto —se escapa del fundo a una casa en los suburbios, sí, pero también se endeuda con, y se deja explotar por, Octavio en vez de don Alejo (Carreño, 138)— también cuirea la modernidad. La modernidad que Pancho representa siempre estará amenazada por una erección inoportuna, y su respuesta a dicha erección será, sin duda alguna, monstruosa. Tanto Pancho como la Manuela tienen relaciones complejas con las teleologías inherentes a la modernidad, pero ninguno de los dos logra encarnar por completo el ideal heterosexual de la modernización chilena de la época. Don Alejo, mientras tanto, mantiene su control sobre la vasta mayoría de El Olivo por el momento, pero el hecho de que la novela muestra la presencia de lo cuir en el corazón de esa modernización demuestra hasta qué punto el arte chileno —si no su economía— se estaba volviendo cada vez más cosmopolita.

Podemos mirar la insistencia de la Manuela en la movilidad y en el escape de El Olivo —en pos de un lugar lo suficientemente cosmopolita para aceptarla— como una reacción no solo a las existentes normas económicas semifeudales, sino también como una reacción de parte de Donoso a una literatura latinoamericana hecha de temas puramente heterosexuales. En un soliloquio al comienzo de la novela, la Manuela se imagina a sí misma como una bailarina y artista cosmopolita: "Si viviera en una ciudad grande, de esas donde dicen que hay carnaval y todas las locas salen a la calle a bailar vestidas con sus lujos y lo pasan regio y nadie dice nada, ella saldría vestida de manola. Pero aquí los hombres son tontos, como Pancho y sus amigos" (25). Aquí, tanto la Manuela como Donoso disputan la subjetividad (hetero)sexuada en el centro de la retórica chilena de la modernización agraria y estética. Puede que *El lugar sin límites* no haya llegado a representar los anhelos utópicos de la libertad sexual absoluta, ni la interrupción de teleologías sexuales opresivas, ni la igualdad económica; pero sí critica la situación de Chile antes de la reforma agraria, y lo hace de manera feroz. De esta forma, Donoso cuirea y amplía el supuesto cosmopolitismo (y la masculinidad convencional) del *boom*, a la vez que saca a relucir las promesas y las limitaciones de la modernización agraria de la época.

La monstruosidad, la excepcionalidad y la borradura

El giro tortuosamente contradictorio y modernizador que implicó el *boom*, de lo costumbrista a lo cosmopolita, tuvo implicaciones grandes para el género y para la economía —sobre todo a manos de Donoso—. Al desestabilizar (para usar el término de Beckman) y criticar las capacidades productiva (es decir, económica) y reproductiva (es decir, convencionalmente masculina) de sus personajes, Donoso demuestra que la modernización de Chile —y el *boom* mismo— es un fenómeno cuir, femenino (tal y como lo teoriza Felski), no normativo e incluso monstruoso. *El lugar sin límites* representa las maneras en las que los personajes masculinos heterosexuales y la literatura (masculinista) del *boom* se ven complicados, si no subvertidos, por una modernidad económica que se identifica repetidamente con lo cuir, lo monstruoso y lo no reproductivo. Para muchos críticos, particularmente los que han leído *El obsceno pájaro de la noche*, de la cual se "desprendió" *El lugar sin límites* (Magnarelli, 1993, p. 67), la forma principal que emerge de estas y otras complejidades es la novela misma. El arte es la única respuesta posible al caos sin forma del mundo exterior, y constituye la única manera de lograr algún tipo de "modernidad" —ya sea masculina, literaria o agraria— que no dependa de las estructuras patriarcales. En este sentido, la insistencia de Beckman en "pensar la economía política a través de los contornos imaginarios de la literatura" y en "los medios representacionales a través de los cuales se podían imaginar las políticas liberales" (xxi) es altamente relevante. El asesinato de la Manuela, la consecuencia final de un cosmopolitismo estético con el potencial de estar a la altura de la circulación transnacional de la modernidad económica chilena, es, por tanto, un gesto de borradura y de monstruosidad. Mientras tanto, la novela logra la modernidad estética a un nivel transnacional al enfocarse, paradójicamente, en la travesti de un prostíbulo rural. De esta manera, se sientan las bases para las críticas culturales más radicales que se manifestarían cuando la Unidad Popular tomara el poder en 1970, en conjunto con una reforma agraria más radicalizada, y una estética visual y literaria más experimental.

Obras citadas

Alonso, Carlos. (1990). *The Spanish American Regional Novel: Modernity and Autochthony*. Cambridge University Press.

Avelar, Idelber. (2000). *Alegorías de la derrota: La ficción postdictatorial y el trabajo del duelo*. Editorial Cuarto Propio.

Beckman, Ericka. (2013). *Capital Fictions: The Literature of Latin America's Export Age*. University of Minnesota Press.

Berman, Marshall. (1988). *Todo lo sólido se desvanece en el aire. La experiencia de la modernidad*. Tr. Andrea Morales Vidal. Siglo Veintiuno Editores.

Cabrera Infante, Guillermo. (1991). "In a Pampas of Dreams". *The Review of Contemporary Fiction*, vol. 11, núm. 3, pp. 183-185.

Carreño, Rubí. (2007). *Leche amarga: violencia y erotismo en la narrativa chilena del siglo XX (Bombal, Brunet, Donoso, Eltit)*. Cuarto Propio.

Donoso, José. (2006). *El lugar sin límites*. 1966. Alfaguara.

—. (1983). *Historia personal del "boom"*. 1972. Seix Barral.

Felski, Rita. (1995). *The Gender of Modernity*. Harvard University Press.

Fischer, Carl. (2016). *Queering the Chilean Way: Cultures of Exceptionalism and Sexual Dissidence, 1965-2015*. Palgrave MacMillan.

Foucault, Michel. (2000). *Los anormales: Curso en el Collège de France, 1974-1975*. Tr. Horacio Pons. Fondo de Cultura Económica.

Halberstam, Judith (Jack). (1995). *Skin Shows: Gothic Horror and the Technology of Monsters*. Duke University Press.

Loss, Jacqueline. (2005). *Cosmopolitanisms and Latin America: Against the Destiny of Place*. Palgrave.

Loveman, Brian. (1993). *The Constitution of Tyranny: Regimes of Exception in Latin America*. University of Pittsburgh Press.

Magnarelli, Sharon. (1993). *Understanding José Donoso*. University of South Carolina Press.

Pinto, Julio. (2002). *Historia contemporánea de Chile. Volumen III. La economía: Mercados, empresarios y trabajadores*. Lom Ediciones.

Rivas San Martín, Felipe. (2011). "Diga "queer" con la lengua afuera: Sobre las confusiones del debate latinoamericano". En *Por un feminismo sin mujeres*. Territorios Sexuales Ediciones/ Coordinadora Universitaria por la Disidencia Sexual.

Sorensen, Diana. (2007). *A Turbulent Decade Remembered: Scenes from the Latin American Sixties*. Stanford University Press.

Tinsman, Heidi. (2009). *La tierra para el que la trabaja. Género, sexualidad y movimientos campesinos en la reforma agraria chilena*. Lom Ediciones.

CRONOLOGÍA

Daniela Buksdorf Krumenaker y María Laura Bocaz Leiva

Calle de Talca hacia 1930.
Archivo fotográfico del Museo Histórico Nacional.

Cronología

	Vida y obra de José Donoso	*Boom* latinoamericano	Hechos políticos y culturales de Chile y el mundo
1924	Nace el 5 de octubre en la casa de Avenida Holanda en Santiago de Chile.		**Chile** 5 de septiembre, las Fuerzas Armadas se toman el poder, se disuelve el Congreso y Arturo Alessandri renuncia. Se funda el Partido Demócrata Femenino. Pablo Neruda publica en Chile *20 poemas de amor y una canción desesperada*. Gabriela Mistral publica en España *Ternura*. Aparece revista *Atenea*. **América Latina** Se publica el primer número de la revista *Martín Fierro* en Buenos Aires. José Eustacio Rivera publica *La vorágine*. **Resto del mundo** Stalin y Trotski se disputan el poder en la Unión Soviética. André Breton publica en Francia el *Primer Manifiesto Surrealista*. Thomas Mann publica en Alemania *La montaña mágica*.

1925	**Chile** Golpe de Estado liderado por Carlos Ibáñez del Campo derroca a la Junta de Gobierno formada en 1924. Reasume el poder Arturo Alessandri Palma, quien renuncia tras las presiones del coronel Carlos Ibáñez del Campo. Se promulga la nueva constitución política del país. Se crea el Ministerio de Agricultura. Gran huelga en la pampa salitrera de Iquique. Aparece revista vanguardista *Ariel*. Se estrena la película de Pedro Sienna *El húsar de la muerte*. **América Latina** Se funda el Partido Comunista Cubano. José Vasconcelos publica *La raza cósmica*. *Otras inquisiciones* y *Luna de enfrente* de Jorge Luis Borges. **Resto del mundo** Se publica en Alemania, de manera póstuma *El proceso* de Franz Kafka. F. Scott Fitzgerald publica en Estados Unidos *El gran gatsby*. Adolf Hitler publica en Alemania *Mi lucha*.
1926	**Chile** Se agrava la crisis del salitre. Movimiento estudiantil lucha por reforma integral de la enseñanza. Apertura de nuevo edificio de la Biblioteca Nacional. Chile entra en el Consejo de la Liga de las Naciones. Nace Federación Obrera Regional de Chile, Forch. Término de la publicación de la revista *Proa* tras quince volúmenes. **América Latina** Formación de la Confederación Obrera Argentina. Comienza la Guerra Cristera en México. En Nicaragua se inicia la operación armada de Sandino, quien se pliega a los liberales en guerra civil contra el gobierno conservador. Ricardo Güiraldes publica en Argentina *Don Segundo Sombra*. Roberto Arlt publica en Argentina *El juguete rabioso*. Se publica en Perú el primer número de la revista *Amauta*, dirigida por Juan Carlos Mariátegui. **Resto del mundo** Creación del Círculo Lingüístico de Praga.

| 1927 | Nace su hermano Gonzalo. | **Chile**
Durante el gobierno de Carlos Ibáñez del Campo finaliza la construcción del yacimiento Potrerillos en el norte del país.
Creación de la Contraloría General de la República.
Fundación de Carabineros de Chile, policía que integra las Fuerzas del Orden y la Seguridad.
Se crean escuela técnicas femeninas.
Se dicta la ley indígena que propone la entrega de la tierra como bien particular.

América Latina
Invasión de Nicaragua por tropas estadounidenses. Sandino lanza su guerra de guerrillas contra las fuerzas de ocupación.

Resto del mundo
Intervención norteamericana en Nicaragua.
Primer vuelo transoceánico intercontinental del Lindbergh.
Herman Hesse publica en Alemania *El lobo estepario.*
Martin Heidegger publica en Alemania *Ser y tiempo.* |
| 1928 | | **Chile**
Restablecimiento de las relaciones diplomáticas entre Chile y Perú.
Chile comienza a exportar fruta a Inglaterra.

América Latina
Masacre de los trabajadores de la United Fruit Company en Colombia.
Se concede voto femenino en Puerto Rico.
En México, Álvaro Obregón es reelegido como Presidente de la República y posteriormente asesinado.
Gerardo Machado es reelecto presidente en Cuba.
José Carlos Mariátegui publica *Siete ensayos de interpretación de la realidad peruana.*

Resto del mundo
Federico García Lorca publica en España *Cancionero Gitano.*
Alexander Fleming descubre la penicilina. |

1929	La familia se muda a la calle Ejército, a la casa de unas tías del padre.	**Chile** Ley de Constitución de la Familia prohíbe a religiosos realizar matrimonio sin previa acreditación del matrimonio civil. Tratado de Lima: Chile y Perú acuerdan que Tacna pase a Perú y Arica a Chile. Creación de la Facultad de Bellas Artes de la Universidad de Chile. Remodelación del Teatro Municipal. Caída del salitre. **América Latina** Rómulo Gallegos publica en Venezuela *Doña Bárbara*. **Resto del mundo** Colapso de la Bolsa de Nueva York, inicio de la Gran Depresión económica. Golpe frustrado de Hitler en Alemania. Se integra el sonido a la imagen cinematográfica y surge el cine sonoro.
1930		**Chile** Se crea la Corporación de Salitre de Chile. La Fábrica Nacional de Loza Chile se convierte en Lozapenco. Crisis económica afecta al país. Cierre de los mercados del salitre y cobre, viéndose afectadas las principales fuentes de producción. Se proclama de acuerdo con la ley electoral de 1925, a los miembros del Congreso. Remodelación del teatro Municipal. Marta Brunet edita *Reloj de sol*. **América Latina** Creación del Alianza Popular Revolucionaria Americana, APRA, en Perú. Nicolás Guillén publica *Motivos del son*. **Resto del mundo** Cae Primo de Rivera en España. Segundo movimiento de desobediencia civil liderado por Gandhi en la India.

1931	Nace su hermano Pablo. Comienza a recibir lecciones de Miss Merrington.	**Chile** El presidente de la república Carlos Ibáñez de Campo Ibáñez renuncia tras los efectos de una profunda crisis económica y de protestas civiles. Juan Esteban Montero resulta electo. Se funda el Sindicato Profesional de Actores Teatrales y Sociedad de Escritores de Chile. El Comandante Arturo Merino Benítez ejecuta el primer vuelo del avión "Curtis" construido en el país. Se funda la Asociación Nacional de Mujeres Universitarias. Participan Amanda Labarca, Elena Caffarena, Irma Salas y Elena Hott. Cese de importaciones de libros al país. Vicente Huidobro publica en España *Altazor y Temblor de cielo.* **América Latina** En México se realiza el Primer Congreso Iberoamericano de Estudiantes. **Resto del mundo** El Rey Alfonso XIII de España abdica ante el triunfo en elecciones municipales de republicanos, quienes redactarán una nueva Constitución. Se proclama la II República. Se firma acuerdo de Munich para poner fin al conflicto germano-checoslovaco.
1932	Ingresa a The Grange School, colegio que en ese tiempo era solo para hombres.	**Chile** El 4 de junio se produce una rebelión armada liderada por el coronel Marmaduke Grove contra el gobierno de Juan Esteban Montero. Tras la toma del Palacio de Gobierno por un grupo de soldados, se declara la República Socialista de Chile, la que dura 12 días. Se funda el Movimiento Nacional Socialista chileno, bajo la dirección de Jorge González von Marées. Arturo Alessandri, es electo presidente de la República. Manuel Rojas publica en Chile *Lanchas en la bahía,* inspirada en sus vivencias en el Puerto de Valparaíso. Creación de radio Hucke, emisora asociada a los sectores obreros del país. **América Latina** Disputa territorial entre Bolivia y Paraguay por sector del Chaco Boreal. En El Salvador fusilan al líder comunista Agustín Farabundo Martí y sus compañeros Mario Zapata y Alfonso Luna, por encabezar una rebelión que dejó a más de treinta mil muertos. **Resto del mundo** Se aprueba en España la Ley de Divorcio.

1933	Comienza junto a su hermano clases de boxeo.	**Chile** El 19 de abril se funda el Partido Socialista de Chile. Creación del Comité Nacional Pro Derechos de la mujer por iniciativa de Felisa Vergara, Amanda Labarca y Elena Doll para participar en la discusión sobre el sufragio femenino. Inauguración de la librería de Julio Walton apoyado por Vicente Huidobro, convirtiéndose en centro de reunión de intelectuales y lugar de congregación para escritores y artistas de avanzada. Se funda la Academia Chilena de la Historia. Auge del Imaginismo, movimiento artístico literario en oposición al criollismo. **América Latina** Fin de la Guerra Civil de Nicaragua mediante el tratado de paz firmado por Augusto César Sandino y el presidente Sacasa. **Resto del mundo** Estreno en Madrid de *Bodas de sangre* de Federico García Lorca. Franklin Delano Roosevelt asume presidencia de Estados Unidos. El presidente de Alemania Paul Hindenburg nombra canciller a Hitler.
1934		**Chile** Levantamiento de campesinos indígenas en Ranquil es brutalmente reprimido por las fuerzas policiales. Aprobación de la Ley 5.357 de Sufragio Femenino en las elecciones municipales. Las mujeres podrán elegir y ser elegidas en este tipo de comicios. Se publica *Revista de Arte*, editada por Domingo Santa Cruz, en el marco de actividades de extensión de la Universidad de Chile. Pablo Neruda es nombrado cónsul en España. Óscar Castro junto a otros escritores forman el grupo literario "Los inútiles". **América Latina** Lázaro Cárdenas es electo presidente en México. **Resto del mundo** Hitler asume la presidencia de Alemania en representación de los nacionalistas. Francia cede Libia y una parte de Somalia francesa a Italia. "Gran Marcha" del Ejército Rojo chino.

1935		**Chile** Elena Caffarena organiza el Primer Congreso de la Mujer Chilena y lidera la fundación del Movimiento Pro Emancipación de la Mujer, cuyo objetivo es la emancipación económica, social y jurídica de la mujer. Creación de la Falange Nacional bajo la dirección de Eduardo Frei Montalva. Creación de la Unión de Profesores de Chile. María Luisa Bombal publica *La última niebla* en Buenos Aires. En España, Pablo Neruda dirige la revista *Caballo verde para la poesía*. Pablo Neruda publica en España *Residencia en la tierra*. **América Latina** Victoria Ocampo publica en España *Testimonios*. Jorge Luis Borges publica en Argentina *Historia universal de la infamia*. Carlos Gardel muere en un accidente aéreo en Medellín, Colombia. **Resto del mundo** En España, el general Francisco Franco es nombrado jefe del Estado Mayor Central. Se exhibe *La feria de la vanidad*, primera película en colores.
1936		**Chile** Creación del Frente Popular por los Partidos Comunista, Socialista y Radical de Chile. El Comité de Mujeres pro Ayuda y Defensa de los Ferroviarios cumple una función protagónica en las huelgas organizadas por obreros del gremio. Arturo Alessandri declara estado de sitio. Epidemia de tifus deja saldo de más de 5.000 muertos. Creación de la Confederación de Trabajadores de Chile. En la Universidad de Chile, bajo la rectoría de Juvenal Hernández, Amanda Labarca funda Escuelas de Temporada. Winétt de Rokha publica en Chile el poema *"Lenin"*.

		América Latina Jorge Luis Borges publica *Historia de la eternidad.* Encuentro del PEN Club en Buenos Aires. **Resto del mundo** Inicio de la Guerra Civil Española. Federico García Lorca es asesinado. La BBC realiza su primera transmisión mundial de televisión.
1937		**Chile** Aprobación de leyes de salario mínimo, de medicina preventiva, y de seguridad interior del Estado. El Congreso Latinoamericano de Estudiantes se reúne en Santiago. **América Latina** Jorge Luis Borges traduce *Orlando* de Virginia Woolf. César Vallejo publica en Francia *España, aparta de mí este cáliz.* **Resto del mundo** Se realiza entre mayo y noviembre en París, la Exposición Universal de 1937.
1938	La familia vuelve a vivir a la casa de la avenida Holanda.	**Chile** Masacre del Seguro Obrero, bajo el gobierno de Arturo Alessandri. Frente Popular otorga apoyo a Pedro Aguirre Cerda, quien resulta electo presidente de la República. Creación de la revista *Mandrágora*, dirigida por los poetas Braulio Arenas, Teófilo Cid y Enrique Gómez-Correa, y más tarde el bailarín y artista plástico, Jorge Cáceres. María Luisa Bombal publica en Argentina *La amortajada.* **América Latina** Gobernante brasileño Getulio Vargas implementa el denominado "Estado Novo", de tendencia fascista. Se suicida el escritor argentino Leopoldo Lugones. **Resto del mundo** Tropas alemanas invaden Austria.

1939	La abuela materna regresa de Europa a vivir con la familia Donoso.	**Chile** Pablo Neruda es nombrado cónsul para la migración española. Tras gestiones logra viaje del barco Winnipeg desde Francia a Valparaíso, el que lleva a Chile a más de 2.000 españoles que escapaban de la Guerra Civil. Entre los refugiados españoles que llegan se encuentran artistas e intelectuales como Roser Bru, José Ricardo Morales, Leopoldo Castedo y Antonio Romera. Terremoto en la ciudad de Chillán. Fundación de la Corporación de Fomento de la Producción, Corfo. Nacimiento de los "teatros carpas" implementados por grupos teatrales universitarios bajo el gobierno del Frente Popular. Nicomedes Guzmán publica en Chile *Los hombres oscuros*. **América Latina** Se crea en Uruguay la revista *Marcha*. **Resto del mundo** Inicio de la Segunda Guerra Mundial. Inicio dictadura de Francisco Franco en España. El Winnipeg arriba a costas chilenas.
1940		**Chile** Firma del decreto en el que se establecen los límites definitivos del Territorio Antártico chileno, bajo el gobierno de Pedro Aguirre Cerda. Creación del Movimiento Nacionalista de Chile. Gabriela Mistral es nombrada Cónsul en Niteroi y posteriormente Cónsul General de Chile en Brasil. Francisco Coloane publica en Chile *El último grumete de la Baquedano y Cabo de Hornos*. **América Latina** Cuba dicta una nueva Constitución. León Trotsky es asesinado por Ramón Mercader, en México. Adolfo Bioy Casares publica en Argentina *La invención de Morel*. Jorge Luis Borges, Adolfo Bioy Casares y Sivina Ocampo publican en Argentina *Antología de la literatura fantástica*. **Resto del mundo** La Unión Soviética es invadida por tropas alemanas dirigidas por Hitler. Se abre en Polonia el centro de exterminios nazi Auschwitz. Creación del "Archivo latinoamericano" en el Museo de Arte de Nueva York.

| 1941 | | **Chile**
El presidente Pedro Aguirre Cerda, aquejado por tuberculosis, entrega el cargo tras tres años de gobierno, a su ministro del Interior, Jerónimo Méndez Arancibia.
Se crea el Teatro Experimental de la Universidad de Chile.
Se realiza el primer concierto de la Orquesta Sinfónica de Chile.
Braulio Arenas y Omar Cáceres organizan una exposición surrealista en la Biblioteca Nacional.

América Latina
Jorge Luis Borges publica en Argentina *El jardín de senderos que se bifurcan.*
Juan Carlos Onetti publica en Argentina *Tierra de nadie.*
Ciro Alegría es galardonado por *El mundo es ancho y ajeno.*

Resto del mundo
Ataque de Pearl Harbor por Japón. Ingreso de EE.UU. a la Segunda Guerra Mundial.
Alemania invade URSS.
En Bordighera, Italia, se reúnen Franco y Mussolini para dar forma al plan de unificación de Europa. |
| 1942 | Ingresa al colegio Patrocinio de San José y posteriormente al Liceo José Victorino Lastarria.
Comienzan sus crisis estomacales con un cuadro de gastritis. | **Chile**
Apoyo de la candidatura presidencial de Juan Antonio Ríos por los partidos que integraban el ex Frente Popular, junto a la Falange Nacional y los liberales.
El jesuita Padre Alberto Hurtado se reúne en Puerto Varas con la Liga Obrera Cristiana.
Se promulga la Ley N° 7.368 que decreta la institución del Premio Nacional de Literatura. El primero en recibirlo es el escritor Augusto D'Halmar.
El grupo literario "Los inútiles" crea la revista *Actitud.*
Se crea Chile Films con el respaldo de Corfo.

América Latina
Jorge Luis Borges en colaboración con Adolfo Bioy Casares publican en Argentina *Seis problemas para don Isidro Parodi* bajo el seudónimo de Honorio Bustos Domecq.
México declara la guerra a los países del Eje.

Resto del mundo
Aprobación de la "Declaración de las Naciones Unidas", donde 26 naciones aliadas se comprometen a luchar contra las potencias del Eje.
Japón invade Indonesia.
Comienzan las deportaciones de judíos del gueto de Varsovia hacia el campo de exterminio de Treblinka. |

1943	Decide no dar el bachillerato. Comienza a leer a Proust.
	Chile Se conforma la Asociación Nacional de Empleados Fiscales. Un conjunto de estudiantes de la Facultad de Arquitectura de la Universidad de Católica fundan el Teatro de Ensayo UC. El Partido Comunista crea la Empresa Editorial Austral. Joaquín Edwards Bello recibe el Premio Nacional de Literatura. Juan Carlos Onetti publica *Para esta noche*. **América Latina** Golpe de Estado en Argentina. El coronel Domingo Perón se hace cargo del Departamento Nacional del Trabajo. **Resto del mundo** Desembarco de los aliados en la ciudad de Sicilia. Cae Mussolini. Churchill, Roosevelt y Stalin se reúnen en Teherén. Publicación de *El principito* de Antoine de Saint-Exupery.
1944	**Chile** El sacerdote Alberto Hurtado crea el Hogar de Cristo para socorrer a los niños que viven en la calle. Diversas organizaciones de mujeres celebran el 8 de marzo como el Día Internacional de la Mujer y acuerdan convocar a un congreso unitario, el que da origen a la Federación Chilena de Instituciones Femeninas, bajo la dirección de Amanda Labarca. Mariano Latorre gana el Premio Nacional de Literatura. Se publica la revista *América*, posteriormente *Occidente*, dirigida por Eduardo Phillips Müller. Se crea Editorial Pacífico, vinculada a la Falange Nacional. **América Latina** El presidente argentino, general Ramírez, dimite y es sustituido por el general Farell. Jorge Luis Borges publica en Argentina *Ficciones*. **Resto del mundo** Desembarco en Normandía. Los aliados liberan las ciudades de París y Bruselas. Bombardeo de Berlín por la Royal Air Force.

1945	Viaja a la Patagonia donde intenta trabajar como ovejero.	**Chile** Incendio de buque escuela Lautaro de la Armada nacional frente a costas peruanas, utilizado en labores de instrucción de grumetes y transporte de salitre. Pablo Neruda gana el Premio Nacional de Literatura. Gabriela Mistral recibe el Premio Nobel de Literatura, es la primera vez que la Academia reconoce a un escritor o escritora de América Latina. **América Latina** Argentina declara la guerra contra los países del Eje. **Resto del mundo** Lanzamiento de bombas atómicas en Hiroshima y Nagasaki, produciendo la rendición de Japón. Adolfo Hitler se suicida en Berlín. Ho Chi Minh proclama la independencia de Vietnam. Nace la Organización de Naciones Unidas, ONU. Creación de la Liga de Naciones Árabes. Fallecimiento del presidente Franklin Delano Roosevelt.
1946	Viaja a Buenos Aires donde realiza diversos trabajos. Conoce a Jorge Luis Borges y se acerca al círculo intelectual bonaerense. Debe regresar a Chile por motivos de salud. Lee *El mundo es ancho y ajeno* de Ciro Alegría.	**Chile** Presidente Juan Antonio Ríos, enfermo de cáncer, deja su mandato en enero, falleciendo el 27 de junio. El 28 de febrero, bajo el gobierno interino de Alfredo Duhalde, un mitin convocado por la Confederación de Trabajadores de Chile termina en la "masacre de la plaza Bulnes". Gabriel González Videla, candidato del Frente Popular, es electo presidente de la República. Eduardo Barrios recibe el Premio Nacional de Literatura. Marta Brunet publica en Argentina *Humo hacia el sur y La mampara.* **América Latina** Juan Domingo Perón gana las elecciones presidenciales en Argentina. Miguel Ángel Asturias publica en Guatemala *El señor presidente.* **Resto del mundo** El 11 de diciembre se crea el Fondo de las Naciones Unidas para la Infancia, Unicef. Se descubre el antibiótico contra la tuberculosis.

1947	Rinde el bachillerato y se matricula en el Instituto Pedagógico de la Universidad de Chile. Lee *La bahía del silencio* de Eduardo Mallea.	**Chile** El presidente González Videla rompe relaciones diplomáticas con la Unión Soviética. Julieta Campusano, miembro del Partido Comunista, es elegida regidora de Santiago en las elecciones municipales. En Lota, los mineros del carbón inician un movimiento huelguístico. En Chile se funda la Universidad Técnica del Estado, ex Escuela de Artes y Oficios. Se funda el Liceo Darío Salas que incorpora educación mixta por primera vez en el país. Samuel A. Lillo gana el Premio Nacional de Literatura. **América Latina** En Argentina se promulga la ley que daría derecho a voto a las mujeres, derecho que se ejerce por primera vez en las elecciones presidenciales de 1951. Jorge Luis Borges publica en Argentina *Nueva refutación del tiempo*. Agustín Yáñez publica en México *Al filo del agua*. **Resto del mundo** India y Pakistán declaran su independencia. Estados Unidos anuncia Plan Marshall, el que estipula ayuda económica para los países de Europa Occidental luego de la guerra. Comienza a funcional el Fondo Monetario Internacional, FMI. Muere el escritor español Manuel Machado.
1948		**Chile** Se aprueba la Ley de Defensa de la Democracia, conocida también como "Ley maldita", con el voto de conservadores, liberales, radicales y un sector del socialismo. Se proscribe legalmente al Partido Comunista y el gobierno es facultado para reprimir a sus militantes, quienes se ven impedidos a ocupar cargos públicos y de representación sindical. La Corte Suprema aprueba el desafuero de Pablo Neruda como senador. Ángel Cruchaga recibe el Premio Nacional de Literatura. **América Latina** Nacionalización de los ferrocarriles ingleses en Argentina durante el gobierno de Perón.

| 1949 | Obtiene la beca de la Fundación Doherty para estudiar en Princeton. | **Resto del mundo**
Asesinato de Mahatma Gandhi en Nueva Delhi.
Tribunal Supremo de Estados Unidos declara igualdad de educación para blancos y negros.
Implementación del "Apartheid" o segregación racial".
Se crea la Organización Mundial de la Salud.
Se aprueba la Declaración Universal de los Derechos Humanos.

Chile
Se promulga la ley N° 9.292 de Sufragio Femenino Amplio, que concede voto político a mujeres en todo tipo de elecciones.
Se produce estallido urbano conocido como la "Revuelta de la chaucha" por el alza de tarifas de la locomoción colectiva; participan estudiantes y obreros.
Se promulga la Ley N° 9.292 que permite el sufragio femenino en elecciones presidenciales y parlamentarias en Chile.
Pedro Prado recibe el Premio Nacional de Literatura.
Winétt de Rokha publica en el libro de Pablo de Rokha, *Arenga sobre el arte, El valle pierde su atmósfera*.

América Latina
Alejo Carpentier publica en Cuba *El reino de este mundo*.
Miguel Ángel Asturias publica en Argentina *Hombres de maíz*.
Jorge Luis Borges publica en Argentina *El Aleph*.

Resto del mundo
China proclama la República Popular. Mao Tse-Tung, principal líder comunista chino, se convierte en el dirigente del país. |

1950	Se une a Robert V. Keeley para coeditar la revista literaria *MSS*, en la que publica su primer cuento "The Blue Woman".		**Chile** Muere el ex presidente Arturo Alessandri Palma. Huelga de trabajadores de Correos y Telégrafos, profesores y diversos funcionarios del Estado. Se crea la Empresa Nacional de Petróleos S.A (Enap). Baja el precio internacional del cobre golpeando la economía nacional. El Teatro Experimental de la Universidad de Chile organiza el "Primer Festival de Teatro Universitario". José Santos González Vera recibe el Premio Nacional de Literatura. Pablo Neruda publica en México *Canto general*. Se publica el primer número del periódico *La Tercera de la Hora*. **América Latina** Juan Carlos Onetti publica en Argentina *La vida breve*. **Resto del mundo** Inicio de la Guerra de Corea. Stalin y Mao Tse-Tung firman en Moscú el pacto de amistad entre China y la URSS. Violenta campaña anticomunista encabezada por el senador McCarthy en los EE.UU.
1951	Publica su cuento "The poisoned Pastries" en la revista *MSS*.	Julio Cortázar publica en Argentina *Bestiario*.	**Chile** La radical Inés Enríquez es elegida como la primera diputada del país. Gabriela Mistral recibe el Premio Nacional de Literatura. Manuel Rojas publica en Chile *Hijo de ladrón*. Alberto Hurtado funda la revista *Mensaje*. **América Latina** Primer Congreso de Académicos de la Lengua Española en México. **Resto del mundo** Intervencionismo de los EE.UU. en algunos países de América Latina.

| 1952 | Regresa a Chile luego de hacer un viaje por México y Centroamérica, inicia su psicoanálisis. Comienza a hacer clases en el colegio Kent School y en el Instituto de Pedagogía de la Universidad Católica. | **Chile**
Carlos Ibáñez del Campo es elegido por segunda vez presidente de la República.
Las mujeres participan por primera vez en elecciones presidenciales.
Se organiza el Seguro Social.
Se funda el Servicio Nacional de Salud.
Implantación de la Universidad Técnica del Estado, UTE.
Fernando Santiván recibe el Premio Nacional de Literatura.
Volodia Teitelboim publica *Hijo del salitre*.

América Latina
Muere Eva Duarte de Perón en Argentina.
El general Juan Domigo Perón es reelecto como presidente.
Ecuador, Perú y Chile proclaman la tesis del mar territorial de 200 millas náuticas.
Jorge Luis Borges publica en Argentina *Otras inquisiciones*.

Resto del mundo
EE.UU. efectúa en las islas Marshall la detonación de la primera bomba de hidrógeno. |
| 1953 | Participa en el Encuentro del cuento chileno organizado por Enrique Lafourcade. | **Chile**
Se crea la Dirección de Asuntos Indígenas.
Se disuelve el Movimiento Pro Emancipación de las Mujeres de Chile, MEMCh.
Nace la Central Unitaria de Trabajadores, CUT.
Se crea el Banco del Estado, y los ministerios de Vivienda y de Minas.
Se promulga la Ley de Asignación Familiar.
Daniel de la Vega recibe el Premio Nacional de Literatura.
Se forma la agrupación de artistas conocido como el "Grupo Rectángulo".
Violeta Parra debuta en *Radio Chilena* contratada para una serie de programas folclóricos.
Se crea el Premio Nacional de Periodismo.

América Latina
En Cuba un grupo armado liderado por Fidel Castro ataca el cuartel Moncada.
Alejo Carpentier publica en México *Los pasos perdidos*.
Juan Rulfo publica en México *Pedro Páramo*. |

		Resto del mundo
		En EE.UU. Truman es sustituido en la presidencia por el republicano Eisenhower. En URSS muere Stalin y es sucedido por Nikita Jrushchov. Se hace público el descubrimiento de la estructura del ADN. Fin de la Guerra de Corea.
1954	Publica el cuento "China" en la *Antología del Nuevo Cuento Chileno* compilada por Enrique Lafourcade.	**Chile** Se inaugura la Refinería de Petróleo de Con-Con. Unilever comienza sus operaciones en Santiago. Huelga en las minas de cobre se extiende por todo el país y el gobierno implanta Estado de Sitio. Se funda la Universidad Austral. La Universidad de Chile se expande hacia provincias. Víctor Domingo Silva recibe el Premio Nacional de Literatura. Gabriela Mistral publica en Chile *Lagar*. **América Latina** La CIA organiza el derrocamiento del presidente de Guatemala, Jacobo Arbenz. Juan Carlos Onetti publica en Argentina *Los adioses*. Bioy Casares publica en Argentina *El sueño de los héroes*. **Resto del mundo** Golpe de Estado en Irán derroca al presidente Mossadegh. Creación de tres nuevos estados independientes por la conferencia de Ginebra: Laos, Camboya y Vietnam. Mao Tse-Tung es electo presidente de la República Popular China. EE.UU. completa su sistema de alianzas militares con la formación de la Organización del Tratado del Sudeste Asiático.

1955	Publica *Veraneo y otros cuentos* en Editorial Universitaria recibiendo el apoyo del crítico Alone (Hernán Díaz Arrieta).	**Chile** Se establece el salario mínimo campesino. Miles de mujeres participan en los movimientos sociales, uniéndose a la huelga realizada el 7 de julio. Francisco Antonio Encina gana el Premio Nacional de Literatura. Se crea el Instituto Fílmico en la Universidad Católica. Se estrena la Orquesta Filarmónica en el Teatro Municipal. Nicanor Parra publica en Chile *Poemas y Antipoemas*. Jorge Inostroza publica *Adiós al Séptimo de Línea*. Violeta Parra obtiene el Premio Caupolicán, otorgado por la Asociación de Cronistas de Espectáculos. **América Latina** En Argentina es derrocado el gobierno del general Juan Domingo Perón por un alzamiento cívico-militar. Jorge Luis Borges es nombrado director de la Biblioteca Nacional de Argentina. **Resto del mundo** Francia reconoce la independencia de Vietnam del Norte y del Sur, en este último se proclama la república con Ngo Dinh Diem. Como réplica a la Otan, los países de la órbita soviética firman el Pacto de Varsovia. Se hace pública la vacuna para la poliomelitis.
1956	Recibe el Premio Municipal de Cuento por "Veraneo".	**Chile** Se organiza el Frente de Acción Popular. Se crea la Universidad de Chile zona norte. María Carolina Geel escribe *Cárcel de mujeres*, inaugurando el género testimonial en la literatura nacional. Nemesio Antúnez crea el Taller 99. Max Jara recibe el Premio Nacional de Literatura. **América Latina** Explosión de Cali. **Resto del mundo** En el Medio Oriente estalla la Guerra de Suez debido a las restricciones impuestas por Egipto a Israel para la navegación del canal.

| 1957 | Lee *Los pasos perdidos* de Alejo Carpentier mientras termina de escribir *Coronación* en Isla Negra.
En diciembre de este año publica *Coronación* en editorial Nascimento, con portada de Nemesio Antúnez. | | **Chile**
La Falange Nacional y el Partido Conservador Social Cristiano se unen y fundan el Partido Demócrata Cristiano.
Pobladores ocupan el terreno de La Victoria.
Huelgas a nivel nacional terminan en la denominada "Batalla de Santiago".
Gabriela Mistral muere en Nueva York.
Se crea el Departamento de Cine Experimental de la Universidad de Chile.
Marta Brunet publica en Chile *Humo hacia el sur*.
Isidora Aguirre presenta sus obras *Dos y dos son cinco* y *Las tres pascualas*.
Manuel Rojas recibe el Premio Nacional de Literatura.

América Latina
Plebiscito en Colombia. Primera jornada electoral en el país donde las mujeres pudieron votar.

Resto del mundo
Inicio de la carrera espacial entre EE.UU. y URSS; esta última lanza el Sputnik I, primer satélite artificial. |
| 1958 | Viaja a Buenos Aires, se hospeda en la vieja casona colonial de la Sociedad Argentina de Escritores. Conoce a Pilar Serrano.
El 26 de septiembre entrevista a Jorge Luis Borges. Publica el texto el 23 de noviembre en *El Mercurio* bajo el título "Una conversación con Borges". | Carlos Fuentes publica en México *La región más transparente*. | **Chile**
Jorge Alessandri Rodríguez gana las elecciones presidenciales.
Se crea la Cédula Nacional de Identidad.
Se deroga la "Ley maldita".
Inés Enríquez, la primera mujer diputada, presenta un proyecto de ley sobre divorcio.
Se desarrolla el Primer y Segundo Encuentro de Escritores Chilenos en la Universidad de Concepción.
Diego Dublé Urrutia gana el Premio Nacional de Literatura.
Primera caricatura de Lukas —Renzo Pecchenino— en el periódico *La Unión* de Valparaíso.
Roberto Parra compone "El chute Alberto", inaugurando la "cueca chora".
Violeta Parra funda el Museo Nacional del Arte Folclórico Chileno.

América Latina
Arturo Frondizi es electo presidente en Argentina.
Fin del periodo conocido como "La violencia" en Colombia.

Resto del mundo
El papa Juan XXIII inicia su pontificado.
En EE.UU. entra en funcionamiento la primera central nuclear civil para la generación de electricidad.
China inicia el Gran Salto Adelante, política de aceleración del crecimiento económico. |

1959	Aparece su cuento "La puerta cerrada" en *Cuentos de la Generación del 50*, editado por Enrique Lafourcade. Se publica su cuento "Pasos en la noche" en el volumen 11 de la revista *Américas* en inglés, castellano y portugués. 25 de marzo, Donoso empieza a trabajar en "El último Azcoitía", que se convertirá paulatinamente en *El obsceno pájaro de la noche*, publicado once años después. Lee *El aleph* de Jorge Luis Borges. La revista *Sur* publica su cuento "Paseo" en el número 261.		**Chile** El escudo reemplaza al peso. Se instituyen los ministerios del Trabajo y Previsión Social, y de Salud Pública. Se crea el Consejo de Censura Cinematográfica. La PUC inicia sus transmisiones oficiales de televisión en circuitos abiertos. Víctor Jara dirige su primera obra, *Parecido a la felicidad*, de Alejandro Sieveking. **América Latina** Huelgas en Argentina. Triunfo de la Revolución cubana. José María Arguedas publica en Perú *Los ríos profundos*. **Resto del mundo** Guerra entre las repúblicas del Norte y del Sur de Vietnam: EE.UU. Y otros 40 países apoyan a Vietnam del Sur, en tanto URSS y la República Popular China favorecen al Norte. Hernán Díaz Arrieta (Alone) gana el Premio Nacional de Literatura.
1960	Publica *El charleston y otros cuentos* ("La puerta cerrada", "Ana María", "Paseo" y "El hombrecito") en Editorial Nascimento. Comienza a trabajar en revista *Ercilla*.	Se funda la *Revista de Casa de las Américas*, publicación bimestral cuyo primer número corresponde a junio-julio de 1960. Rosario Castellanos publica en México *Ciudad real*. Julio Cortázar publica la novela *Los Premios* en Editorial Sudamericana. Ese mismo año la editorial francesa Fayar publica la novela en francés.	**Chile** "Gran terremoto de Chile" afecta la zona sur del país. Se crea la Empresa Nacional de Minería. Julio Barrenechea gana el Premio Nacional de Literatura. Carlos Droguet publica en Chile *Eloy*. Se estrena *La pérgola de las flores*, de Isidora Aguirre. **América Latina** Los gobiernos de Chile y Argentina firman las bases de un arbitraje por los conflictos limítrofes de Palena y el Beagle. Inicio de la operación "Pedro Pan" que dio lugar a la inmigración de 14.000 niños desde Cuba a EE.UU. Jorge Luis Borges publica en Argentina *El hacedor*. **Resto del mundo** Francia detona su primera bomba atómica. En EE.UU. es electo John F. Kennedy. EE.UU. lanza su primer satélite de comunicaciones ECHO I. En Occidente se difunde entre las mujeres el uso del espiral intrauterino como método anticonceptivo.

1961	Se casa con María Pilar Serrano el 13 de octubre en la iglesia de Los Dominicos (Santiago, Chile). Recibe el premio Chile-Italia para el mejor cronista. Pide mil dólares prestados a la empresa Zig-Zag, dueña de la revista, comprometiéndose a pagar con la próxima novela que escribiera. Sale a Italia.	El Premio Formentor es otorgado a Samuel Beckett y Jorge Luis Borges. Jorge Luis Borges es *Visiting Professor* en la Universidad de Texas, Austin. Elena Poniatowska publica en México *Palabras cruzadas*.	**Chile** Mercedes Valdivieso publica en Chile *La brecha*, considerada la primera novela feminista latinoamericana. Jorge Díaz estrena *Un hombre llamado isla, Réquiem por un girasol* y *El cepillo de dientes*. Marta Brunet recibe el Premio Nacional de Literatura. **América Latina** Desembarco en Bahía de Cochinos por opositores al régimen comunista de Castro. Surgen guerrillas en varios países de Latinoamérica. **Resto del mundo** Primer hombre en el espacio: Logro de Rusia y su astronauta Yuri Gagarin. EE.UU. lanza exitosamente su primer vuelo suborbital. En Alemania es construido el muro de Berlín.
1962	Participa en el Congreso de intelectuales de Concepción, donde se reencuentra con Carlos Fuentes. Comienza a enseñar en la carrera de Periodismo de la Universidad de Chile. Gana el Premio Ibero-Americano de Novela de la Fundación William Faulkner por *Coronación*. Publica su cuento "Santelices" el 15 de julio en el periódico *El Mercurio*.	Congreso de Intelectuales de Concepción organizado por el poeta Gonzalo Rojas. Mario Vargas Llosa gana el Premio Biblioteca Breve de la editorial barcelonesa Seix-Barral por *La Ciudad y los perros*. Jacobo Timerman crea en Argentina la revista *Primera Plana*. *La ciudad y los perros*, de Mario Vargas Llosa es traducida al inglés con el título *The Time of the Heroe* y publicada en Londres y Boston por Faber and Faber. Rosario Castellanos recibe el Premio Sor Juana Inés de la Cruz. Gabriel García Márquez publica *Los funerales de mamá grande* y *La mala hora* que gana la Esso Colombia Literature Awards.	**Chile** El gobierno promulga la ley de Reforma Agraria N° 15.020. Se crea la Corporación de Reforma Agraria y el Instituto de Desarrollo Agropecuario. Protestas en contra de la "Ley mordaza" hacia la prensa. Se celebra el VII Copa Mundial de Fútbol. Se transmite *La pérgola de las flores* por *Canal 13*. Radio *El Conquistador* es la primera en transmitir con frecuencia modulada en Chile. Juan Guzmán Cruchaga recibe el Premio Nacional de Literatura. **América Latina** La presencia de misiles nucleares rusos en Cuba produce la "Crisis de los misiles" la que culmina con el retiro de estos por los rusos tras un tenso bloqueo naval por parte de los EE.UU. **Resto del mundo** La NASA coloca en órbita terrestre una nave tripulada y lanza el satélite Telstar para transmitir imágenes y conversaciones telefónicas.

1963	Alfred Knopf, decide publicar *Coronación* en inglés.	Vicente Leñero recibe el Premio Biblioteca Breve de Seix-Barral por *Los albañiles*. Julio Cortázar publica *Rayuela* en Editorial Sudamericana y Pantheon Books. *Las armas secretas* de Julio Cortázar es traducida al italiano bajo el título *Le armi segrete* y publicada por la editorial Rizzoli. Elena Garro publica *Los recuerdos del porvenir*.	**Chile** Benjamín Subercaseaux recibe el Premio Nacional de Literatura. Jorge Teillier funda junto a Jorge Vélez la revista *Orfeo*. Se funda la revista *Mapocho* por Guillermo Feliú Cruz. **América Latina** Arturo Illia, candidato del Partido Radical, es electo presidente de Argentina. **Resto del mundo** Asesinato del presidente estadounidense J. F. Kennedy. Lo sucede Lyndon B. Johnson en la presidencia, quien mantiene una política de intervención militar en los países proclives al comunismo. Martin Luther King Jr. lidera una multitudinaria marcha en Washington DC contra el racismo y la segregación. Da su discurso "*I have a Dream*". El cardenal Giovanni Montini es elegido papa y toma el nombre de Paulo VI.
1964	Escribe el ensayo "*Five Chilean Poets*" (Nicanor Parra, Efraín Barquero, Alberto Rubio, Enrique Lihn y Miguel Arteche), que publica en la revista *Américas*. Carlos Fuentes lo invita a participar en el Congreso de Chichén-Itza.	Congreso Chichen-Itza en México (simposio de intelectuales auspiciado por el centro Rockefeller a través del centro de Relaciones Interamericanas). *La muerte de Artemio Cruz* de Carlos Fuentes es traducida al inglés por Alfred MacAdam con el título *The Death of Artemio Cruz*. *Aura* de Carlos Fuentes es traducida al italiano bajo el título *Aura: racconto* y publicada en Italia por editorial Feltrinelli. Guillermo Cabrera Infante recibe el Premio Biblioteca Breve de Seix-Barral por *Vista del amanecer en el trópico*, publicada en 1967 como *Tres tristes tigres*.	**Chile** La derecha apoya al candidato DC Eduardo Frei Montalva quien gana las elecciones presidenciales. Se crea Entel Chile S.A. primera empresa de telecomunicaciones de Latinoamérica. Surgen programas nacionales intensivos de planificación familiar: píldoras anticonceptivas y dispositivos intrauterinos. Se crea la Junta Nacional de Auxilio y becas, Junaeb. Se funda el Centro de Estudios Humanísticos de la Universidad de Chile. Francisco Coloane recibe el Premio Nacional de Literatura. **América Latina** Creación de las Fuerzas Armadas Revolucionarias de Colombia, FARC. **Resto del mundo** Nelson Mandela es condenado a prisión perpetua en Sudáfrica. Se crea la Organización para la Liberación de Palestina por la Liga Árabe.

1965		
Escribe *El lugar sin límites* mientras se aloja en la casa de Carlos Fuentes, en México. Viaja a Nueva York para la presentación de *Coronación* en su traducción al inglés. Es invitado a la Universidad de Iowa para participar como profesor visitante del prestigioso Taller de escritores de esta universidad, convirtiéndose en el primer escritor latinoamericano en cumplir este rol. Es entrevistado por Mónica Borrowman para la revista *Life* en español.	*Bestiario* de Julio Cortázar es traducido al italiano por Flaviarosa Rossini y publicado por Einaudi. *Coronación* de José José Donoso es traducida al inglés por Jocasta Goodwin y publicada en Estados Unidos por Knopf. Con el número 30 (mayo-junio 1965) pasa a dirigir *Revista Casa de Las Américas* el poeta Roberto Fernández Retamar. La novela *Los premios* de Julio Cortázar es traducida al inglés por Elaine Kerrigan para Pantheon Books como *The winners*. *Aura* de Carlos Fuentes es traducida al inglés por Lysander Kemp y publicada en Estados Unidos por Farrar, Strauss and Giroux.	**Chile** Se crea el Ministerios de Vivienda y Urbanismo. En la Universidad de Concepción se crea el Movimiento de Izquierda Revolucionaria (MIR). Terremoto grado 7,4 en la escala de Richter sacude la zona central de Chile. Reforma educacional establece cuatro niveles: educación de párvulos, básica, media y superior. En la casa del pintor y cantor Juan Capra, surge "La peña de los Parra", centro del movimiento de la Nueva Canción. Surge el grupo de poetas *Trilce* en Valdivia. Pablo de Rokha recibe el Premio Nacional de Literatura. **América Latina** EE.UU. Interviene militarmente en República Dominicana, que se encontraba inmersa en una guerra civil. **Resto del mundo** En EE.UU. es asesinado el líder Malcolm X. Se producen graves disturbios raciales en Los Ángeles. Revolución cultural en China, movimiento que se basa en la recuperación de la pureza de los ideales originarios de la revolución. El papa Paulo VI clausura el Concilio Vaticano II.

1966			
	Por influencia de Carlos Fuentes, *El lugar sin límites* es publicado en México en la editorial Joaquín Mortiz dentro de la prestigiosa "Serie del volador".	*Coronación* es traducida al checo.	**Chile**
	Este domingo es publicado en Chile por editorial Zig-Zag (para pagar la deuda en que incurrió Donoso para viajar a Italia).	*Coronación* es traducida al italiano por Giovanna Maritano bajo el título *Incorionazione* y publicada por la editorial Dall'Oglio.	Se forma el Partido Nacional.
	Editorial Zig-Zag publica *Los mejores cuentos de José Donoso*, seleccionados por Luis Domínguez.	Carlos Fuentes publica *Cambio de piel*, la que es censurada por el régimen franquista.	Se da marco nacional a la chilenización del cobre.
	Knopf compra los derechos al inglés de *El lugar sin límites*.	Creación del Instituto Latinoamericano de Relaciones Internacionales (Ilari).	Es fundado el Centro de Estudios Árabes de la Universidad de Chile.
	Participa en el programa de difusión radial en Iowa City, "Radio Workshop". Además de conceder una entrevista en inglés, los auditores tuvieron la oportunidad de escuchar la lectura de Donoso de un fragmento de *Este Domingo* en su traducción al inglés, y del diálogo crítico por parte de Gayatri Spivak, Paule Marshall y David Heinman en torno al mismo.	La revista *Mundo Nuevo* se establece en París bajo la dirección de Emir Rodríguez Monegal.	Se realiza la última versión del Premio Atenea.
		Se crea el Premio Rómulo Gallegos por el Instituto Nacional de Cultura y Bellas Artes de Venezuela, y se otorga cada cinco años a la mejor novela editada del período.	Sebastián Quepul publica *Poemas mapuche* en castellano.
		Rayuela de Julio Cortázar es traducida al inglés por Gregory Rabassa con el título de *Hopscotch* y publicada en Estados Unidos por Pantheon.	Anselo Quilaleo publica *Cancionero araucano*.
		Lezama Lima publica en Cuba *Paradiso*.	Juvencio Valle recibe el Premio Nacional de Literatura.
		La muerte de Artemio Cruz, de Carlos Fuentes es traducida al francés por Robert Marrast para Gallimard bajo el título *La mort d'Artemio Cruz*.	Enrique Lihn recibe el premio Casa de las Américas, por *Poesía de paso*.
		La ciudad y los perros, de Mario Vargas Llosa es traducida al francés por Bernard Lesfargues bajo el título *La ville et le chiens* y publicado por editorial Gallimard.	**América Latina** Joaquín Balaguer es elegido presidente por segunda vez en República Dominicana.
		Mario Vargas Llosa publica en España *La casa verde*.	Golpe de Estado en Argentina que derroca al presidente Artro Illia. El general Juan C. Onganía asume la presidencia. "Noche de los bastones largos" en la Universidad de Buenos Aires.
			Resto del mundo Se promulga la Ley de prensa e imprenta en el régimen franquista de España.
			La unión Soviética envía la nave Lunik IX en misión a la Luna. Se logra un descenso controlado por primea vez.
			Creación de la Organización de Solidaridad entre los Pueblo de África, Asia y América Latina, OSPAAL.

1967		
Se traslada a España, nace su hija Pilar en Madrid y la familia se muda a Mallorca.	*Este domingo* es traducida al inglés por Lorraine O'Grady Freeman y publicada en Estados Unidos por Knopf. El escritor guatemalteco Miguel Ángel Asturias gana el Premio Nobel de Literatura. Gabriel García Márquez publica *Cien años de soledad* en Editorial Sudamericana. Premio Casa de Las Américas para *Los hombres de a caballo*, de David Villas. Mario Vargas Llosa es galardonado con el premio Rómulo Gallegos por su novela *La casa verde*. Carlos Fuentes recibe Premio Biblioteca Breve de editorial Seix-Barral por *Cambio de piel*. *La ciudad y los perros* es traducida al italiano bajo el título *Città e i cani* y publicada por la editorial Feltrinelli. Carlos Fuentes publica en Editorial Siglo XXI *Zona sagrada*.	**Chile** Se promulga la ley N° 16.625 sobre sindicalización campesina y Reforma Agraria, la que facilita la expropiación masiva de predios agrícolas. Se inaugura el aeropuerto internacional de Pudahuel. Profesores y estudiantes de la PUC presentan como candidato a prorrector a Fernando Castillo Velasco, quien es electo, enfrentando el conflicto universitario que culminará en la toma de la Casa Central de la Universidad. Se rinde por primera vez la Prueba de Aptitud Académica. Se funda las secciones Referencias Críticas, Archivo de la Palabra y Archivo del Escritor en la Biblioteca Nacional. Salvador Reyes recibe el Premio Nacional de Literatura. Violeta Parra se suicida. **América Latina** El líder guerrillero Ernesto Che Guevara es capturado y ajusticiado en Bolivia. Bolivia solicita ayuda militar a Argentina en la lucha contra la guerrilla. Miguel Ángel Asturias recibe el Premio Nobel de Literatura. Jorge Luis Borges publica en colaboración con Bioy Casares *Crónicas de Bustos Domecq*. **Resto del mundo** Estalla en Medio Oriente la Guerra de los seis días entre árabes y judíos. En Australia, una reforma constitucional pone fin a la discriminación racial contra los aborígenes.

| 1968 | Recibe la beca Guggenheim. Publica el artículo "A Foreigner's View of Iowa" en el número de septiembre de 1968, de la revista *Ford Time*. | Mario Vargas Llosa gana el Premio Rómulo Gallegos por *La casa verde* (1966). Julio Cortázar publica *62 modelo para armar*. Ese mismo año es traducida al inglés por Gregory Rabassa con el título de *62: A Model Kit*. Mario Vargas Llosa publica *Conversación en la catedral*. Guillermo Cabrea Infante se radica en Londres donde realiza sus primeras manifestaciones contra el régimen cubano. *Cambio de piel* de Carlos Fuentes es traducida al inglés por Sam Hileman con el título de *A Change of Skin* y publicada en Estados Unidos por Farrar, Straus and Giroux. Emir Rodríguez Monegal deja la dirección de la revista *Mundo Nuevo*, siendo la revista núm. 25 la última a su cargo. *La casa verde* de Mario Vargas Llosa es traducida al inglés por Gregory Rabassa y publicada en Nueva York por Avon Books. *Cien años de soledad* es traducida al francés por Claudia y Carmen Durand bajo el título *Cent ans de solitude* y publicada por Éditions du Seuil. *Cien años de soledad* es traducida al italiano bajo el título *Cent'anni di solitudine* y publicada por la editorial Feltrinelli. *Rayuela* de Julio Cortázar es traducida al francés con el título de *Marelle* y publicada por Gallimard. Adriano González León recibe Premio Biblioteca breve de la editorial Seix-Barral por *País portátil*. | **Chile**
 Culminación del proceso de reforma universitaria. Se aprueba los nuevos estatutos que rigen las casas de estudios superiores. La Fech ocupa la Casa Central de la Universidad Católica de Chile. Aparece la revista *Árbol de letras*, dirigida por Jorge Teillier y Antonio Aaria. Pablo de Rokha se suicida. Hernán del Solar recibe el Premio Nacional de Literatura.

 América Latina
 Masacre de Tlatelolco.

 Resto del mundo
 Manifestaciones juveniles contra la Guerra de Vietnam. Revuelta estudiantil en Francia. En Checoslovaquia, las reformas progresistas del gobierno son aplastadas por el Ejército ruso y sus aliados del Pacto Varsovia el período conocido como la "Primavera de Praga". Asesinato de Martin Luther King Jr. y Robert Kennedy. |

1969			
Acepta un trabajo académico en Fort Collins, Colorado, mientras su familia se queda en Mallorca. A las dos semanas de clases tiene una úlcera con hemorragia severa y debe ser sometido a cirugía. Una vez recuperado regresa a Mallorca. La familia Donoso se muda a Barcelona, donde el escritor logra terminar su novela *El obsceno pájaro de la noche*. Publica la Antología de Literatura Latinoamericana Contemporánea realizada en colaboración con William Henkin. Recibe el premio Pedro de Oña en España. Es editor invitado de dos números de la revista *TriQuarterly* dedicada a las letras latinoamericanas contemporáneas.	Se publica en Buenos Aires *La nueva novela latinoamericana*, compilada por Jorge Lafforgue. Carlos Fuentes publica *La nueva novela hispanoamericana* en Cuadernos de Joaquín Mortiz. *La casa verde* de Mario Vargas Llosa es traducida al francés por Bernard Lesfargues bajo el título *La Maison Verte*, publicada por editorial Gallimard. *Rayuela* de Julio Cortázar es traducida al italiano con el título de *Il Gioco del Mondo* y publicada por Einaudi.	**Chile** Nacionalización Pactada del Cobre: el Estado compra el 51 % de las acciones a valor libro de Chuquicamata (manejada por la subsidiaria Chile Exploration Company) y El Salvador (Controlada por Andes Copper Minning) a la Anaconda Copper Company. Celebración del Congreso de las Asociaciones Regionales Mapuches en la ciudad de Ercilla. Nicanor Parra recibe el Premio Nacional de Literatura. Víctor Jara obtiene el primer lugar en el Primer Festival de la Nueva Canción Chilena, organizado por la Vicerrectoría de Comunicaciones de la PUC. Se estrena *El chacal de Nahueltoro* de Miguel Littin. Se realiza en Segundo Encuentro de Cineastas Latinoamericanos. **América Latina** El peruano José María Arguedas se suicida en Perú. Jorge Luis Borges publica *Elogio de la sombra*. **Resto del mundo** Redada de Stonewall Inn por la policía de Nueva York, seguida por una serie de manifestaciones de la comunidad LGBT en Estados Unidos por la lucha de sus derechos. La misión espacial Apolo XI de los EE.UU. coloca a los primeros hombres en la superficie de la Luna. En las cercanías de Nueva York se realiza el primer megafestival de música Woodstock.

1970	Se le otorga el Premio Biblioteca Breve a *El obsceno pájaro de la noche*, pero producto de la escisión de la editorial se anula. También se suspende el lanzamiento de la novela tras ser censurada. El escritor se ve en la necesidad de enmendar la novela para que sea publicada en España.	Suspensión del Premio Biblioteca Breve. Escisión de Seix-Barral. Carlos Barral crea Barral Editores y Víctor Seix mantiene Seix Barral. Lanzamiento de revista *Libre*. *Cien años de soledad*, de Gabriel García Márquez es traducida al inglés por Gregory Rabassa y publicada en Estados Unidos por Harper & Row. Casa de las Américas publica *Actual narrativa latinoamericana*.	**Chile** El comandante en jefe del Ejército René Schneider es asesinado. Campaña electoral caracterizada por una aguda polarización interna termina con la elección de Salvador Allende Gossens. El gobierno firma un tratado comercial con Cuba. Carlos Droguett recibe el Premio Nacional de Literatura. Quilapayún estrena la *Cantata Santa María*. **América Latina** Perú y Colombia dan a conocer su decisión de defender sus derechos para fijar la extensión de sus mares territoriales. **Resto del mundo** Firma del tratado de No Proliferación de Armas Nucleares, TNP propiciado por la ONU.
1971	La familia Donoso se muda a Calaceite. Publica *Cuentos* en Seix Barral con prólogo de Ana María Moix.	El poeta cubano Heberto Padilla es encarcelado por el régimen castrista detonando el "Caso Padilla". Nivaria Tejera recibe el Premio Biblioteca Breve de Seix Barral. *Conversación en la catedral*, de Mario Vargas Llosa es traducida al italiano por Enrico Cicogna bajo el título *Conversazione nella catedrale* y publicada por editorial Feltrinelli. *Ficciones*, de Jorge Luis Borges, es traducido al italiano por F. Lucentini bajo el título de *Finzioni: la biblioteca di Babele* y publicado por editorial Einaudi. Elena Poniatowska publica *La noche de Tlatelolco, testimonios de historia oral*.	**Chile** Visita de Fidel Castro a Chile en noviembre, restableciéndose las relaciones diplomáticas con Cuba. Salvador Allende decreta la nacionalización de todos los bancos privados del país mientras el congreso nacionaliza el cobre. Muere asesinado Edmundo Pérez Zujovic. Terremoto de 7,5 en la escala de Richter azota la zona central del país. Se crea el *Canal Nacional de Televisión*. Aparece la editorial Quimantú. Nace el "Tren de la Cultura", proyecto itinerante de artistas que apoyan al gobierno de la Unidad Popular. Humberto Díaz Casanueva recibe el Premio Nacional de Literatura. Pablo Neruda recibe el Premio Nobel de Literatura.

	Se publica en Nueva York *La novela hispanoamericana actual*, compilada por Ángel Flores y Raúl Silva.	**América Latina** Juan José Torres, presidente de Bolivia, es derrocado por el coronel Hugo Banzer. **Resto del mundo** Tropas de Vietnam del Sur invaden Laos, apoyadas por los EE.UU. Muere Nikita Jruschev, exjefe del Estado soviético. Comienza a difundirse el video casete. Se lanza al mercado el fax, copiadora capaz de enviar datos por medio de una línea telefónica.
1972	Publica *Historia personal del boom* en la editorial Anagrama.	*El lugar sin límites* de José Donoso es traducida al italiano por Gianni Guadalupi y Marcelo Ravoni, y es publicada en Italia bajo el título *Il posto che non ha confini* por editorial Bompiani. *Historias de cronopios y de famas* de Julio Cortázar es traducido al italiano por Flaviarosa Rossini y publicado por Einaudi con una nota de Ítalo Calvino. *El lugar sin límites* de José Donoso es traducida al inglés por Suzanne Jill Levine como *Hell Has No Limits* y es publicada en Estados Unidos por Dutton, en un volumen *Triple Cross*, el que incluía además *Zona Sagrada* de Carlos Fuentes (*Holy Place*) y *De dónde son los cantantes* de Severo Sarduy (*From Cuba with a Song*). Premio Rómulo Gallegos para Gabriel García Márquez por *Cien años de soledad*.	**Chile** Paro de transportistas. La interrupción provoca desastres económicos y una paralización del país. Creación de la Secretaría Nacional de la Mujer. Conflictos sociales de todo orden sacuden al país. Edgardo Garrido Merino recibe el Premio Nacional de Literatura. Muere la escultora y pintora Laura Rodig. **América Latina** Se celebra en Caracas el Coloquio de Libro. Jorge Luis Borges publica en Argentina *El oro de los tigres*. **Resto del mundo** Richard Nixon se reúne en China con Mao Tse-tung.

| 1973 | Publica *Tres novelitas burguesas*. Recibe su segunda beca Guggenheim. | *Conversación en La Catedral*, de Mario Vargas Llosa es traducida al francés por Sylvie Legeret bajo el título *Conversation à La Cathédrale* y publicada por la editorial Gallimard. *El obsceno pájaro de la noche* es traducido al italiano por Gianni Guadalupi y Marcelo Ravoni bajo el título *L'oscemo uccello della notte* y publicada por la editorial Bompiani. *El obsceno pájaro de la noche* es traducido al inglés por Hardie St. Martin y Leonard Mades, y publicada en Estados Unidos por Knopf como *The Obscene Bird of Night*. | **Chile** "Tanquetazo". Golpe de Estado. El Palacio de la Moneda es bombardeado. Las fuerzas armadas derrocan al gobierno administrativo de Salvador Allende. Asume el poder una Junta de Gobierno presidida por el general Augusto Pinochet. Raúl Ruiz filma *Palomita Blanca*, basada en la novela de Enrique Lafourcade. Clausura de los diarios, periódicos y revistas *Clarín*, *Última Hora*, *Puro Chile*, *Chile Hoy*, *Paloma y Punto Final*, entre otros. Muere Pablo Neruda. Víctor Jara es asesinado.

América Latina Héctor J. Cámpora es electo presidente de Argentina y luego renuncia. Perón retorna a Argentina del exilio y es electo presidente por tercera vez.

Resto del mundo Grecia decreta la abolición de la monarquía. El presidente de EE.UU., Richard Nixon y el representante soviético Leonidas Brezhnev firman un tratado en el que se comprometen a evitar una guerra nuclear. Egipto y Siria inician un ataque conjunto contra Israel, en lo que se conoce como la Guerra del Yom Kípur. |

1974	Es *Visiting Lecturer* en Creative Writing Programm en la Universidad de Princeton.	*Historia personal del "boom"*, de José Donoso, es traducido al italiano bajo el título *Storia personale del "boom"* y publicada por Bompiani.	**Chile** Augusto Pinochet es decretado presidente de la República por la Junta Militar. Asume mediante el Decreto Ley Nº 527. Se establece que la Junta ejercerá los poderes constitutivo, legislativo y ejecutivo. Creación de la Dirección de Inteligencia Nacional, DINA. Nace la Agrupación de Detenidos Desaparecidos. Se cierran teatros y estudios de filmación, se clausuran centros universitarios de producción. Junta Militar decreta por ley que deja al arbitrio de universidades y el Ministerio de Educación cualquier actividad cultural. Sady Zañartu recibe el Premio Nacional de Literatura. **América Latina** Muere Juan Domingo Perón, la presidencia queda a cargo de su esposa María Estela Martínez, "Isabelita". **Resto del mundo** Valery Giscard D'Estaing es elegido presidente de Francia. En Nueva York se inaugura el World Trade Center.
1975	Estando en Chile acepta el ofrecimiento de Carlos Flores para realizar el documental *Pepe Donoso*. Graba lectura del primer capítulo de *El obsceno pájaro de la noche*, el 8 de abril de 1975, en la Biblioteca del Congreso.	*Conversación en La Catedral*, de Mario Vargas Llosa es traducida al inglés por Gregory Rabassa y publicada en Estados Unidos por Harper & Row. *El otoño del patriarca*, de Gabriel García Márquez, es traducida al inglés por Gregori Rabassa y publicada en Estados Unidos por Harper & Row.	**Chile** Se crea el programa de empleo mínimo PEM. Se reemplaza el impuesto a la compra venta por el IVA. Ingreso de civiles al gobierno militar llamados los "*Chicago Boys*". Se inaugura el primer tramo del metro de Santiago. La moneda peso reemplaza al escudo. Aparece la revista *Manuscritos* del Departamento de Estudios Humanísticos de la Universidad de Chile. Muere Amanda Labarca. **América Latina** OEA levanta el embargo a Cuba. Se nacionaliza la industria petrolera en Venezuela. **Resto del mundo** Muere Francisco Franco, España regresa a la democracia. Fin de la Guerra de Vietnam. Margaret Thatcher es elegida presidenta del Partido Conservador de Inglaterra.

1976		Chile En Washington es asesinado el canciller Orlando Letelier. Se funda la Corporación nacional del Cobre, Codelco. Establecimiento del IVA a los libros. Gregorio Fassler forma la agrupación de danza "Studio 17". Surgen las compañías Ictus e Imagen. Arturo Aldunate Philips recibe el Premio Nacional de Literatura. **América Latina** Cuba se declara gobierno democrático y socialista. El gobierno venezolano nacionaliza el petróleo. La presidenta de Argentina María Estela Martínez es derrocada mediante un golpe militar. **Resto del mundo** Las dos Vietnam se unen en la República Socialista de Vietnam. España aprueba el restablecimiento de los partidos políticos tras la muerte de Franco. En China muere Mao Tse-Tung, líder político desde 1948.
1977	*Historia personal del "boom"*, de José Donoso, es traducida al inglés por Gregory Kolovaks bajo el título *The boom in Spanish American Literature: a Personal History* y publicada en Estados Unidos por Columbia Univ. Press. Center for Inter-American Relations. Carlos Fuentes recibe el Premio Rómulo Gallegos. Traducción al inglés de *El charleston: cuentos y otros cuentos* por Andree Conrad como *"Charleston" and Other Stories* en editorial Godine. *Tres novelitas burguesas* es traducida al inglés por Andree Conrad como *Three Novellas* en la editorial Knopf.	Chile Disolución de la DINA y creación en su reemplazo de la Central Nacional de Informaciones, CNI. Se decreta la disolución de todos los partidos políticos, a excepción del Partido Nacional. Segunda huelga de hambre de Agrupación de Familiares de Detenidos Desaparecidos. Surgimiento de la generación de artistas que mezclan su producción con la protesta política. En la "Escena de avanzada" destacan Raúl Zurita, Eugenio Dittborn, Carlos Altamirano y Nelly Richard, entre otros. Juan Luis Martínez publica en Chile y de circulación restringida, *La nueva novela*. **América Latina** Alejo Carpentier recibe el Premio Cervantes. **Resto del mundo** Jame Earl Carter asume la presidencia e EE.UU. España accede a elecciones libres luego de 42 años de dictadura franquista.

1978	Obtiene el Premio de la Crítica en España por *Casa de campo*. Su novela *El lugar sin límites* es llevada al cine por el director Arturo Ripstein. La adaptación del guion es realizada por el escritor argentino Manuel Puig quien finalmente resuelve eliminar su nombre de los créditos de la película.	*Cien años de soledad* de Gabriel García Márquez es traducida al inglés por Gregory Rabassa y publicada en Londres por Picador con el título *One Hundred Years of Solitude*. *La muerte de Artemio Cruz*, de Carlos Fuentes, es traducida al italiano por Carmine Di Michele bajo el título *La morte di Artemio Cruz* y publicada por editorial Mondadori.	**Chile** Gustavo Leigh es destituido de su cargo como Comandante en Jefe de la Fuerza Aérea y de su calidad de miembro en la Junta de Gobierno. Bolivia rompe relaciones con Chile. Estado de virtual guerra de Argentina contra Chile por la posesión de las islas del canal Beagle. Aparece en Madrid la revista *Araucaria*, dirigida por Volodia Teitelboim, la que se convierte en una de las principales fuentes de creación, debate y difusión de ideas de la cultura chilena en el exilio. *Televisión Nacional* realiza su primera transmisión a color. Primera Teletón. Rodolfo Oroz Scheibe recibe el Premio Nacional de Literatura. **América Latina** Jorge Luis Borges y Gerardo Diego reciben el Premio Cervantes. **Resto del mundo** Albino Luciani es elegido papa y toma el nombre de Juan Pablo I. Su pontificado solo dura un mes tras su fallecimiento. El cargo es ofrecido al polaco Karol Wojtyla, quien adopta el nombre de Juan Pablo II. Teng Hsiao-ping asume el poder en China. En Inglaterra nace el primer ser humano engendrado mediante fecundación in vitro.
1979			**Chile** El territorio nacional es dividido por ley en doce regiones más la Región Metropolitana con el propósito de descentralizar el país. Comienza a funcionar el Círculo de Estudios de la Mujer, espacio de análisis y difusión acerca de la condición de la mujer, integrado inicialmente por un grupo de catorce mujeres profesionales. Dentro de sus actividades estuvo la organización de encuentros, debates, talleres, cursos, charlas, teatro-foro y seminarios. Contaba con una publicación periódica —el *Boletín*— y la serie Cuadernos del Círculo, relativos a temas específicos de interés feminista. Julieta Kirkwood fue miembro activo desde su fundación. Nelly Richard organiza el Primer Seminario de Arte Actual. Surge el Colectivo Acciones de Arte, CADA.

			América Latina En Nicaragua, Anastasio Somoza Debayle renuncia y huye a Miami, exilándose en Paraguay. Fuerzas Sandinistas entran a Managua. **Resto del mundo** Margaret Thatcher gana las elecciones convirtiéndose en la primera mujer en ocupar el cargo de primer ministro de un país europeo. Se firma tratado de paz entre Egipto e Israel. URSS invade Afganistán.
1980	Publica *La extraña desaparición de la marquesita de Loria* en Seix Barral. La artista Patricia Israel realiza la exposición "Encuentro con *Casa de Campo*" en la galería La época en Santiago de Chile.	*La casa verde*, de Mario Vargas Llosa es traducida al italiano por Enrico Cicogna y publicada por Einaudi.	**Chile** Plebiscito que aprueba una nueva constitución, permitiendo a Augusto Pinochet mantenerse al poder hasta 1989. Se publica *El trabajo de la mujer* de Julieta Kirkwood, Irma Arriagada, Rosa Bravo e Isabel Cruzat. Se publica el *Boletín del Círculo de Estudios de la Mujer*, publicación periódica trimestral que funcionó hasta 1983, del Círculo de Estudios de la Mujer. Su circulación fue de carácter restringido y se alcanzaron a publicar doce números. Julieta Kirkwood participó en su gestación y fue parte del equipo responsable de la edición. Roque Esteban Scarpa recibe el Premio Nacional de Literatura. Diamela Eltit y Lotty Rosenfeld publican en Chile *Una milla de cruces sobre el pavimento.* Muere María Luisa Bombal. **América Latina** Éxodo de Mariel. Uruguay rechaza la nueva Constitución propuesta por el gobierno militar. Juan Carlos Onetti recibe el Premio Cervantes. **Resto del mundo** Estalla la guerra entre Irak e Irán. Ronald Reagan es elegido presidente de los EE.UU. Muere Josip Broz, fundador de Yugoeslavia. Muere John Lennon asesinado en Nueva York.

1981	Publica *El jardín de al lado*, en España, en la editorial Seix Barral. La familia Donoso regresa a Chile. Comienza a trabajar en la agencia EFE. Organiza un taller literario en su casa. Publica *Poemas de un novelista*.		**Chile** Surgimiento del sistema previsional de las AFP, reemplazando a las antiguas cajas de previsión. Surgimiento de las Isapres como alternativa privada de salud. El Palacio de la Moneda vuelve a ser la sede del poder ejecutivo. Reestructuración del sistema educacional poniendo fin al Estado docente. Fin de la educación superior gratuita en las universidades. Desaparición de las sedes regionales de las universidades de Chile y Técnica del Estado. El gobierno facilita el establecimiento de universidades privadas. Se crea el Fondo de Desarrollo Científico y Tecnológico, Fondecyt. Se establece la censura del libro, mediante decreto del Ministerio del Interior. Se realiza la primera Feria internacional del libro de Santiago. **América Latina** Octavio Paz recibe el Premio Cervantes. **Resto del mundo** Ronald Reagan sufre un atentado en Washington. Francois Mitterand es elegido presidente de Francia. Se descubre en EE.UU. el síndrome de inmunodeficiencia adquirido, Sida. El transbordador espacial Columbia finaliza con éxito un viaje de 54 horas.
1982	Publica en Seix Barral *Cuatro para Delfina*. Escribe en colaboración con Ictus "Sueños de mala muerte".	La novela *Los premios* de Julio Cortázar es traducida al francés por Gallimard con el título *Les gagnants*.	**Chile** Crisis económica marcada por la devaluación del peso y altas tasas de cesantía. Muere asesinado Tucapel Jiménez, presidente de la Agrupación Nacional de Empleados Fiscales. Muere Eduardo Frei Montalva. Julieta Kirkwood se consolida como la principal teórica feminista en Chile al publicar *Ser política en Chile: las feministas y los partidos*. Marcela Paz recibe el Premio Nacional de Literatura. Se celebra el coloquio sobre escritoras latinoamericanas en Smith College. Una selección de las ponencias se publica posteriormente en *La sartén por el mango, encuentro de escritoras latinoamericanas* (1984). **América Latina** Se desarrolla el conflicto por las islas Malvinas entre Argentina e Inglaterra. Gabriel García Márquez recibe el Premio Nobel de Literatura.

	Convierte *Sueños de mala muerte* en un guion de teatro que será representado por la compañía Ictus.	**Resto del mundo** Felipe González del Partido Socialista Obrero, es investido como presidente del Gobierno de España. Fernando del Paso recibe el Premio Rómulo Gallegos. **Chile** Creación de la Casa de la Mujer La Morada por Julieta Kirkwood y un grupo de mujeres cuyo objetivo era promover la organización y dar visibilidad a las propuestas del feminismo. Surgimiento del MEMCh 83. Movimiento Pro Emancipación de la Mujer Chilena que surgió en el año 1983, adoptando el mismo nombre de su antecesor, el MEMCh histórico (1935-1953). Este movimiento aglutinó a diversas agrupaciones de mujeres opositoras al régimen militar. Julieta Kirkwood participó en la gestación de este movimiento. Creación de la Unión Demócrata Independiente, UDI, liderada por Jaime Guzmán. Carol Urzúa, intendente de Santiago, es asesinado por el MIR. Fin de la censura de los libros. El pianista Claudio Arrau recibe el Premio Nacional de Arte. Aparece el primer número de la revista *Enfoque*, de crítica cinematográfica. **América Latina** Raúl Alfonsín asume como presidente democráticamente elegido en Argentina. Juan Rulfo recibe el Premio Príncipe de Asturias.
1983		
		Resto del mundo Muere el pintor Joan Miró. **Chile** Clima nacional tenso, movimientos de protestas contra el gobierno. Se reestablece el Estado de Emergencia. La Junta de Gobierno declara estado de sitio. Se resuelve el conflicto entre Chile y Argentina por el Canal Beagle, mediante un tratado de paz firmado en el Vaticano. El grupo musical Los prisioneros graba su primer cassette: *La voz de los ochenta*. Fallece Hernán Díaz Arrieta, Alone. Braulio Arenas recibe el Premio Nacional de Literatura. **América Latina** Muere Julio Cortázar. Asesinato del ministro de Justicia colombiano, Rodrigo Lara Bonilla.
1984	Traducción al inglés de *Casa de campo* por David Pritchard y Suzanne Jill Levine como *A House in the Country* en editorial Knopf.	

1985	**Resto del mundo** EE.UU. y el Vaticano reanudan relaciones diplomáticas después de un año. Los Juegos Olímpicos se realizan en Los Ángeles sin la participación de URSS ni de varios países socialistas. **Chile** Reactivación de la economía a la cabeza de Hernán Buchi. Ramón Griffero estrena *Cinema Utopía*. Se funda las universidades de Playa Ancha y Metropolitana. Terremoto azota la zona central del país. Mueren Hernán del Solar y Marcela Paz. **América Latina** Tancredo Neves gana las elecciones de Brasil. Terremoto azota a México. **Resto del mundo** En EE.UU. Ronald Reagan asume su segundo mandato como presidente. En la URSS, Mijael Gorbachiv asume la jefatura de gobierno. Inglaterra decide abandonar la Unesco.	
1986	**Chile** Atentado contra Augusto Pinochet en el Cajón del Maipo. Nace la Asamblea de la Civilidad, opositora al Gobierno Militar. Enrique Campos Menéndez recibe el Premio Nacional de Literatura. Los prisioneros graban el álbum *Pateando piedras*. Alfredo Castro funda el grupo de teatro experimental "La Memoria". Pedro Lemebel lee su "Manifiesto (Hablo por mi diferencia)" en un acto político celebrado en la Estación Mapocho. **América Latina** En Lima es reprimido un motín de Sendero Luminoso. Mario Vargas Llosa recibe el Premio Príncipe de Asturias. Fallecimiento de Jorge Luis Borges en Génova y de Juan Rulfo en Ciudad de México. **Resto del mundo** Accidente nuclear en Chérnobil, Ucrania. Jacques Chirac es designado primer ministro francés.	De vacaciones en Chiloé comienza a trabajar en su novela *La desesperanza*, la que terminará en Santiago. Publica entre agosto de 1986 y enero de 1990 una selección de sus cuadernos en el periódico madrileño *ABC*, bajo el título de "Fragmentos de diario".

1987	El gobierno español le otorga el título Comendador de la Orden de Alfonso X El Sabio.	**Chile** En enero se termina el toque de queda vigente desde 1973. Visita de Juan Pablo II. Aparece el diario *La Época* opositor al gobierno. **América Latina** Carlos Fuentes recibe el Premio Cervantes. Abel Posse recibe el Premio Rómulo Gallegos. **Resto del mundo** El Congreso estadounidense aprueba ayuda económica para grupos antisandinistas. Explota el transbordador espacial Challenger.
1988	Traducción al inglés de *La desesperanza* por Alfred MacAdam como *Curfew*.	**Chile** Nace la Concertación de Partidos por la Democracia. Plebiscito que determinará la continuidad del régimen militar. Las opciones son Sí para que este continúe hasta 1997 o No, para que se realicen elecciones democráticas. Triunfa el NO con un 54,6 %. Se llama a elecciones para el año siguiente. Surge la Central Unitaria de Trabajadores CUT. Augusto Pinochet anuncia el fin del exilio. Se estrena *La negra Ester*, dirigida por Andrés Pérez. Primera intervención de "Las yeguas del Apocalipsis", por Pedro Lemebel y Francisco Casas, durante la entrega del premio de poesía Pablo Neruda al poeta Raúl Zurita. Se crea la Comisión Nacional de Investigación Científica y Tecnológica. Eduardo Anguita recibe el Premio Nacional de Literatura. **América Latina** Secuestro y asesinato del fiscal del Estado Carlos Mauro Hoyos en Medellín por narcotraficantes. **Resto del mundo** Moscú proclama el inicio de la "era del desarme nuclear". Soviéticos comienzan a retirar misiles en el resto de Europa. En EE.UU., George H. W. Bush, es elegido presidente.

1989		**Chile** La ciudadanía aprueba mediante plebiscito una serie de reformas a la Constitución de 1980. Se celebran elecciones libres para elegir presidente de la República. Triunfa el candidato de la Concertación de Partidos por la Democracia, Patricio Aylwin. Realización de elecciones parlamentarias. Comienza el retorno de los exiliados al país. Estreno de *Caluga o menta* de Gonzalo Justiniano. **América Latina** Bush ordena la invasión a Panamá con el fin de derrocar a Manuel Antonio Noriega. Augusto Roa Bastos recibe el Premio Cervantes. Manuel Mejía Vallejo recibe el Premio Rómulo Gallegos. **Resto del mundo** Caída del muro de Berlín. Estonia, Letonia y Lituania obtienen su independencia, separándose de la URSS. Las tropas soviéticas anuncian su retiro de Afganistán. Revuelta estudiantil de Tiananmen en China. Fallece el emperador japonés Hiroito quien condujo la nación durante la Segunda Guerra Mundial. China y URSS restablecen relaciones después de 30 años de antagonismo. Camilo José Cela recibe el Premio Nobel de Literatura.
1990	Recibe el Premio Nacional de Literatura. En Italia recibe el Premio Mondello para América Latina por la totalidad de su obra. Estreno de la adaptación teatral de su novela *Este Domingo*, escrita en colaboración con el escritor Carlos Cerda.	**Chile** Patricio Aylwin asume la presidencia. Se inaugura el nuevo Congreso en Valparaíso. Comienzan reiterados descubrimientos de osamentas humanas que pertenecen a detenidos desaparecidos. Se crea la Comisión de Verdad y Reconciliación. Se realiza en el Estadio nacional "Desde Chile, un abrazo a la Esperanza" auspiciado por Amnistía Internacional. Nelly Richard funda la revista *Crítica Cultural*.

	Participa junto a David Gallagher en el programa "Las letras en el Municipal" organizado por la Corporación Cultural de Santiago, en el Teatro Municipal de Santiago. El encuentro fue moderado por el poeta y profesor de literatura Federico Schopf. Publica *Taratuta. Naturaleza muerta con Cachimba.* Silvio Caiozzi estrena *La luna en el espejo* en cuyo guion trabajaron conjuntamente Donoso y Caiozzi.	**América Latina** Violeta Chamorro es electa presidenta de Nicaragua. Alberto Fujimori es elegido presidente en Perú. César Gaviria es electo presidente de Colombia. Octavio Paz recibe el Premio Nobel de Literatura. Adolfo Bioy Casares recibe el Premio Cervantes. Arturo Uslar Pietri recibe el Premio Rómulo Gallegos. **Resto del mundo** Cae la República Democrática Alemana, unificándose con Alemania Federal. Boris Yeltsin es elegido presidente de la Federación Rusa. Irak invade Kuwait, desatándose la Guerra del Golfo. Nelson Mandela es puesto en libertad tras 28 años en prisión.
1991		**Chile** Muere asesinado el senador UDI Jaime Guzmán. Comisión presidida por Raúl Rettig entrega informe del estado de las violaciones a los derechos humanos. Cristián Edwards, hijo del director del diario *El Mercurio,* es secuestrado por el FPMR. Chile se incorpora a la APEC, Asia-Pacific Economic Coorporation. Ricardo Larraín filma *La frontera.* **América Latina** Modificación a la Constitución de Colombia. Trágica muerte de la periodista Diana Turbay durante intento de rescate. **Resto del mundo** Se oficializa la disolución de la Unión Soviética, formándose la Comunidad de Estados Independientes, integrada por Rusia, Ucrania y Bielorrusia. Disolución de la República Federal Socialista de Yugoeslavia: Eslovenia y Croacia se declaran independientes.

1992	*El jardín de al lado* de José Donoso es traducida al inglés por Hardie St. Martin y publicada en Estados Unidos por Grove.	**Chile** Primera elección democrática de autoridades municipales tras el retorno de la democracia. Nace Fondart. Gonzalo Rojas recibe el Premio Nacional de Literatura. **América Latina** La Alianza Republicana Nacionalista (Arena) y el Frente Farabundo Martí para la Liberación Nacional (FMLN) se reunieron para poner fin a la guerra civil de El Salvador iniciada en 1980. **Resto del mundo** Estados Unidos establece oficialmente relaciones diplomáticas con Rusia. Se establece la Unión Europea. Estados, Unidos, México y Canadá firman un tratado de libre comercio, Nafta, convirtiéndose en el bloque comercial más importante del mundial. Se funda la República Federal de Yugoeslavia.
1993	Junto con su esposa, María Pilar, concede una entrevista a la Biblioteca del Congreso de Washington DC (grabada el 1 de julio de 1993, en la Biblioteca del Congreso). Traducción al inglés de *Taratuta. Naturaleza muerta con cachimba* como *Taratuta. Still Life with Pipe* por Gregory Rabassa en Editorial Norton.	**Chile** Eduardo Frei Ruiz-Tagle es elegido presidente de la República. Se aprueba la Ley de Pueblos Indígenas. El ejército acuartela tropas a manera de protesta por juicio en contra del hijo de Augusto Pinochet. Creación de la Corporación Nacional del Desarrollo Indígena, Conadi. Se crea el Fondo Nacional de Fomento del Libro y la Lectura. Jorge Díaz recibe el Premio Nacional de Arte. En el teatro Monumental se inaugura el "Festival Mundial de las Naciones", encuentro internacional de teatro presidido por Héctor Noguera. **América Latina** Mempo Giardinelli recibe el Premio Rómulo Gallegos. En Colombia la policía mata a Mario Castaño Molina, "El Chopo" último jefe militar del cártel de Medellín. En Venezuela, la Corte Suprema de Justicia falla en contra del presidente Carlos Andrés Pérez por malversación de caudales públicos. Octavio Lepage es nombrado nuevo presidente interno.

1994	El Departamento de Programas Culturales del Ministerio de Educación organiza un homenaje para los setenta años del autor. Es invitado a España para la Semana del Autor en su honor, instancia auspiciada por el Instituto de Cooperación Iberoamericana de Madrid. Eduardo Frei le otorga la condecoración Gabriela Mistral en el grado de Gran Oficial.	**Chile** Escándalo económico protagonizado por Juan Pablo Dávila, operador de futuro de Codelco. Concluye con éxito el primer trasplante hepático infantil del país. Chile se convierte en miembro del Foro de Cooperación Asia-Pacífico. Jorge Edwards recibe el Premio Nacional de Literatura. Margot Loyola recibe el Premio Nacional de Artes Musicales. **América Latina** "Levantamiento carpintero" en el estado de Chiapas. El Ejército Zapatista de Liberación Nacional se alza en armas contra el Gobierno mexicano. Mario Vargas Llosa recibe el premio Cervantes. Carlos Fuentes recibe el Premio Príncipe de Asturias. **Resto del mundo** Nelson Mandela es elegido presidente de Sudáfrica. Se crea oficialmente el Estado Palestino bajo la cabeza de Yasser Arafat. En Ginebra se constituye la Organización Mundial del Comercio, OMC. Lanzamiento del transbordador "Discovery" con un astronauta ruso a bordo. Boris Yeltsin envía tropas a Chechenia.
		Resto del mundo Bill Clinton asume como presidente de EE.UU. En Rusia, Boris Yeltsin ordena bombardear el edificio del Congreso a fin de eliminar la tentativa insurreccional. Israel y la Organización para la Liberación Palestina firman un acuerdo de paz. Naciones Unidas comienzan un proceso para juzgar los crímenes cometidos en Yugoeslavia.

1995	Viaja a Buenos Aires como invitado oficial de la Feria del Libro, donde debía asistir a la presentación de su última novela *Donde van a morir los elefantes*. Es destacado con la Gran Cruz del Mérito Civil, otorgada por el Consejo de Ministros de España. A su regreso continúa con su taller literario.	**Chile** El general en retiro Manuel Contreras y el brigadier Pedro Espinoza son condenados por el asesinato de Orlando Letelier. Se aprueba la construcción de la cárcel de Punta Peuco. Rodolfo Stange anuncia su retiro como director general de Carabineros. Chile es elegido como miembro del Consejo de Seguridad de las Naciones Unidas. Privatización de los principales puertos del país a partir de política de modernización estatal. Bélgica Castro obtiene el Premio Nacional de Artes de la Representación. Muere la escultora Marta Colvin. **América Latina** Perú declara el cese al fuego en la guerra fronteriza con Ecuador. **Resto del mundo** Desarrollo de la política migratoria conocida como "Pies secos/ pies mojados" durante el gobierno de Bill Clinton. Esta permite a los cubanos que tocaban suelo estadounidense a permanecer de manera legal en el país y acceder a residencia, a menos que fueran interceptados en alta mar, caso en la que eran deportados a Cuba. En Tel Aviv es asesinado el primer ministro israelí Yitzakah Rabin. Jacques Chirac es elegido presidente de Francia. Es lanzado al mercado el navegador Internet Explorer. Javier Marías recibe el Premio Rómulo Gallegos.
1996	En una ceremonia realizada en la Biblioteca Nacional, la casa editorial de la Enciclopedia Británica le obsequia la colección completa de dicha enciclopedia. Publica *Conjeturas sobre la memoria de mi tribu*.	**Chile** Firma de acuerdo político-económico entre la Unión Europea y Chile. Chile se asocia al Mercosur. Se celebran elecciones municipales. Fuga de cárcel de alta seguridad del Frente Patriótico Manuel Rodríguez por medio de un helicóptero. Inicio de la jornada escolar completa en los colegios municipales. Miguel Arteche gana el Premio Nacional de Literatura. Ramón Griffero estrena *Río abajo*. El Centro de Investigaciones Diego Barros Arana publica la edición íntegra de *Umbral*, del autor Juan Emar. Mueren Jorge Teillier en Chile y Carlos Droguett en Suiza.

	Chile / José Donoso	América Latina / Resto del mundo
	Muere el 7 de diciembre en su casa de Providencia, en Santiago de Chile.	**América Latina** Elecciones presidenciales en República Dominicana. Leonel Fernández del Partido de la Liberación Dominicana resulta electo en segunda vuelta. **Resto del mundo** Boris Yeltsin triunfa como candidato a la reelección del gobierno ruso. Bill Clinton triunfa en las elecciones presidenciales de EE.UU., asumiendo su segundo período. Jozé María Aznar gana las elecciones y se convierte en primer ministro de España. La nave espacial estadounidense "Clementine" descubre agua en cráteres de la Luna.
1997	En el primer aniversario de su muerte, el mundo editorial lo homenajea con el lanzamiento de dos libros: *José Donoso: 70 años*, el cual recopila las ponencias del encuentro realizado en su honor en 1994 en el Ministerio de Educación, y *José Donoso: voces de la memoria*, escrito por su amiga Esther Edwards. Se publica su novela póstuma titulada *El mocho*.	**Chile** Se inaugura la línea 5 del metro. Sale al aire la señal 2 de televisión *Rock and Pop*. **América Latina** Hugo Bánzer gana las elecciones presidenciales en Bolivia. Ángeles Maestretta recibe el Premio Rómulo Gallegos. **Resto del mundo** Rusia y Bielorrusia firman tratado de unión que les permite mantener su soberanía y fomentar la cooperación.
2000	El 28 de octubre, en el José Donoso Center de The Grange School, se realiza el encuentro en su honor "José Donoso: *El obsceno pájaro de la noche*: 30 años, 1997-2000". El evento organizado por Eliana Ortega tuvo entre sus invitados a Claudia Donoso, Julio Jung, Mario Valdovinos y Pilar Donoso.	**Chile** Asume como presidente del país Ricardo Lagos Escobar. Augusto Pinochet regresa a Chile tras estar detenido en Londres por 503 días. El Congreso aprueba su desafuero para que pueda ser juzgado por el caso "Caravana de la muerte". Creación de la Mesa de Diálogo, instancia que busca agotar todos los recursos para encontrar restos de detenidos desaparecidos. En el centro de Santiago se instala la Casa de Vidrio, proyecto Fondart. Raúl Zurita recibe el Premio Nacional de Literatura.

		América Latina Golpe de Estado en Ecuador que derroca al presidente Jamil Mahuad. El vicepresidente Gustavo Noboa asume la presidencia. **Resto del mundo** George Bush es elegido presidente de EE.UU.
2007	Se publica su novela inédita *Lagartija sin cola*.	**Chile** Comienza a operar el transporte público "Transantiago" en la capital. Creación de las regiones de Los Ríos (XIV), de Arica y Parinacota (XV). **América Latina** Cristina Fernández gana las elecciones argentinas, sucediendo en el cargo a su esposo Néstor Kirchner. Extradición del expresidente peruano Alberto Fujimori, de Chile a Perú. Elena Poniatowska recibe el Premio Rómulo Gallegos. **Resto del mundo** Nikolas Sarkozy es electo presidente en Francia. George Bush anuncia el envío de soldados adicionales a la Guerra de Irak, en tanto Inglaterra decide retirar sus tropas. El primer ministro ruso Mikhail Fradkov y su gabinete renuncian a sus cargos en bloque.
2009	Su hija Pilar publica *Correr el tupido velo*, ensayo biográfico escrito en base a los diarios de su padre archivados en los *José Donoso Papers*.	**Chile** En elecciones presidenciales pasan a segunda vuelta Eduardo Frei Ruiz-Tagle y Sebastián Piñera Echeñique. Este último gana la segunda vuelta y se convierte en el primer presidente de derecha tras el regreso a la democracia. **América Latina** Golpe de Estado en Honduras. El presidente Manuel Zelaya es derrocado, arrestado por militares y desterrado a Costa Rica. Se revoca la decisión de la OEA que excluía a Cuba de esta entidad. **Resto del mundo** Barak Obama es electo presidente de EE.UU.

BIBLIOGRAFÍA

LIBROS Y ARTÍCULOS

Achugar, Hugo. (1990). "Cronología". *El lugar sin límites. El obsceno pájaro de la noche*. Biblioteca Ayacucho, pp. 389-396.

Cerda, Carlos. (1997). *Donoso sin límites*. Lom.

Donoso, José. (1998). *Historia personal del "boom"*. Alfaguara.

—. (1973). "Chronology". *Review*, vol. 73, Fall, pp. 12-19.

Edwards, Esther. (1997). *José Donoso: voces de la memoria*. Sudamericana chilena.

González, Patricia Elena y Eliana Ortega, editoras. (1984). *La sartén por el mango: Encuentro de escritoras latinoamericanas*. Huracán.

Guzmán, María Constanza. (2010). *Gregory Rabassa's Latin American Literature, a Translator's Visible Legacy*. Bucknell.

Keeley, Robert V., editor. (1998). *MSS: Revisited*. Five and Ten Press.

Kerr, Lucille. (2003). "Writing Donoso Behind the Scenes". *Journal of Interdisciplinary Literary Studies*, vol. 9, pp. 81-100.

Kerr, Lucile y Alejandro Herrero-Olaizola. (2015). *Teaching the Latin American Boom*. The Modern Language Association of America.

King, John. (2005). "The Boom of the Latin American Novel". *The Cambridge Companion to the Latin American Novel*. Cambridge UP, pp. 59-80.

Mudrovic, María Eugenia. (1997). *Mundo Nuevo: cultura y guerra fría en la década del 60*. Beatriz Viterbo.

—. (2002). Reading Latin American Literature Abroad: Agency and Cannon Formation in the Sixties and Seventies. *Voice-Overs, Translations and Latin American Literature*, editado por Daniel Balderston y Marcy E. Schwartz. State University of New York Press, pp. 129-143.

O'Brien, John *et al.* (1992). "José Donoso, Jerome Charyn Number". *The Review of Contemporary Fiction*, vol. 12, núm. 2, Summer, pp. 7-85.

Quinteros, Isis. (1978). *José Donoso: una insurrección contra la realidad*. Hispanova.

Rama, Ángel. (1981). "El 'boom' en perspectiva. Más allá del 'boom' literatura y mercado". Marcha editores, pp. 51-110.

Rodríguez Monegal, Emir. (1972). *El boom de la novela latinoamericana*. Tiempo Nuevo.

Shaw, Donald. (1994). "Which Was the First Novel of the Boom?". The Modern Language Review, vol. 89, núm. 2, pp. 360-371.

Swanson, Philip. (1993). "Boom or Bust?: Latin America and the Not So New Novel". New Novel Review, vol. 1, issue 1, pp. 74-92.

Portales web

Borges Center. "Borges Life's and Work". www.borges.pitt.edu.

Memoria chilena. www.memoriachilena.gob.cl/602/w3-channel.html.

Operation Pedro Pan Collections Guide. https://sp.library.miami.edu/subjects/ pedropan.

Subercaseaux, Bernardo. "Cronología". *Historia de las ideas y de la cultura en Chile. Desde la Independencia hasta el Bicentenario*. www.ideasyculturaenchile. cl/documentos/cronologico.pdf.

Bibliografía

Daniela Buksdorf Krumenaker y María Laura Bocaz Leiva

Reja colonial chilena hacia 1930.
Archivo fotográfico del Museo Histórico Nacional.

Bibliografía de El lugar sin límites

Achúgar, Hugo. (1979). "*El lugar sin límites* o la acción ideologizadora". *Ideología y estructuras narrativas en José Donoso*. Centro de Estudios Latinoamericanos Rómulo Gallegos, pp. 149-190.

Aguera, Victorio. (1975). "Mito y realidad en *El lugar sin límites* de José Donoso". *Explicación de Textos Literarios*, vol. 4, núm. 1, pp. 69-74.

Aguilar, Dietris. (2003). "Simbología: Realidad y sueño en *El lugar sin límites* de José Donoso". *Espéculo: Revista de Estudios Literarios*, núm. 24, 13 de agosto, https://webs.ucm.es/info/especulo/numero24/index.html.

Amaro, Lorena. (1999). "El apocalipsis sin Dios: una lectura de la destrucción en *El lugar sin límites* y *El obsceno pájaro de la noche* de José Donoso". *Anuario de Postgrado*, núm. 3, pp. 373-390.

Amícola, José. (2006). "*Hell Has No Limits*: De José Donoso a Manuel Puig". *Desde aceras opuestas: Literatura/cultura gay y lesbiana en Latinoamérica*, editado por Dieter Ingenschay, Iberoamericana, pp. 21-35.

Arcaya Pizarro, Marcos. (2007). "Aproximación al papel simbólico de los perros de don Alejo en *El lugar sin límites*: la oposición caballo/perro como continuidad histórica en la constitución de lo masculino tradicional chileno". *Konvergencias Literatura*, núm. 5, pp. 47-53.

Barcellos, José Carlos. (2007). "Homoerotismo e abjeção em *O lugar sem limites* de José Donoso". *Literatura y Lingüística*, núm. 18, pp. 135-144.

Barrientos, Mónica. (2013). "El realismo subvertido en la narrativa de José Donoso". *Crítica Hispánica*, vol. 35, núm. 1, pp. 23-44.

Blossman, M Ellen. (1990). "Estructura y función del espacio narrativo en *El lugar sin límites* de José Donoso". *Romance Languages Annual*, vol. 2, enero, pp. 342-348.

Boschetto, Sandra M. (1983). "La inversión como aproximación al mundo femenino en algunos relatos de José Donoso". *Hispania*, vol. 66, núm. 4, diciembre, pp. 532-541.

Brito, Eugenia. (2014). "*El lugar sin límites* de José Donoso". *Ficciones del muro: Brunet, Donoso, Eltit*. Cuarto propio, pp. 49-70.

Burke, Jessica. (2007). "Fantasizing the Feminine: Sex and Gender in Donoso's *El lugar sin límites* and Puig's *El beso de la mujer araña*". *Romance Notes*, vol. 47, núm. 3, pp. 291-300.

Cabezón Doty, Claudia. (2008). "Los bordes permeables: Del cine a la literatura. La 'novela-film' *El lugar sin límites* de José Donoso". *Taller de Letras*, núm. 42, pp. 91-106.

Cánovas, Rodrigo. (2000). "Una relectura de *El lugar sin límites* de José Donoso". *Anales de Literatura Chilena*, núm. 1, pp. 87-99.

—. (1997). "Alegorías Hispanoamericanas (Notas sobre la configuración literaria del prostíbulo)". *Taller de letras*, núm. 27, pp. 191-197.

Carreño, Rubí. (2007). "Per/versiones de género en *El lugar sin límites*". *Leche Amarga: violencia y erotismo en la narrativa chilena del siglo XX*. Editorial Cuarto Propio, pp. 117-144.

Castro, Pércio B. (2004). "Réquiem para la Manuela: La última sevillana de *El lugar sin límites* de José Donoso y de Arturo Ripstein —entre penes y peinetas— El travestismo como representación múltiple". *Hispanófila*, núm. 140, pp. 115-128.

Catalán, Pablo. (2004). "*El lugar sin límites*: el territorio del gran señor". *Cartografía de José Donoso. Un juego de espacios. Un arte de los límites*, Frasis editores, pp. 92-95.

Concha, Jaime. (2001). "Cruces hispanoamericanos: Fuentes, Donoso y *El lugar sin límites*". *Revista de Crítica Literaria Latinoamericana*, núm. 53, pp. 95-113.

De la Mora, Sergio. (1992). "Fascinating Machismo: Toward anunmasking of heterosexual maculinity in Arturo Ripstein's *El lugar sin límites*". *Journal of Film and Video*, vol. 44, núm. 4/4, pp. 83-104.

De Vallejo, Catharina. (1991). "Las estructuras significativas de *El lugar sin límites* de José Donoso". *Revista Canadiense de Estudios Hispánicos*, vol. 15, núm. 2, pp. 283-294.

Delgado, Josefina. (2003). "La mirada sin cuerpo". *Cuadernos Hispanoamericanos*, núm. 634, abril, pp. 21-29.

Epple, Juan Armando. (2003). "*El lugar sin límites*, de José Donoso: Una estética de la transgresión". *Studies in Honor of Enrique Anderson Imbert*, editado por Nancy Abraham Hall y Lanin A Gyurko. Juan de la Cuesta, pp. 437-445.

Figueroa, Ana. (2011). "Subiendo una escalera hacia atrás: la construcción del sujeto otro en *El Lugar sin límites* de José Donoso: El caso de la Japonesita". *Revista Nomadías*, núm. 14, pp. 141-156.

Fisher, Carl. (2015). "José Donoso and the Monstrous Masculinities of Chile's Agrarian Reform". *Hispanic Review*, vol. 83, núm. 3, pp. 253-273.

Foster, David William. (2003). "Arturo Ripstein's *El lugar sin límites* and the Hell of Heteronormativity". *Violence and the Body: Race, Gender, and the State*, editado por Arturo J. Aldama. Indiana University Press, pp. 375-387.

Galarraga-Oropeza, Víctor. (2016). "Plus de pre-textes pour lire José Donoso". *Problemes d'Amerique Latine*, vol. 102, núm. 3, pp. 111-130.

García-Moreno, Laura. (1997). "Limits of Performance: Art, Gender, and Power in José Donoso's *El lugar sin límites*". *Chasqui: Revista de Literatura Latinoamericana*, vol. 26, núm. 2, noviembre, pp. 26-43.

González-Allende, Iker. (2006). "Rulfo en Donoso: Comala y El Olivo como espacios infernales". *Hispanófila*, núm. 148, pp. 13-30.

Gutiérrez Mouat, Ricardo. (1983). "La modelización lúdica en *El lugar sin límites*". *José Donoso, impostura e impostación: la modelización lúdica y carnavalesca de una producción literaria*. Hispamérica, pp. 119-143.

Inostroza, Nicole. (2013). "José Donoso: Perversión y espacio social en la narrativa chilena". *Catedral Tomada: Journal of Latin American Criticism*, vol. 1, núm. 2, pp. 51-59.

Juan Navarro, Santiago. (1992). "José Donoso's Demonic Carnival: Marginality and Transgression in *El lugar sin límites*". *West Virginia University Philological Papers*, núm. 38, pp. 182-190.

Lema-Hincapié, Andrés. (2009). "Machinism in Four Southern Cone Novels: Humankind at Stake". *The Image of Technology in Literature, Media, and Society*, editado por Will Wright y Steven Kaplan, Society for the Interdisciplinary Study of Social Imagery, Colorado State University, pp. 76-82.

López Morales, Berta. (2011). "La construcción de 'la loca' en dos novelas chilenas: *El lugar sin límites* de José Donoso y *Tengo miedo torero* de Pedro Lemebel". *Acta Literaria*, núm. 42, pp. 79-102.

Kim, Euisuk. (2005). "El padre simbólico y el padre obsceno en *El lugar sin límites* de José Donoso". *Céfiro: Enlace hispano, cultura y literario*, vol. 5, pp. 28-35.

Kuhnheim, Jill. (2016). "Superpowers in the Bedroom: The Brothel Image in 1960s Latin America". *Contracorriente: A Journal of Social History and Literature in Latin America*, vol. 13, núm. 2, pp. 20-36.

Magnarelli, Sharon. (1992). "*Hell Has no Limits*: Limits, Centers, and Discourse". *Understanding José Donoso*, University of South Carolina Press, pp. 67-92.

Martínez, María. (2011). "El transexual en *El lugar sin límites*: monstruosidad, norma y castigo". *Revista Humanidades*, vol. 1, pp. 1-15.

Masiello, Francine. (2014). "Puig-Donoso-Ripstein: la historia de un deseo transformado". *Cuadernos de literatura*, vol. 18, núm. 36, pp. 268-280.

Melgar, Jonathan Elí. (2016). "Tejiendo espacios queer en Latinoamérica: El travestismo en Herrera Velado y Donoso". *Cuadernos Inter.c.a.mbio sobre Centroamérica y el Caribe*, vol. 13, núm. 1, pp. 93-107.

Millares, Selena. (2008). "*El lugar sin límites*: Los círculos del infierno". Introducción. *El lugar sin límites*, 5ª ed., Cátedra, pp. 56-91.

Morales, Leonidas. (2004). "La mirada del testigo". *Novela chilena contemporánea: José Donoso y Diamela Eltit*, Editorial Cuarto propio, pp. 55-81.

Morell, Hortensia R. (1982). "Visión temporal en *El lugar sin límites*: Circulari-dad narrativas teatralidad cíclica". *Explicación de Textos Literarios*, vol. 11, núm. 2, pp. 29-39.

—. (1982). "The Carnival, the Ghost Double and San Alejo's Legend in José Donoso's *El lugar sin límites*". *The Creative Process in the Works of Jose Dono-so*, editado por Guillermo Castillo-Feliú, Winthrop College, pp. 111-117.

Moreno Turner, Fernando. (1975). "La inversión como norma: a propósito de *El lugar sin límites*". *Cuadernos hispanoamericanos: revista mensual de cultura hispánica*, vol. 295, pp. 19-42.

—. (1975). "La inversión como norma: a propósito de *El lugar sin límites*". *Donoso. La destrucción de un mundo*, compilado por Antonio Cornejo Polar, Editorial García Cambeiro, pp. 73-100.

Nigro, Kirsten. (1975). "From criollismo to the Grotesque: Approaches to Jose Donoso". *Tradition and Renewal: Essays on Twentieth-Century Latin American Literature and culture*, editado por Medrlin H. Forster, Univer-sity of Illinois Press, pp. 208-232.

Ostrov, Andrea. (1999). "Espacio y sexualidad en *El lugar sin límites* de José Do-noso". *Revista Iberoamericana*, vol. 65, núm. 187, pp. 341-348.

Palaversich, Diana. (1990). "The Metaphor of Transvestism in *El lugar sin límites* by José Donoso". *AUMLA: Journal of the Australasian Universities Lan-guage and Literature Association: A Journal of Literary*, vol. 73, pp. 156-165.

Pereira, María Clara. (2001). "Un lugar sin límites: Bajo la mirada de Sarduy". *Cuadernos de Literatura*, vol. 7, núm. 13-14, pp. 194-200.

Pesce Massa, Maria Grazia. (1980). "La disgregazione dell'io in *El lugar sin lími-tes* di Jose Donoso". *Annali Istituto Universitario Orientale*, vol. 22, pp. 79-102.

Promis Ojeda, José. (1975). "La desintegración del orden en la novela de José Donoso". *Donoso la destrucción de un mundo*, editado por Antonio Cor-nejo Polar, Fernando García Cambeiro, pp. 13-42.

Quinteros, Isis. (1970). "*El lugar sin límites*". *José Donoso una insurrección contra la realidad*. Hispanova, pp. 141-185.

Rearwin, David R. (1976). "Structure and Characterization as Correlatives of Social Conflict in Two Spanish American Narratives: *El topo* and *El lugar sin límites*". *Proceedings of the Pacific Northwest Conference on Foreign Lan-guages Pullman*, vol. 27, núm. 1, pp. 158-161.

Rodríguez, Nelson. (2003). "*El lugar sin límites* de José Donoso: una re-lectura desde la alegoría de Walter Benjamin". *Literatura y Lingüística*, núm. 14, pp. 27-47.

Rodríguez Monegal, Emir. (1967). "El mundo de José Donoso". *Mundo Nuevo*, núm. 12, pp. 77-85.

Rodríguez Fernández, Mario. (1996). *"El lugar sin límites*: Historia de un cronotopo y la crucifixión de un dios". *Revista Chilena de Literatura*, núm. 48, pp. 97-100.

Ruiz Baños, Sagrario. (1999). "Sin siquiera encender una vela o el sombrío existir del lugar sin límites". *Anales de literatura Hispanoamericana*, vol. 28, pp. 1151-1158.

Sarduy, Severo. (1969). "Escritura/Travestismo". *Escrito sobre un cuerpo*. Sudamericana, pp. 43-48.

—. "Escritura / travestismo". *Mundo Nuevo*, núm. 20, feb. 1968, pp. 72-74.

Sarrochi, Augusto. (1992). *"Coronación, Este domingo y El lugar sin límites*, tríptico de degradación, locura y muerte". *El simbolismo en la obra de José Donoso*, La Noria, pp. 116-140.

Schoennenbeck, Sebastián. (2015). "Imágenes políticas". *José Donoso: Paisajes, rutas y fugas*. Orjikh editores, pp. 105-118.

Schulz, Bernhardt Roland. (1990). "Travestismo como falsa liberación". *Revista de Estudios Hispánicos*, vol. 17-18, pp. 217-223.

—. (1990). "La Manuela: Personaje homosexual y sometimiento". *Discurso: Revista de Estudios Iberoamericanos*, vol. 7, núm. 1, pp. 225-240.

Sifuentes-Jáuregui, Ben. (1997). "Gender without Limits: Transvestism and Subjectivity in *El lugar sin límites*". *Sex and Sexuality in Latin America*, editado por Daniel Balderston y Donna J. Guy, New York University Press, pp. 44-61.

Solotorevsky, Myrna. (1983). "El carnaval". *José Donoso: incursiones en su producción novelesca*, Ediciones Universitarias de Valparaíso, pp. 69-188.

Swanson, Philip. (1988). *"El lugar sin límites*: A Metaphor of Malaise". *José Donoso: The "Boom" and Beyond*. Francis Cairns, pp. 48-66.

Talley, Virginia. (2011). "Animalized Others in *El lugar sin límites*". *Neophilologus*, vol. 95, núm. 2, pp. 221-233.

Toro, Felipe. (2018). "La ruta latinoamericana del doctor Faustus: *El lugar sin límites* de Donoso y *Under the Volcano* de Malcolm Loury". *Taller de letras*, núm. 62, pp. 25-35.

Urbistondo, Vicente. (1981). "La metáfora don Alejo/Dios en *El lugar sin límites*". *Texto Crítico*, vol. 7, núm. 22-23, pp. 280-291.

Valenzuela, Luisa. (1994). "De la Manuela a la Marquesita avanza el escritor custodiado (o no) por los perros del deseo". *Revista Iberoamericana*, vol. 60, núm. 168-169, pp. 1005-1008.

Vidal, Hernán. (1972). *"El lugar sin límites*: sátira, mito e historia". *José Donoso: Surrealismo y rebelión de los instintos*, Aubi, pp. 113-177.

Zombory, Gabriella. (2015). "Realidades contrastadas: enfoques subjetivos sobre la realidad en *El lugar sin límites* de José Donoso". *Colindancias Revista de la Red de Hispanistas de Europa Central*, núm. 6, pp. 137-147.

Colaboradores

María Laura Bocaz Leiva es profesora asociada de la Universidad de Mary Washington, en Virginia, Estados Unidos. Obtuvo su Licenciatura en Letras, mención Lingüística y Literatura Hispánicas; Pedagogía en Lenguaje y Comunicación para la Enseñanza Media en la Pontificia Universidad Católica de Chile; su maestría y doctorado en la Universidad de Iowa. Trabaja desde el 2005 con los materiales de archivo de José Donoso, particularmente con su correspondencia personal y diarios de escritura. Ha publicado su trabajo de investigación centrado en materiales de archivo en *Revista Iberoamericana*, *Taller de Letras*, *Anales de Literatura Chilena* y *Variaciones Borges*. Actualmente se encuentra trabajando en un libro centrado en el proceso de escritura de *El obsceno pájaro de la noche*.

Daniela Buksdorf Krumenaker es candidata a doctora en Literatura por la Pontificia Universidad Católica de Chile, magíster en Letras PUC y en Literatura Comparada por la Universidad Adolfo Ibáñez. Profesora de la Facultad de Artes Liberales de la Universidad Adolfo Ibáñez. Sus áreas de investigación son la narrativa chilena del siglo veinte (particularmente la obra de José Donoso y Mauricio Wacquez), y la literatura poscolonial contemporánea, temas sobre los que ha publicado artículos académicos y ha participado en diversos congresos nacionales e internacionales.

Gonzalo Campos Dintrans es profesor asistente de la Universidad de Mary Washington, en Virginia, Estados Unidos. Obtuvo su Licenciatura en Letras con mención en Lingüística y Literatura Inglesa y la Pedagogía en Lenguaje y Comunicación para la Enseñanza Media en la Pontificia Universidad Católica de Chile. Obtuvo un M.A. en Lingüística y un PhD en Adquisición de Segunda Lengua en la Universidad de Iowa. Es coautor de diversos artículos sobre aspectos morfológicos y sintácticos en hablantes de una segunda lengua y de pedagogía en español para hablantes de inglés.

Carl Fischer es profesor asociado del Departamento de Lenguas y Literaturas Modernas y del Instituto de Estudios Latinos y Latinoamericanos de la Universidad de Fordham (Bronx, Nueva York, Estados Unidos). Doctor en español y portugués de la Universidad de Princeton. Autor del libro *Queering the Chilean Way: Cultures of Exceptionalism and Sexual Dissidence, 1965-2015* (Nueva York: Palgrave MacMillan, 2016). Actualmente se encuentra en el proceso de edición su libro *Chilean Film in the Twenty-First Century World*, en coedición con Vania Barraza (Detroit: Wayne State University Press). Es autor, además, de varios artículos y capítulos de libro sobre los estudios *queer*, el cine, la literatura y los estudios culturales chilenos y latinoamericanos.

Sharon Magnarelli obtuvo su PhD en la Universidad de Cornell. Actualmente es Professor of Modern Languages en la Universidad de Quinnipiac en Estados Unidos. Es autora de numerosos artículos académicos sobre narrativa y teatro, y de cuatro libros: *The Lost Rib: Female Characters in the Spanish-American Novel* (1985), *Reflections / Refractions: Reading Luisa Valenzuela* (1988); *Understanding José Donoso* (1993); *Home Is Where the (He)art Is: The Family Romance in Late Twentieth-Century Mexican and Argentine Theatre* (2008).

Fernando Moreno Turner es doctor de Tercer Ciclo en Estudios Ibéricos e Iberoamericanos por la Universidad de Paris III (Sorbonne Nouvelle, 1980) y doctor de Estado en Estudios Latinoamericanos por la Universidad de Poitiers, (1996). Fue profesor del Departamento de Literatura de la Universidad de Chile de Valparaíso (1971-1973). Con posterioridad ejerció labores de docencia en la Universidad de Poitiers, Francia, primero como profesor asistente (1974-1984), luego como profesor titular de Literatura Hispanoamericana (1985-1996) y finalmente como catedrático de Literatura Hispanoamericana (1997-2013). Actualmente es profesor emérito de esa misma universidad. Fue también secretario científico (1985-2000) y director del Centro de Investigaciones Latinoamericanas de la Universidad de Poitiers (CRLA-Archivos, 2001-2013). Entre sus principales líneas de investigación se cuentan "La ficcionalización de la Historia en la narrativa chilena y latinoamericana", "Las representaciones literarias de la violencia política y social y la novela de la dictadura en Hispanoamérica", "Lo fantástico y lo político en la literatura latinoamericana contemporánea", "El análisis textual de los discursos narrativos y poéticos hispanoamericanos".

Autor de más de un centenar de trabajos, capítulos de libros y artículos sobre la poesía y la narrativa hispanoamericanas y chilenas contemporáneas publicados en revistas especializadas en Francia, Europa y América latina. También ha escrito varios libros y ha editado textos colectivos.

Andrea Ostrov es profesora regular a cargo de *Problemas de Literatura Latinoamericana* en la Facultad de Filosofía y Letras (UBA) e investigadora independiente de Conicet. Se desempeñó como Visiting Professor en la Università degli Studi di Padova, en la Università degli Studi di Verona y en la Università degli Studi di Milano. Es autora de los libros *El género al bies: cuerpo, género y escritura en cinco narradoras latinoamericanas* (Alción, 2004) y *Espacios de ficción. Espacio, poder y escritura en la literatura latinoamericana* (Eduvim, 2014). Editó además *Alejandra Pizarnik/León Ostrov: cartas* (Eduvim, 2012) y coordinó el volumen *Cuerpos, territorios y biopolíticas en la literatura latinoamericana* (NJ, 2016). Sus principales líneas de investigación se refieren a las representaciones de las corporalidades disidentes (travestismo, enfermedad) y a las vinculaciones entre cuerpo, escritura, espacio y poder en la literatura latinoamericana.

Ángela San Martín Vásquez es profesora e investigadora del Departamento de Inglés de la Universidad Alberto Hurtado. Doctora en Literatura Comparada de Pennsylvania State University. Actualmente, se encuentra en proceso de edición de su traducción al inglés de la colección de ensayos *La pequeña voz del mundo* de la poeta Argentina Diana Bellessi.

Made in the USA
Monee, IL
06 December 2020